JN097929

教員採用試験

スイスイわかる

2026年度版

教職教養 合格テキスト

TAC教員採用試験研究会

TAC出版
TAC PUBLISHING Group

はじめに

本書は教員採用試験で出題される教職教養の重要事項を確実に，そして短期間で学習できるようにまとめたテキストです。学生の方は多くの履修科目があり，多忙なキャンパスライフを送っておられることでしょう。既卒の方は民間企業に勤務したり，講師として教壇に立たれたりして，学生時代以上に多忙な日々となり，十分な学習時間を確保するのが難しいといわれています。特に既卒の方は学生時代のような学習上のサポートを受けることが難しく，独学による受験となりがちです。そこで，本書は多忙な方でも教職教養を効率よく学ぶことができるように編集上の工夫を凝らしました。本書には次のような特徴があります。

●独学でも学びやすい丁寧な解説をしました。
●頻出用語が楽々暗記できるように側注をつけました。
●面接対策のポイントについても適宜記載しました。

各項目の見出しには頻出度の表記をしていますので，メリハリをつけた学習が可能です。また，単元末にある「確認テスト」で学習したことのチェックをすることができます。

受験は時間との勝負です。受験に勝利するためには，「限られた時間で最大の学習効果を発揮する」教材を手にすることが何より重要です。まずは本書を開いて，効率よく学習するためのコツをつかんでください。

「資格の学校」TACは，さまざまな分野の資格試験・採用試験において多くの合格者を輩出してきました。長年にわたって培ってきたTACならではのノウハウが本書の各所に散りばめられています。本書を手にしたあなたは，合格への第一歩を踏み出したといえるでしょう。

本書を学習した教員採用試験受験生の方々が見事合格の栄冠を勝ち取られ，明日の教育界で活躍されることを願ってやみません。

TAC教員採用試験研究会

本書の特徴と使い方

本書の使い方

タイトル

各領域における出題テーマを示しています。

傾向&ポイント

各テーマにおける出題傾向を端的にまとめています。どのように学習を進めていけばよいか，学習計画の参考にしてみてください。

頻出度 A

過去の試験と今後の出題傾向を分析し，各テーマの頻出度をA～Cの三段階で表しています。

A…非常によく出題される　B…よく出題される　C…出題されることがある。

さらに詳しく

頻出項目に関連して，覚えておきたい知識を掲載しています。用語とあわせて確認して確実に身につけていきましょう。

---

2 **教授段階論**

傾向&ポイント 教授段階論は，ヘルバルトの4段階教授法，ツィラーの5段階教授法，ラインの5段階教授法の3つが有名です。丸暗記すると，用語を混同しやすくなりますので，それぞれの成り立ちを理解しながら学習するようにしましょう。

頻出度 A

1　**教授段階論**

教授段階論[1]とは，学習者である子どもが物事を認識する過程に着目して，**段階**を区分けした教授論です。方針やルールに則った点で，科学的な手法を用いた教授法であるともいえます。

☑ **ヘルバルト**

ヘルバルトは，**4段階教授法**を提唱しました。ヘルバルトの4段階とは，「**明瞭－連合－系統－方法**」です。

4段階教授法は，学習者である子どもが新しい知識・技能の獲得を「どのように学ぶことができるか」という，子どもの認知面にアプローチした点が特徴です。その子どもの認知面から，段階を区分けしたものです。教師の立場からは，「どのような段階を踏んで教えるとよいか」ということになります。4段階教授法は**『一般教育学』**[2]で著されています。

☑ **ツィラー**

ツィラーは，**5段階教授法**を提唱しました。ツィラーの5段階とは，「**分析－総合－連合－系統－方法**」です。

ツィラーは，ヘルバルトの段階教授法を継承しました。したがって，学習者である子どもの認知面にアプローチした点は，ヘルバルトと同じです。

☑ **ライン**

ラインは，**5段階教授法**を提唱しました。これは，ツィラーの5段階教授法とは，考え方が異なる5段階です。

さらに詳しく

❶教授段階論は，明治期の日本の教育に影響を与えました。「思考力，判断力，表現力等」を育て，子どもたちの生きる力を養う点において，今日の日本の学校教育にも通じるものがあります。

❷「一般教育学」
教育目的を倫理学，教育方法を心理学で整理しました。また，教育目標を「道徳的品性の陶冶」としました。

4

チェック欄 ☑

重要項目にはチェック欄がついています。内容が理解できたら印をつけるなど，後から自分が振り返りやすいよう，学習を進めていきましょう。

赤太字・黒太字

最重要ポイントは赤字，重要ポイントは太字で表記しています。

本書の特長

本書は「教職教養」の分野を理解し，試験問題に解答できるよう構成された一冊です。テーマごとに要点が整理されており，“いつでも・どこでも・どこからでも学習できる本”として，継続的に学習できるようポイントを絞ってまとめました。

教授と学習

ラインの５段階とは，「予備－提示－比較－概括－応用」です。ラインは，子どもの認知面ではなく，教師がどのように動くのかという点に着目しました。

ラインにより，ヘルバルトやツィラーの段階教授法の論理は，大きく転換されました。

2　進行段階

☑ **ヘルバルトの４段階教授法**

①**明瞭**：もののイメージをはっきりと認識すること。他のものとは違うということを認識する。

②**連合**：「明瞭」によって得たイメージをもとに，他の似たイメージと結び付けること。

③**系統**：「連合」によって得たイメージを，論理的に意味をもつことができるように関係づけること。

④**方法**：「系統」によって得たイメージを発展させ，新たなイメージに応用すること。

☑ **ツィラーの５段階教授法**

- ヘルバルトの４段階教授法で示された段階と基本的な流れは同じ。
- ヘルバルトとの違いは，４段階教授法の最初の段階である「明瞭」を，「**分析**」と「**総合**」の２つに分けたこと。

☑ **ラインの５段階教授法**

①**予備**❸：新しい概念を得ることに必要な既有の知識を想起させ，学習への積極的な態度をつくること。

②**提示**：新しい教材を提示すること。

③**比較**：「予備」で想起した知識と，「提示」で示された知識とを比較し，両方を結び付けること。

④**概括**：「予備」「提示」「比較」によって獲得した知識を総合的に体系化すること。

⑤**応用**：「概括」によって体系化された知識を，具体的な場面において応用すること。

段階教授法は頻出です。提唱者・教授法・進行段階が結び付くようにしておきましょう。

❸「予備」
現代の授業でも授業の開始時に「導入」という段階を設定することがありますが，「予備」は「導入」と同じ概念です。

面接対策

授業の導入の場面で，子どもの学習を効果的にするために，あなたはどのようなことを工夫したいと考えますか。

5

ここが出た！

試験で問われやすいポイントや出題傾向を具体的にまとめて，掲載しています。

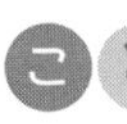

重要語句の補足説明を掲載しています。単に単語を暗記するだけでなく，その意味や内容まで理解できるようになっています。

面接対策

各テーマに関連して，面接時に問われやすい質問内容を掲載しています。各テーマの要点を理解すると同時に，面接では試験官に自分の言葉でどう説明するかも考えておくと，より理解が深まるでしょう。

確認テスト　領域ごとに，過去問をまとめた「確認テスト」を用意しています。一通り学び終えたら，問題を解いて自分の理解度を把握しましょう。問題形式に慣れることから始め，間違えてしまった問題については，本文に戻り，理解できるまで根気よく学習しましょう。

出題傾向と対策

本書では，教職教養試験で出題される内容を大きく５つに分けています。教育原理，学習指導要領，教育法規，教育心理，教育史です。ここでは，各分野における出題内容を順に解説していきます。

教育原理

ワンポイントアドバイス 教育原理は各分野に横断的に影響を及ぼす科目であり，それゆえ教職教養試験の中では，最も重要視される科目といえるでしょう。下に挙げた分野はすべて頻出事項となっており，まんべんなく対策することが求められますが，特に気をつけたいのは教育時事関連問題の出題の多さです。重要答申にあたるだけでなく，各自治体の時事についても目を向けておきましょう。

教授と学習▶▶ 歴史上の有名な教授・学習理論が問われます。教授法の名称と提唱者を結び付けさせる問題が多いため，名称と提唱者は合わせておさえるようにしましょう。コメニウスの実物教授，ヘルバルトの４段階教授法，パーカーストのドルトン・プラン，フリップスのバズ学習などがあります。

生徒指導▶▶ 文部科学省の『生徒指導提要』の空欄補充問題が頻出。特に生徒指導の意義について述べた文章や，教育相談の技法がよく出題されます。問題行動については，いじめ防止対策推進法と不登校への対応の在り方を重点的に確認しておきましょう。

特別支援教育▶▶ 障害のある子どもに対する教育のことを指します。これを担う特別支援教育の枠組みを，規定する法律や報告・答申・通知などとともに理解しましょう。特別支援学校，特別支援学級，通級による指導のそれぞれの特徴を把握し，その目的と対象となる障害の種類や程度なども確認しておくことも重要です。通常学級に１～２人の割合でいるといわれる，発達障害児への理解も深めておくようにしましょう。

人権教育▶▶ 「人権教育の指導方法等の在り方について」における，より実践的な指導方法を取りまとめた 2008 年の第３次とりまとめからは，かなりの頻度で出題されています。人権教育で育むべき３つの資質・能力や，人権・同和問題に関わる制度や政策史も頻出です。各自治体で定めている独自の条例などもあるため，受験する自治体のものはおさえておくとよいでしょう。

教育時事▶▶ 各自治体単位での時事問題も含めると，かなりの頻度で出題されます。文部科学省の通知や中央教育審議会の答申などがよく出ます。出題頻度が高いのは，2018 年度から実施されている教員の資質能力やチーム学校について述べた答申や，第３期教育振興基本計画における５つの政策の基本方針などです。これらの重要答申は，本文にあたってきちんと理解しておきましょう。

学習指導要領

ワンポイントアドバイス 全体を通して頻出事項の多い分野です。ほとんどの自治体の筆記試験あるいは面接試験で学習指導要領（特に新旧学習指導要領の違い）が問われるといえるため，入念な対策が必要となるでしょう。総則を理解・暗記するのみならず，史的変遷（各年度版の特徴）などもしっかりとおさえておきましょう。総則を中心に，小学校は全科，中・高は受験の教科の部分を暗記するくらいまでしっかりと理解することが大切です。また，異なる校種の学習指導要領を読み込んでおくと，知識の幅を広げることができるでしょう。

学習指導要領▶▶ 教育課程を編成するための国家基準のことです。総則の空欄補充問題などがよく問われます。授業時数や卒業までに習得させる単位数などの数字も確認しておくことが大切です。道徳や総合的な学習の時間，外国語活動，特別活動の内容の目標や内容も知っておきましょう。また，新学習指導要領の改訂にともない，改訂の基本的な考え方やポイントなども重点的におさえることが重要です。

教育法規

ワンポイントアドバイス 近年は，この分野がますます大きなウエイトを占める自治体もあります。出題分野は「３大頻出事項（懲戒・研修・服務）＋憲法＋教育基本法」という構図がはっきりとしているため，まずはこれをしっかりとおさえましょう。法規は根本的な内容においては変わらないものである一方で，教育時事の影響を受けて変容する部分も存在します。法改正や新たな法の制定によって「変化した部分」を問われる可能性も多分にあるため，常に新しい内容を学び続ける姿勢をもちましょう。

基本法規▶▶ 日本国憲法と教育基本法です。出題頻度が高いものとしては，日本国憲法第 24 条，第 26 条，教育基本法第１条，第４条，第５条，第９条などがあります。教育基本法第４条では教育の機会均等，第５条では義務教育について規定されています。

学校運営に関する法規▶▶ 学校教育法で定められている学校の定義や各学校の目的・目標の空欄補充問題が頻出です。学校の設備運営に関する内容のみならず，学校の休業日や臨時休業，１学級の標準人数，教科書の採択権者などのような細かい事項が出題されることもあり，内容の正確な把握が求められるでしょう。

児童・生徒に関する法規▶▶ まずは児童・生徒に対する懲戒と体罰禁止について定めた，学校教育法第 11 条をしっかりとおさえておきましょう。また，児童虐待の防止等に関する法律の出題頻度も高い傾向があります。児童虐待の種類，虐待防止の上で教職員に課されている義務についても確認しましょう。

教職員に関する法規▶▶ 教育公務員特例法が定める教員研修と，地方公務員法が定める教員の服務について問われます。教職員という立場や義務を定めた後者の出題頻度は高いため，職務上の３つの義務，身分上の５つの義務はきちんと把握しておきましょう。

教育心理

ワンポイントアドバイス 発達・学習・性格と適応が教育心理における３大頻出分野であるといえます。この範囲の対策に加え，カウンセリング（心理療法）・教育評価の分野をおさえることが必要です。どの分野でも理論の名称や提唱者，その内容が煩雑になりやすい一方で，その違いの部分がよく問われます。各理論，提唱者を整理し，しっかりと区別をつけておきましょう。

学習▶▶ 学習理論は試験でもよく問われる分野です。特に学習理論の連合説と認知説の違いをおさえるようにしましょう。また，条件づけの理論もよく出題されます。古典的条件づけとオペラント条件づけの違いを整理し，両者の区別を明確にしておくとよいでしょう。

発達▶▶ 理論の名称と提唱者を結び付けさせる問題や，理論における各段階の説明文を選ばせたり，順番に配列させたりする問題が頻出です。ピアジェの認知の発達段階説，エリクソンの発達課題説，ヴィゴツキーの発達の最近接領域説などがよく出ます。

人格・性格▶▶ 質問紙法，作業法，投影法など，著名な性格検査の基本的な内容や，カウンセリングの基本的な技法について問う問題がよく出題されるほか，マズローの欲求の階層構造説，欲求不満に対処する防衛機制の出題頻度も高い傾向があります。

評価・知能▶▶ 学習の途中で実施する評価である形成的評価に代表される，ブルームの教育評価の類型論が頻出です。ピグマリオン効果，ハロー効果，中心化傾向といった，評価をゆがめる心理効果なども頭に入れておきましょう。

教育史

ワンポイントアドバイス ほかの分野と比べると頻出度や難易度はそこまで高くありませんが，正確な知識を要する問題が多く出題されています。教育思想家・実践家とその主張・主著との組み合わせは，西洋２：日本１程度の比率で出題されるため，各人物や制度とその流れを正確に把握しておきましょう。

西洋教育史▶▶ 著名な教育思想家について問われます。ルソー，ペスタロッチ，デューイなど，近代以降の人物の出題頻度が高い傾向があります。人物の名前を，主著やその人物の主張を特徴付けるキーワードとともに暗記し，即座に答えられるようになるまで反復学習をするのが効果的です。

日本教育史▶▶ 江戸期に私塾をつくった人物や，明治期に教育の近代化に寄与した人物，年表，時代順に並べ替えさせる問題などがよく問われる傾向にあります。1872 年の学制，1886 年の諸学校令，1941 年の国民学校令など，重要な政策はしっかりとおさえておきましょう。

全体を通して

全国の自治体を広く分析すると，教職教養の内容と頻出事項は以上のようにまとめられますが，どの部分がよく出題されるかは自治体によって異なります。すべての領域からまんべんなく出題する自治体もあれば，１つの領域にウエイトを置いている自治体もあるため，自分が受験する自治体がどのような出題をするのかを知っておいたほうが無難です。教職教養の範囲をひととおり学習して問題演習をした後は，受験自治体の過去問題を参照して実際に出題された問題を確認することが大切です。他方で，小・中学校の教育課程の編成，いじめの防止，日本国憲法，児童・生徒の保護，教員の服務などのテーマは，自治体を問わず広く出題されているため，これらのテーマは受験する自治体に関わらずしっかりとおさえておくことも必要です。

目次

第4章　学習指導要領 ……111

第5章　教育法規① ……145

第6章　教育法規② ……171

第7章　教育法規③ ……209

第8章　教育心理①　……237

第9章　教育心理②　……273

第10章　教育史　……309

教育原理①

教育の基本概念

傾向&ポイント 教育の基本的な概念や用語について理解しておくことは，面接や論文の際にも，自分の考えを説得力あるものにすることができます。概念の意味をイメージしながら，用語を覚えていくようにしましょう。

頻出度 C

1 陶冶

形式陶冶[1]

人間の内面形成を意味します。一つ一つの知識・技能[2]を習得するのではなく，**記憶力**，**推理力**，**想像力**を伸ばすことによって一定の**精神的な態度**を習得させることが，形式陶冶です。

実質陶冶

知識・技能の獲得を意味します。一つ一つの実用的な知識・技術を習得し，具体的な学習を通して**精神の実質的側面**を豊かにさせることが，実質陶冶です。

2 系統学習・問題解決学習

系統学習

系統とは，「つながり」のことです。学習内容を一定の「つながり」によって順番に学んでいく方法のことを系統学習といいます。「つながり」のある学習内容とは，知識・技能が体系化された**教科**としてまとめられています。教師は，各教科などの知識・技能について**順序性**を意識しながら教えていくことになります。

問題解決学習

知識の暗記のような受け身的な学習ではありません。子どもたちの生活経験の中での**問題**を**解決**するために，その解決に至る過程を**学習過程**として組織していく方法のことです。教師は，**支援者**としての役割が

ことば

❶「陶冶」
土をこねること（陶），金属をたたくこと（冶）から転じて，人間を形づくる（教育）ことを陶冶といいます。

さらに詳しく

❷「生きる力」を子どもたちに育むために，現行の学習指導要領では「知識及び技能」を「三つの柱」のうちの一つとして示しています。

強くなります。学習者である子どもの，自ら問題を発見し解決していく能力を養っていくことになります。

3 古典的学習理論

古典的学習理論それぞれの説の提唱者・内容・著作物などを結び付ける問題が出されることが多いです。

☑ コメニウス

近代教授学の祖と呼ばれています。コメニウスは，子どもを白紙（**タブラ・ラサ**）とみなし，そこには「あらゆるもの」を書き記すことができると考えました。この考えから，一度に効率的に教授を行っていく**一斉教授**の考え方に発展していきました。これは**公教育**の基礎となりました。あらゆる人にあらゆる事がらを教授する普遍的な技法として『**大教授学**』を著しました。

また，コメニウスは**実物教授**（**直観教授**）❸を主張しました。『**世界図絵**』は世界初となる，絵が入った初等教育段階の教科書です。

さらに詳しく

❸実物教授は直観教授ともいいます。事物の観察を重視する，感覚を前提とした教授理論です。

☑ ペスタロッチ

ルソーの影響を受け，伝統的な教材を注入的に教えるという教育観を否定し，子どもの「自然」の発展を助長するのが教育であると考えました。知識注入型ではなく，子どもの自然性に基づいた能力の開発を目的とした**開発主義**の立場をとりました。そこから，コメニウスの実物教授を発展させて，**受容的ではなく能動的な直観教授**を提唱しました。絵・標本・模型など感覚に基づいた具体的な学習方法からさらに進んで，**実物の観察**を重視し，事物の本質を直感し，把握する点に学習の重点を置きました。

❹「管理」
子どもの欲望や行動を規制して秩序を保たせること。
「教授」
教材を通して知識を与えること。
「訓練」
学習内容を内面化させ，心情や意思に深めていくこと。

☑ ヘルバルト

教育の目的は「**道徳的品性の陶冶**」にあるとしました。倫理学と心理学を基礎とした教育学を構想し『**一般教育学**』を著しました。

教育の方法には「**管理**」「**教授**」「**訓練**」❹の３つの面があるとしました。「**教授**」の部分を分割した「**明瞭－連合－系統－方法**」とする**４段階教授法**を唱えました。

教授段階論

傾向&ポイント 教授段階論は，ヘルバルトの４段階教授法，ツィラーの５段階教授法，ラインの５段階教授法の３つが有名です。丸暗記すると，用語を混同しやすくなりますので，それぞれの成り立ちを理解しながら学習するようにしましょう。

1 教授段階論

教授段階論❶とは，学習者である子どもが物事を認識する過程に着目して，**段階**を区分けした教授論です。方針やルールに則った点で，科学的な手法を用いた教授法であるともいえます。

さらに詳しく
❶教授段階論は，明治期の日本の教育に影響を与えました。「思考力，判断力，表現力等」を育て，子どもたちの生きる力を養う点において，今日の日本の学校教育にも通じるものがあります。

☑ ヘルバルト

ヘルバルトは，**４段階教授法**を提唱しました。ヘルバルトの４段階とは，「**明瞭－連合－系統－方法**」です。

４段階教授法は，学習者である子どもが新しい知識・技能の獲得を「どのように学ぶことができるか」という，子どもの認知面にアプローチした点が特徴です。その子どもの認知面から，段階を区分けしたものです。教師の立場からは，「どのような段階を踏んで教えるとよいか」ということになります。４段階教授法は『**一般教育学**』❷で著されています。

❷「一般教育学」
教育目的を倫理学，教育方法を心理学で整理しました。また，教育目標を「道徳的品性の陶冶」としました。

☑ ツィラー

ツィラーは，**５段階教授法**を提唱しました。ツィラーの５段階とは，「**分析－総合－連合－系統－方法**」です。

ツィラーは，ヘルバルトの段階教授法を継承しました。したがって，学習者である子どもの認知面にアプローチした点は，ヘルバルトと同じです。

☑ ライン

ラインは，**５段階教授法**を提唱しました。これは，ツィラーの５段階教授法とは，考え方が異なる５段階です。

ラインの５段階とは，「**予備－提示－比較－概括－応用**」です。ラインは，子どもの認知面ではなく，教師がどのように動くのかという点に着目しました。

ラインにより，ヘルバルトやツィラーの段階教授法の論理は，大きく転換されました。

段階教授法は頻出です。提唱者・教授法・進行段階が結び付くようにしておきましょう。

2 進行段階

ヘルバルトの４段階教授法

①**明瞭**：もののイメージをはっきりと認識すること。ほかのものとは違うということを認識する。

②**連合**：「明瞭」によって得たイメージをもとに，ほかの似たイメージと結び付けること。

③**系統**：「連合」によって得たイメージを，論理的に意味をもつことができるように関係づけること。

④**方法**：「系統」によって得たイメージを発展させ，新たなイメージに応用すること。

ツィラーの５段階教授法

- ヘルバルトの４段階教授法で示された段階と基本的な流れは同じ。
- ヘルバルトとの違いは，４段階教授法の最初の段階である「明瞭」を，「**分析**」と「**総合**」の２つに分けたこと。

ラインの５段階教授法

①**予備**[❸]：新しい概念を得ることに必要な既有の知識を想起させ，学習への積極的な態度をつくること。

②**提示**：新しい教材を提示すること。

③**比較**：「予備」で想起した知識と，「提示」で示された知識とを比較し，両方を結び付けること。

④**概括**：「予備」「提示」「比較」によって獲得した知識を総合的に体系化すること。

⑤**応用**：「概括」によって体系化された知識を，具体的な場面において応用すること。

❸「予備」
現代の授業でも授業の開始時に「導入」という段階を設定することがありますが，「予備」は「導入」と同じ概念です。

面接対策

授業の導入の場面で，子どもの学習を効果的にするために，あなたはどのようなことを工夫したいと考えますか。

学習理論

傾向＆ポイント 数ある学習理論の中でも，「プログラム学習」は頻出しているので，重点的に学んでおくとよいでしょう。学習の理論について学ぶことは，実際に子どもに授業を行ううえでの基礎基本と密接に関係しています。

頻出度 A

1　プログラム学習

プログラム学習[1]の概要

スキナーが提唱した**個別学習**の方法です。理論的には，**オペラント条件づけ**がもとになっています。

ティーチング・マシンを用い，**スモール・ステップ**で学習を進めることによって，学習者である子どもは，その能力に応じて学習の目標を達成しやすくなります。

❶「プログラム学習」
「プログラム学習」は，現在進められている「プログラミング学習」とは異なります。しかし，プログラム学習の考え方は，ICT の活用による学習履歴（スタディ・ログ）をもとにした学習にも通ずるところがあります。

オペラント条件づけ[2]

動物実験において，その動物が特定の反応や行動をしたら，即時的に（すぐに）餌をあげることで，その行動を強化することができるという結果から生まれたのが，オペラント条件づけです。スキナーは，即時的な**評価**によって行動を自発的に行いやすくなるという**オペラント条件づけ**の理論が，子どもへの学習に応用できると考えました。

例えば，子どもに何か問題を出し，子どもが「正しい答え」を出したら，教師はすぐに「正解」であることを子どもに伝えます。そのような手続きをとることによって，着実に学習内容を習得できるようになるということです。

❷「オペラント条件づけ」
⇒ P.240

ティーチング・マシン

学習者である子どもに対して問題文を提示し，子どもがその問題に答えることができるようにします。子どもが解答すると，すぐに正解または不正解が知らされます。これを繰り返すことで，学習目標が達成されるという仕組みに基づいています。

☑ プログラム学習の５つの原理

①**スモール・ステップ**[3]：まず，学習する内容をできるだけ小さく（スモール）する。そして，いくつかの段階（ステップ）に分ける。つまり，小さな段階を設け，学習内容を無理なく着実に習得できるようにすること。

②**即時確認**：学習者である子どもが解答したら，その解答が正解しているかどうかを子どもに伝える。解答が誤っている場合は，正しい解答を導けるようにする。これを即時的（すぐ）に行うこと。

③**積極的反応**：学習者である子どもが，積極的に問題に対して解答できるようにすること。

④**自己ペース**：学習者である子どもがそれぞれのペースで学習できるようにすること。

⑤**学習者検証**：プログラム学習の効果は学習者である子どもの反応によって決まるというもの。子どもがプログラム学習をどのように行ったのかというデータを通じ，プログラムは改良されていくということ。

さらに詳しく

❸スモール・ステップや即時確認は，知的障害のある子どもへの特別支援教育の手法としてもよく取り入れられています。

2 その他の学習理論

☑ 発見学習　ブルーナー「教育の過程」

子どもが知識の生成過程に参加することで，知識を得たり，学習態度を育てたりしていく学習方法のことです。

☑ 有意味受容学習　オーズベル

本来の学習の前に，**先行オーガナイザー**（予備知識）を与える方法のことです。

☑ 範例学習　ハインペル，ワーゲンシャイン

教材の中から**事例**（**範例**）を精選し，そこから深く学べるようにする方法のことです。

☑ 完全習得学習　ブルーム[4]

教育評価を**診断的評価**，**形成的評価**，**総括的評価**に分け，特に形成的評価を重視して，学習内容を完全に習得させる方法のことです。

学習理論と提唱した人物の組み合わせに関する問題は頻出です。

❹「ブルームの完全習得学習」
⇒ P.276

経験主義的教育論

頻出度 A

傾向&ポイント 問題解決学習は，子どもの主体的な学習指導を構想する際の基盤となる考え方です。論文や面接などでも，この考えを交えて述べることにより，説得力を増すことができます。教育プランも現在に通じるものがあります。

1 問題解決学習

☑ デューイ

問題解決学習を提唱した**デューイ**は，もともとは哲学者で，シカゴ大学に実験学校を創設したころから，教育学者としても有名になりました。**『学校と社会』**を著しました。

☑ 問題解決学習

問題解決学習の特徴を一言でいえば，「なすことによって学ぶ」ことといえます。つまり，学習者である子ども自らの生活経験の中から問題を発見し，それを実践的に**解決**していくことを重視しています。問題解決のためには「**暗示－知的整理－仮説－推理－検証**」の段階を踏んでいき，その過程で知識や論理的な考え方，**問題解決**の実践力を習得させることをねらいとしています。

☑ プロジェクト・メソッド（プロジェクト法）

キルパトリックが提唱しました。子ども自らが学習の計画を立て，自分たちの生活の中で問題を解決することを「プロジェクト」と呼び，**目的設定－計画－実行－評価**の４つの段階を経て行う学習活動のことです。これらのひとまとまりを「**作業単元**」[1]と呼びます。

☑ 問題解決学習とプロジェクト・メソッドの違い[2]

デューイの提唱する「問題解決学習」では，学習問題を教師が指定します。一方，キルパトリックの提唱する「プロジェクト・メソッド」では，教師からは問題の領域だけが示され，具体的な問題は子ども自身が決定します。

ことば

❶「作業単元」
単元とは，学習内容のまとまりのことです。各教科の指導でもよく使われます。特別支援学校や特別支援学級では「生活単元学習」という教科・領域をあわせた指導の形態もあります。

さらに詳しく

❷現在では，問題解決学習は，数学や社会科など特定の教科の枠組みで行われることが多くみられます。一方でプロジェクト・メソッドは総合的な学習の時間のような教科横断的な学習の場面で用いられることがあります。

2　教育プラン

☑ ウィネトカ・プラン

アメリカ･イリノイ州ウィネトカ市の小･中学校でウォッシュバーンによって導入されました。特徴は，**個別指導と集団学習の組み合わせ**です。教育課程は，共通基本教科と社会的・創造的活動に分けられます。**共通基本教科**は子どもの学習進度に応じた個別指導で，**社会的・創造的活動**は集団学習で行われます。

☑ モリソン・プラン

アメリカ・シカゴ大学の教授モリソンが考案し，アメリカの中等学校に普及しました。特徴は，デューイの問題解決学習と，ヘルバルトの段階教授法を技術的に融合し，発展させた点です。モリソン・プランでは，教科を５つに分類しました。例えば，科学型の教科では「**探索－提示－類化－組織化－発表**」というように，教科それぞれの**学習段階**を設定しました。

☑ ドルトン・プラン

アメリカ・マサチューセッツ州ドルトン町のハイスクールで，パーカストによって行われた教育プランです。特徴は,自由と協同が基本原理である点です。**主要教科**（国語,数学など）は，学習割当表（アサインメント）と呼ばれる生徒自身が計画を立てた学習予定をもとに,教師と契約(約束）して学習を進めていきます。**副次的教科**（音楽，体育など）は，従来通り学級で一斉に学習をします。

☑ イエナ・プラン

ドイツ･イエナ大学附属実験学校で,ペーターゼンによって行われた教育プランです。特徴は，子どもがお互いに個性を尊重し合い,共生する心を養うことを重視する点です。学校は生活共同体として，従来の年齢別学年・学級編成を廃止しました。

教育プラン・人物・関連事項の組み合わせが出題されました。

面接対策

子どもに対して，個別指導と集団学習をどのように使い分けていくかについて述べてください。

頻出度 B

教育プランの推移

傾向&ポイント 集団的な教育の形態は，具体的な学習指導場面を想定する際の前提となるので，学習活動の工夫について論じる際の参考となるでしょう。早期教育，幼児教育の礎を築いた人物の業績も要チェックです。

1 集団的な教育の形態

☑ モニトリアル・システム

19世紀の初め，イギリスでベルとランカスターによって始められました。別名「**助教法**」「**ベル・ランカスター法**」とも呼ばれます。

特徴は，システム的な集団教育の在り方です。年長の子どもや，優秀な子どもを教師が指名して**助教**（モニター）とします。助教は，教師の監督・指導のもと，他の子どもへの指導に当たります。このように指導体制をシステム化したことでより多くの子どもたちへの一斉指導が可能となったのです。

☑ チーム・ティーチング（TT）

1995年にアメリカ・ハーバード大学のケッペルが考案しました。**協力教授組織**[1]と訳されるように，複数の教師（2人以上の教師）がチームを組み，子どもの教育に責任をもって当たる協力型の指導体制のことです。それぞれの教師が，自らの専門性や持ち味を生かしたり，協力して指導に当たったりすることで，以下のような多くの効果が期待できます。

- 個に応じた指導が可能になる。
- 集団でも多様な活動を用意できる。
- 幅のある子どもの能力にも対応できる。
- 子どもに対して多様な見取りや評価ができる。
- 教師は，自分以外の教師の方法などを参考にすることが

さらに詳しく

❶「協力教授組織」
現在，日本の学校でもこのような協力型の指導体制は多く取り入れられています。

面接対策

チーム・ティーチングの一員として指導に当たるとき，あなたはどのような点に気をつけますか。

でき，授業力の向上につながる。

2　早期教育，幼児教育

☑ フレーベル

ドイツの教育者。著書『**人間の教育**』。幼児教育に専念し，1840 年に世界初の**幼稚園**を開設しました。これに先立ち，生活教育と作業を重視した「**一般ドイツ教育舎**」を開設。子どもの遊戯を重んじて遊具を考案し，それを**恩物**と名づけました。

☑ シュタイナー教育

ドイツの哲学者・教育学者**シュタイナー**が提唱。1919 年，シュタイナーがドイツ・シュツットガルトに**ヴァルドルフ学校**（**自由学校**）を開き，そこで実践した教育法のことです。シュタイナーは，人智学に基づいた教育理論を展開しました。**子どもの自主性**を尊重し，競争・能力原理を排した点が，シュタイナー教育の特徴です。

子どもの成長を７年ごとに捉え，それぞれの時期に応じた以下のような教育方法を考えました。

①幼児期（０～７歳）：意思の育成。「体」を育てることが重要な時期とする。

②少年期（８～ 14 歳）：感情の育成。「心」を育てることが重要な時期とする。

③青年期（15 ～ 21 歳）：思考の育成。「頭」を育てることが重要な時期とする。

☑ モンテッソーリ教育

イタリアの医師・教育家**モンテッソーリ**[❷]が，障害のある子どもへの治療教育の実践から考案しました。ローマの保育施設「**子どもの家**」にて障害のない子どもに対しても行い，子どもには，自分を育てる力が備わっているという自己教育力の存在が前提となっています。子どもを科学的に観察し，そこから得た事実をもとに**教具**を開発していく点が特徴といえます。

それぞれの人物と，行った業績についての説明を結び付ける問題が出題されています。

さらに詳しく

❷モンテッソーリ法とも呼ばれます。現在，日本においてはモンテッソーリ教育の実践が主に乳幼児教育の中で進められています。

教育課程の概念

傾向&ポイント 「教育課程」は，学校教育の基礎となる用語です。しかし，使用される幅の広さから，その意味を理解するのが難しい用語でもあります。用語が具体的にイメージできるようにしていきましょう。

頻出度 C

1 教育課程の基本理念

教育課程とは

教育課程とは，カリキュラム（curriculum）と，ほぼ同義の言葉です。ラテン語の currere（レースコースを走ること）に由来するといわれており，一言でいえば，**教育目標を達成するための計画**です。

教育課程の定義

「**小学校学習指導要領解説　総則編**」では，以下のように定義されています。

- 「学校において編成する**教育課程**については，**学校教育**の**目的**や**目標**を達成するために，**教育の内容**を児童の心身の発達に応じ，**授業時数**との関連において**総合的に組織した各学校の教育計画**である」

顕在的カリキュラム

学校の教育課程，全体計画，各教科の年間指導計画❶，時間割など，明文化しているカリキュラムのことです。

潜在的カリキュラム

校風，学級の雰囲気，教師と子どものやり取りのしかたなど，学校生活の中で，子どもが**暗黙**のうちに自ずと学びとっている見えざるカリキュラムのことです。

ことば

❶「年間指導計画」
学校では，国語，算数などの各教科について「いつ」「何を」教えるか計画を立てたうえで指導を行っています。

2 教育課程の構成

教育課程と学習指導要領

学習指導要領は，一定の**教育水準**を確保するために国が定めた教育課程の基準となるものです。それぞれの学校は，**学習指導要領**に基づいて，地域や学校の実態，児童生徒の心身の発達段階や特性などを考慮しながら，**学校の特色を生かした教育課程**を編成することになります。

☑ **学習指導要領に示されている教科等**

- **小学校**：各教科，特別の教科 道徳，外国語活動，総合的な学習の時間，特別活動
- **中学校**：各教科，特別の教科 道徳，総合的な学習の時間，特別活動

面接対策

（実習や勤務したことのある）学校の教育課程の特色は何ですか。

3 教育課程の類型

☑ **教科カリキュラム**

教育目的に応じて文化遺産の中から選択・組織された知識や技術を体系化し，**教科・科目**として構成したカリキュラムです。

それぞれのカリキュラムの用語と説明を結び付ける問題が出題されました。

☑ **相関カリキュラム**

相互に関連付けることで学習効果が高まると予想されるものがみられる場合，教科の枠組みはそのままにし，内容面で**関連付けて**編成されるカリキュラムです。

☑ **融合カリキュラム**

いくつかの教科・科目の枠を取り払い，それらを**融合**させて新しい教科・科目を再編成したカリキュラムです。

☑ **広領域カリキュラム**

教科・科目の境界を解体し，大きな領域を再編成するカリキュラムです。

☑ **コア・カリキュラム**

核（コア）となる教科・科目や活動領域（**中心課程**）と，その周辺に関連する教科・科目や領域（周辺課程）からなるカリキュラム❷です。

☑ **経験カリキュラム**

子どもの生活経験，**興味**，**能力**，**欲求**に応じ，その都度構成しようとするカリキュラムです。

さらに詳しく

❷コア・カリキュラムの実践例にはバージニア・プランなどがあります。

頻出度 C

学習指導の原理

傾向＆ポイント 模擬授業では，学習指導案の作成が求められることがあります。学習指導案のそれぞれの項目を表す用語について理解を図っておきましょう。「学習組織による指導」は，多様な学習方法を考える際に参考となります。

1 学習指導案

☑ 学習指導案

教師が授業で教えること，または子どもが授業で学ぶことをまとめた**授業づくりの設計図**ともいえます。**学習指導案**[1]を作成することで，授業の**目標**，**内容**，**手順**を具体的に整理していくことができます。

- **単元・教材名**

どの範囲の学習を行うのかを一言で**端的**に表したもの。

- **目標**

単元や教材を通して，**子どもに付けさせたい力**のこと。**学習指導要領において示された目標や内容**を踏まえて決定される。

- **単元観・教材観**

その単元や教材によって，子どもにどのような力をつけさせたいのか，その単元や教材がどのような教科の，系統上どの位置にあるのかなどを記載する。

- **児童観・生徒観**

子どもの興味・関心や日常の様子から，授業においてどのような反応が予想されるか，どのような子どもに育ってほしいかなどを記載する。

- **指導観**

教材や子どもの実態を受けて，どのように授業をしていくのか，目標を達成するためにどのような手立てを講じるかなどを記載する。

さらに詳しく

❶学習指導案には，本時1時間分だけを取り出して記載する「略案」と呼ばれるものもあります。

2　学習組織による指導

☑ 一斉学習

教師が子ども全員に対して，**同一内容**，**同一速度**で授業を行う方法のことです。子どもが学ぶべき内容を効率的に授業することができるのが特徴です。しかし，子どもそれぞれの学習状況や習得の速度に，きめ細かに対応するのは難しくなります。

一斉授業は，教師が一方的に話し続けることではありません。討議法，問答法など，教師と子どもが対話をする授業を一斉授業の中で取り入れることもあります。

☑ 小集団学習

子どもをいくつかの**グループ**に分けて学習させる方法のことです。

- **バズ・セッション（バズ学習）**
  ミシガン大学の**フリップス**によって考案。6名程度の小集団に分かれ，話し合いをしながら問題解決を図っていく方法。各グループが，がやがやと話し合う様子が，ハチの羽音に似ていることから，この名前がつけられた。
- **ジグソー学習**
  アロンソンによって考案。学ぶ内容を分割し，それぞれを担当するグループに分かれて習熟し，学んだことを相互に教え合う方法。**協同学習**❷の一つの形態。
- **ブレーン・ストーミング**
  オズボーンによって考案。テーマについて，自由に意見を出し合い，多くのアイデアを得る方法。

☑ 個別学習

個人の能力や特性などに応じる方法のことで，物理的に教師と子どもが一対一で行う形態には限定されません。一斉学習や小集団学習では見過ごされてしまいがちな個人の学習状況や速度にも対応できます。ウィネトカ・プラン，ドルトン・プラン❸は個別学習を用いた教育プランです。

学習指導

ここが出た！

それぞれの指導方法の名称と内容を結び付ける問題が多く出題されています。

ことば

❷「協同学習」
ただグループに分けただけでは協同学習とはいいません。そこに協同的な学習活動が起こるかどうかがポイントです。

面接対策

一人一人の子どもに応じた指導を行うために，どのような方法が考えられますか。

ことば

❸「ウィネトカ・プラン」「ドルトン・プラン」
⇒P.9

学習指導の形態

傾向&ポイント どのような学習指導の形態を用いるかによって，学習の効果は大きく変わります。学習指導の形態についての知識は，面接や論文でもアイデアのもととなります。形態の名称・内容・特徴を整理しておきましょう。

頻出度 C

それぞれの学習指導の形態とその特徴を結び付ける問題が出されることがあります。

1　学習指導の形態

実際の学習指導の場面では，学習の目標や内容，教材，子どもの実態などを考慮して最適の形態を選ぶことになります。いくつかの方法を合わせて用いることもあります。

☑ 講義法

一般的・日常的で，古くからある授業の場面といえば，この**講義法**でしょう。教師の講義をもって，子どもに知識・技能を伝えるのが講義法です。**効率的**に教えることができることが特徴といえます。講義は**言語的**なものですが，プレゼンテーション，動画資料，画像資料，図表，地図などの**視聴覚教材**を用いた**視覚的**な方法を合わせて用いると効果的です。

- **説明法**：客観的な理解を促すために，子どもの思考に訴える講義法。
- **講話法**：臨場感豊かに話して，子どもの想像力に訴える講義法。

☑ 討議法

子どもの話し合いによって学習活動を進めていく学習指導の形態が**討議法**です。講義法に比べて，子どもの自発性や社会性を高めていくことが期待できます。問題解決学習において討議法を取り入れることで，学習を発展させることもできます。

- **パネルディスカッション**：あるテーマについて，数名の代表者が聴衆の前で意見を交わし，その後聴衆全体も討

面接対策

子どもにとってわかりやすい授業を行うために，どのような学習指導の形態が考えられますか。

論に参加できるようにする討議法。

- **シンポジウム**：あるテーマに対し，数人の報告者が自らの見解を述べ，その後，質疑・応答へと移行する討議法。
- **ディベート**：あるテーマに対し，賛成・反対それぞれの立場を明確にしたうえで議論する討議法。

☑ 問答法

問いと，それへの答えを中心に展開する学習指導の方法です。

- **問答式**：教師と子どもとの問答による。
- **対話式**：より自由な**対話**❶で意見を言えるようにする。

☑ 観察・実験・実習

これらは直接的な体験を通して，知識・技能の習得を図っていく学習指導の形態です。レポートや振り返り学習など省察を行っていくと，学習効果が期待できます。

☑ 劇化法

子どもの劇的表現活動を用いる学習指導の形態です。

- **心理劇**：実生活の問題を取り上げ，その場の悩みや葛藤などを体験的に学ぶ。
- **社会劇**：社会的な役割を演じる。

2 オープン・スクール

☑ オープン・スクール（オープン・エディケーション）

イギリスの幼児学校（**インファント・スクール**）から始まりました。子どもを一つの大きなスペースに集め，「**自由で柔軟性・融通性のある**」学習環境を設け，子どもの個性と自主性を尊重した教育を行おうという考え方の総称です。

- **空間のオープンネス**：教室の壁を取り払い❷，学校施設そのものを機能的に利用する。
- **学習集団のオープンネス**：学級・学年の枠を取り払う。
- **教育内容のオープンネス**：教科の枠を取り払う。
- **教育方法のオープンネス**：子どもが自由に活動を選ぶ。

さらに詳しく

❶対話を用いることで，多様な考えや意見に接することができるようになり，多面的・多角的な思考につながることが期待できます。

さらに詳しく

❷日本でも教室の壁を一部取り払った「オープン・スクール」設計の校舎があります。また，「多目的教室」のような教室を設けることも「オープン・スクール」の流れの一つです。

頻出度 A

生徒指導の意義

傾向＆ポイント 生徒指導については，「生徒指導提要」が基本書です。したがって，生徒指導提要からの出題が中心になるでしょう。特に生徒指導提要の第１章については，全体に目を通して内容を把握しておくことが必要です。

1 生徒指導の意義

生徒指導提要

小学校段階から高等学校段階まで**組織的・体系的な**生徒指導❶を進めることができるように，文部科学省によってまとめられたものです。以下は，生徒指導提要第１章からの一部引用です。

生徒指導の意義

生徒指導の定義として，「生徒指導とは，児童生徒が，社会の中で自分らしく生きることができる存在へと，自発的・主体的に成長や発達する過程を支える教育活動❷のことである。なお，生徒指導上の課題に対応するために，必要に応じて指導や援助を行う。」とされています。

生徒指導は，児童生徒が自らを個性的存在として認め，よさや可能性に気付き，それらを引き出し，伸ばしていくとともに，社会生活で必要となる社会的資質・能力を身に付けることを支える働きです。児童生徒が自ら学校の教育目標を達成する上で重要な機能を果たすものであり，学習指導と並んで学校教育において重要な意義を持ちます。

ことば

❶「生徒指導」と「生活指導」
生活指導は，多義的に使われていることや，小学校段階から高等学校段階までの体系的指導の観点，用語を統一したほうがわかりやすいという観点から，生徒指導提要では「生徒指導」という用語で統一しています。

さらに詳しく

❷生徒指導は，児童生徒の問題行動など目前の問題に対処するようなイメージをもたれることが多いですが，問題行動を起こす子どもだけを対象とするものではありません。

2 児童生徒理解

生徒指導は，児童生徒理解が基盤となります。以下は，生徒指導提要第１章を参考にしています。

児童生徒理解

「生徒指導を進めていく上で，その基盤となるのは児童生徒一人一人についての児童生徒理解の深化を図ることと言えます。一人一人の児童生徒はそれぞれ違った**家庭環境や生育歴**，**能力・適性**，**興味・関心等**を持っています。児童生徒理解においては，児童生徒を**多面的・総合的**に理解していくことが重要であり，学級担任・ホームルーム担任の日ごろの人間的な触れ合いに基づく**きめ細かい観察や面接**などに加えて，学年の教員，教科担任，部活動等の顧問などによるもの，養護教諭やスクールカウンセラー等の専門的な立場も含めた広い視野から**専門的・客観的**な児童生徒理解を行うことが大切です❸。児童生徒理解は，一人一人の児童生徒を客観的かつ総合的に認識することが第一歩であり，日ごろから一人一人の言葉に耳を傾け，その気持ちを敏感に感じ取ろうとする姿勢が重要です。思春期は，子どもから大人への急激な成長の変化をとげる時期であり，スマートフォンやインターネットの発達による，目の行き届かない空間での複雑な心理や人間関係を理解するのは困難です。これに加えて進学等による生活環境の急激な変化を受けている児童生徒の不安や悩みにも目を向け，児童生徒の**内面に対する共感的理解**を持って生徒理解を深めることが大切です。また，児童生徒・保護者と教職員の相互理解を図っていくことも必要です。」

☑ 望ましい人間関係づくりと集団指導・個別指導

- **集団指導**とは，社会の一員としての責任や自覚，協調性などの育成を図る指導です。自らが集団の形成者であることを自覚し，社会の仕組みや平等性を理解したうえで，成長できる集団をつくることが大切です。
- **個別指導**には，集団から離れて行う指導と集団指導の場面においても個に配慮することの二つの概念があります。

☑ 学校全体で進める生徒指導

校務分掌の中で生徒指導主事を設けるなどして，学校全体で取り組むことが大切です。

ここが出た！
生徒指導提要に示されている説明の正誤問題は頻出です。

さらに詳しく
❸生徒指導は，学校全体で進めることが必要です。特定の教員だけが行うものではありません。

面接対策
学校全体で生徒指導を進めていくために，あなたはどのようなことを意識していきますか。

10 教育相談

頻出度 A

傾向&ポイント 生徒指導とあわせて教育相談の意義についても，内容をよく理解しておくことが必要です。カウンセリング技法や手法などは，名称とその内容を整理し，具体的に理解しておくとよいでしょう。

1 教育相談の意義

教育相談❶は,「生徒指導提要」に概要が示されています。以下は，生徒指導提要第３章を参考にしています。

☑ 教育相談の意義

教育相談は，児童生徒が社会的な自己実現を行うための資質・能力・態度を形成できるように働きかけることです。児童生徒それぞれの発達に即して，好ましい人間関係を育て，生活によく**適応**させ，**自己理解**を深めさせ，**人格の成長**への**援助**を図るものであり，決して特定の教員だけが行う性質のものではなく，相談室だけで行われるものでもありません。

そのため，生徒指導と教育相談は共通していることから全教職員で取組みを進めることが必要です。児童生徒理解に基づき，どの段階で指導をするのか時間的視点を持ちながら個々に対応した働きかけが必要です。

さらに詳しく
❶教育相談の対象は，いじめや不登校などの問題を抱える児童生徒だけが対象ではありません。

2 カウンセリング技法

☑ 教育相談で用いるカウンセリング❷技法

- **つながる言葉かけ**：心をほぐすように言葉をかける。
- **傾聴**：子どもの話によくうなずき，受け止める。
- **受容**：子どもの気持ちを推し量りながら聞く。
- **繰り返し**：子どもが言ったことを繰り返す。
- **感情の伝え返し**：子どもが言った感情の表現を，そのまま伝え返す。

❷「カウンセリング」学習面や生活面，人間関係などで悩みや課題を抱える子どもに対して，心理学に基づいて援助すること。

- **明確化**：子どもが上手く表現できないものを言語化する。
- **質問**：より積極的に聞いていることを伝えるために質問をする。
- **自己解決を促す**：本人の自己解決力を引き出す。

☑ **教育相談でも活用できる手法など**

- **グループエンカウンター**：グループ体験を通しながら他者理解，自己理解を深める。
- **ピア・サポート活動**：児童生徒どうしが互いに支え合う関係をつくる。
- **ソーシャルスキルトレーニング（SST）**：様々な社会的技能をトレーニングにより育てる。
- **アサーショントレーニング**：対人場面で自分の伝えたいことをしっかり伝えるためのトレーニング。
- **アンガーマネジメント**：自分の中に生じた**怒りの対処法**を段階的に学ぶ。
- **ストレスマネジメント教育**：様々なストレスへの対処法を学ぶ。
- **ライフスキルトレーニング**：自分の身体や心，命を守り，健康に生きるためのトレーニング。
- **キャリアカウンセリング**：職業生活に焦点を当て，将来の生き方を考える。

教育相談で用いるカウンセリング技法について説明した文章の正誤問題が出題されました。

3 スクールカウンセラー・スクールソーシャルワーカー

☑ **スクールカウンセラー（SC）**

心理の専門的知見を有するスタッフです。不登校，いじめなどの未然防止，早期発見および支援・対応などに従事します。

また，児童生徒だけでなく保護者，教職員への支援に係る助言・援助など，外部機関との連携も担います。

☑ **スクールソーシャルワーカー（SSW）**

福祉の専門的知見を有するスタッフです。児童生徒の最善の利益を保障する役割を担います。

面接対策

子どもが人間関係で悩んでいることをあなたに相談してきたとき，どのように対応しますか。

11 いじめ

傾向&ポイント いじめの問題については，「いじめ防止対策推進法」からの出題が多い傾向にあります。また，法に基づく各種の対応についても，概要を把握しておくことが大切です。面接でもよく問われます。

頻出度 A

1 いじめ防止対策推進法

2013（平成 25）年に公布されました。以下は，いじめ防止対策推進法からの引用です。

☑ いじめの定義（第２条）

「児童等に対して，当該児童等が在籍する学校に在籍している等当該児童等と**一定の人間関係**にある他の児童等が行う**心理的又は物理的な影響を与える行為**（**インターネットを通じて行われるものを含む。**）❶であって，当該行為の対象となった児童等が**心身の苦痛を感じているもの**をいう。」

さらに詳しく

❶いじめの態様をより具体的にいうと，以下のようなものが挙げられます。

- 冷やかしやからかい
- 仲間はずれ
- 叩く，蹴る行為
- 金品のたかり
- 恥ずかしいことや危険なことをさせられる
- インターネットなどでの誹謗中傷など

☑ いじめ防止対策推進法の基本理念（第３条）

「いじめの防止等のための対策は，**いじめが全ての児童等に関係する問題**であることに鑑み，児童等が安心して学習その他の活動に取り組むことができるよう，**学校の内外を問わず**いじめが行われなくなるようにすることを旨として行われなければならない。」

☑ 学校及び学校の教職員の責務（第８条）

「学校及び学校の教職員は，基本理念にのっとり，当該学校に在籍する児童等の保護者，地域住民，児童相談所その他の関係者との**連携**を図りつつ，**学校全体でいじめの防止及び早期発見**に取り組むとともに，当該学校に在籍する**児童等**がいじめを受けていると思われるときは，**適切かつ迅速にこれに対処する責務**を有する。」

☑ 学校における組織（第22条）

「当該学校の複数の教職員，心理，福祉等に関する専門的な知識を有する者その他の関係者により構成される**いじめの防止等の対策のための組織**を置くものとする。」

☑ 重大事態（第28条）

①いじめにより当該学校に在籍する児童等の生命，**心身又は財産に重大な被害が生じた疑い**があると認めるとき。

②いじめにより当該学校に在籍する児童等が**相当の期間学校を欠席することを余儀なくされている疑い**があると認めるとき。（この相当の期間とは30日間を目安とする）

いじめ防止対策推進法の条文に関する説明の正誤問題は頻出です。

2 いじめの防止等のための基本的な方針

いじめの防止等のための対策を，総合的かつ効果的に推進するために策定されました。以下は，いじめの防止等のための基本的な方針からの引用です。

☑ いじめの防止

「全ての児童生徒を対象とした**いじめの未然防止**❷の観点が重要であり，全ての児童生徒を，いじめに向かわせることなく，心の通う対人関係を構築できる社会性のある大人へと育み，**いじめを生まない土壌**をつくるために，関係者が一体となった継続的な取組が必要である。」

❷「未然防止」
生徒指導や教育相談で重要な考え方です。何かが起こってから対応するのではなく，起こる前に人間関係の形成などを日常的な取り組みとする考え方です。

☑ いじめの早期発見

「**全ての大人が連携**し，児童生徒のささいな変化に気付く力を高めることが必要である。」

☑ いじめへの対処

「いじめがあることが確認された場合，学校は直ちに，いじめを受けた児童生徒やいじめを知らせてきた児童生徒の**安全を確保**し詳細を確認した上で，いじめたとされる児童生徒に対して事情を確認し適切に指導する等，**組織的な対応**を行うことが必要である。」

☑ 地域や家庭との連携について

「学校関係者と地域，家庭との連携が必要である。」

面接対策

子どもから「いじめられている」と訴えがあったとき，あなたはどのように対応しますか。

12 不登校

頻出度 B

傾向＆ポイント 文部科学省「不登校児童生徒への支援の在り方について」が不登校児童生徒への対応としての基本となります。不登校児童生徒の数は，小学校・中学校で増加傾向にあります。基本的な支援の視点はおさえておくとよいでしょう。

1 不登校の定義

☑ 不登校とは

不登校児童生徒とは，「何らかの**心理的，情緒的，身体的あるいは社会的要因・背景**❶により，登校しないあるいはしたくともできない状況にあるため，**年間30日以上欠席した者のうち，病気や経済的な理由による者を除いたもの**」をいいます。

さらに詳しく
❶不登校の原因として，「本人に係る要因」「学校に係る要因」「家庭に係る要因」が挙げられますが，これらの複合的な要因によるものも多くあります。

2 「不登校児童生徒への支援の在り方について」

2016（平成28）年に公布された「**義務教育の段階における普通教育に相当する教育の機会の確保等に関する法律**」を受けて，2019（令和元）年の文部科学省より通知されました。以下は，通知からの引用です。

ここが出た！
「不登校児童生徒の支援の在り方について」についての説明の正誤に関する問題が出題されました。

☑ 支援の視点

- 「**学校に登校する**」という結果のみを目標にするのでは**ない**。
- 児童生徒が自らの進路を主体的に捉えて，**社会的に自立することを目指す**必要がある。
- 不登校の時期が**休養**や**自分を見つめ直す**等の**積極的な意味**を持つことがある。
- 学業の遅れや進路選択上の不利益や**社会的自立へのリスクが存在する**ことに留意する。

☑ 学校教育の意義

- 児童生徒が不登校になった要因を的確に把握する。

- 学校関係者や家庭，必要に応じて関係機関が情報共有し，組織的・計画的な，個々の児童生徒に応じたきめ細やかな**支援策**を策定する。
- 社会的自立へ向けて**進路の選択肢を広げる支援**をする。
- 既存の学校教育になじめない児童生徒については，学校としてどのように受け入れていくかを検討し，なじめない要因の解消に努める必要がある。
- 児童生徒の才能や能力に応じて，それぞれの可能性を伸ばせるよう本人の希望を尊重した上で，場合によっては，**教育支援センター❷**や**不登校特例校**，**ICT を活用した学習支援**，**フリースクール❸**，**中学校夜間学級**での受け入れなど，様々な関係機関等を活用し社会的自立への支援を行う。

☑ **児童生徒理解・支援シート**

関係者間での情報共有のためのツールを活用する。

☑ **不登校が生じないような学校づくり**

- **魅力ある**よい学校づくり
- **いじめ，暴力行為等問題行動を許さない**学校づくり
- 児童生徒の**学習状況等に応じた指導・配慮**の実施
- 保護者・地域住民等の**連携・協働体制**の構築
- 将来の社会的自立に向けた**生活習慣**づくり

☑ **効果的な支援の充実**

- 不登校に対する学校の基本姿勢
- 早期支援の重要性
- 効果的な支援に必要なアセスメント
- スクールカウンセラーやスクールソーシャルワーカーとの連携協力　等

☑ **指導要録上の出席の取り扱い**

一定の要件を満たす場合に，**学校外の施設**において相談・指導を受けた日数を**出席扱い**にすることができる。

❷「教育支援センター」「適応指導教室」とも呼ばれます。不登校児童生徒に対する指導を行うために，自治体が設置している施設のことです。

❸「フリースクール」民間の教育機関です。学校教育法第１条に定める「学校」には該当しません。

面接対策

あなたが担任をする学級の子どもが不登校になったら，あなたはどのように対応しますか。

13 問題行動・不登校等の状況

頻出度 C

傾向&ポイント 調査結果をもとに出題されることがあります。令和４年度も新型コロナウイルス感染症の影響が続いていますが，全体的な傾向を把握しておくことが重要です。小論文や面接でも，現在の傾向をもとに論じましょう。

1 問題行動等の調査結果

問題行動などについては，「**児童生徒の問題行動・不登校等生徒指導上の諸課題に関する調査結果**」から概要を確認することができます。ここでは，令和４年度の調査結果を概観してみます。令和４年度については，新型コロナウイルス感染症の影響が続き，学校や家庭における生活環境も日々変化していきました。日常の授業におけるグループ活動や，学校行事，部活動など様々な活動が制限され，子どもたちが直接対面でやり取りをする機会やきっかけも減少する中，不安や悩みを相談できない子どもたちがいる可能性や，子どもたちの不安や悩みが従来とは異なる形で現れたり，一人で抱え込んだりする可能性なども考慮して以下のデータを読み取る必要があります。

☑ いじめ

小・中・高等学校，特別支援学校における**いじめの認知件数**❶は681,948件であり，過去最多となりました。また，インターネット上のいじめについても増加結果が出ており，SNSなどを利用したいじめについては，その特質上，いじめとして認知しきれていないケースもあります。

いじめの認知件数の推移

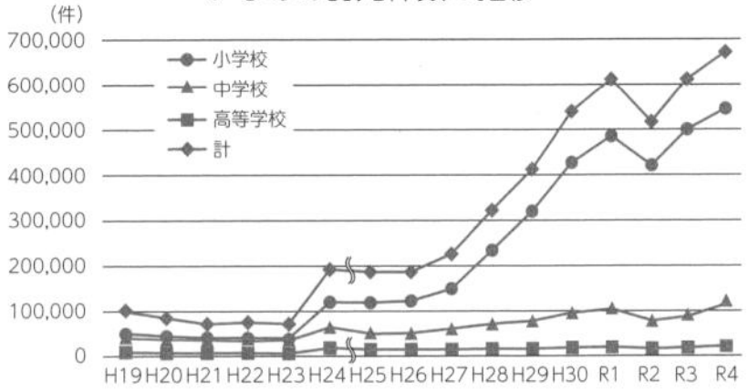

さらに詳しく

❶いじめの認知件数は少ない方が望ましい印象があります。しかし，いじめを隠すことなく，積極的に認知していくことが，いじめの解消に向けて大切です。

暴力行為

小・中・高等学校における暴力行為の発生件数は95,426件であり，全校種において前年度より発生件数が増加しています。この件については，いじめの積極的な認知が暴力行為の把握にもつながっていることなどの要因が考えられます。

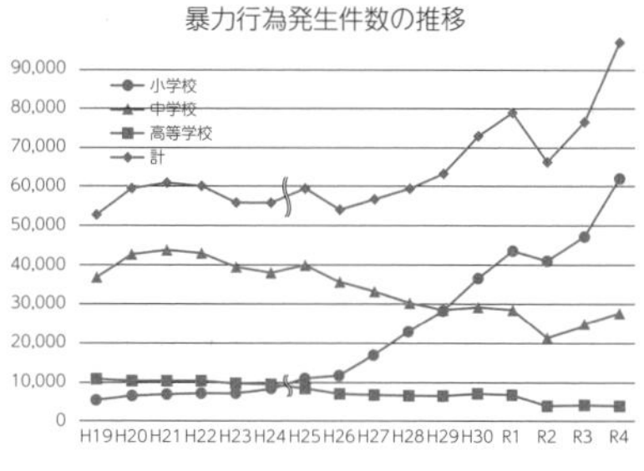

不登校❷

小・中学校における**長期欠席者**のうち**不登校**児童生徒数は299,048人であり，**10年連続で増加**し，**過去最高**となっています。

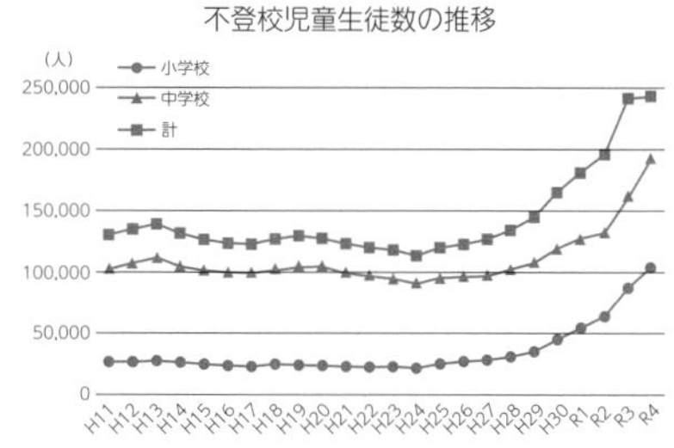

新型コロナウイルス感染症による生活環境の変化，生活リズムが乱れやすい状況や，学校生活において様々な制限がある中で交友関係を築くことなど，登校する意欲が湧きにくい状況にあったことなども背景として考えられます。

自殺

小・中・高等学校から報告のあった自殺した児童生徒数は411人で，前回調査に比べて減少しているものの，依然高い状況にありることは**憂慮すべき事態**です。

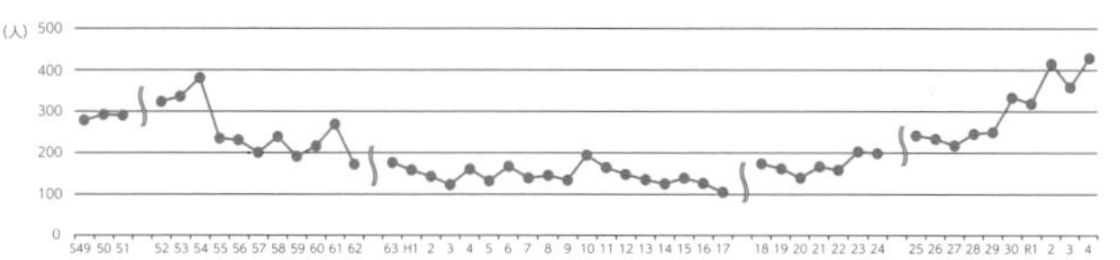

ここが出た！

調査結果をもとにした正誤問題が出題されました。特に不登校児童生徒数は増加傾向にあることを見逃さないようにしましょう。

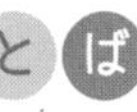

ことば

❷「不登校」
不登校は問題行動ではありません。ですので，問題行動「等」と表現されることがあります。

面接対策

いじめや不登校についての現状を述べてください。

14 キャリア教育

頻出度 B

傾向&ポイント キャリア教育は比較的新しい考え方で，学校現場にも徐々に浸透してきている現状を踏まえると，今後も出題されることが増えてくると予想されます。概念やキャリア発達の能力をチェックしておくとよいでしょう。

1 キャリア教育の概念

☑ キャリア

人が生涯の中で様々な役割を果たす過程で，自らの役割の価値や自分と役割との関係を見い出していく連なりや積み重ねが，「**キャリア**」の意味するところです。

☑ キャリア発達

社会の中で**自分の役割**を果たしながら，**自分らしい生き方を実現**していく過程のことです。

☑ キャリア教育とは

一人一人の**社会的・職業的自立**に向け，必要な基盤となる能力や態度を育てることを通して，**キャリア発達**を促す教育の総称を**キャリア教育**[❶]といいます。

さらに詳しく
❶キャリア教育は，「進路指導」と混同されやすいですが，狭義の「進路指導」を含んでいる概念です。

2 キャリア発達に関わる能力

☑ 基礎的・汎用的能力[❷]

- **自己理解・自己管理能力**：自分が「できること」「意義を感じること」「したいこと」について，社会との相互関係を保ちながら，今後の自分自身の可能性を含めた肯定的な理解に基づいて主体的に行動するとともに，自らの思考や感情を律し，かつ，今後の成長のために進んで学ぼうとする力。
- **人間関係形成・社会形成能力**：多様な考えや立場を理解し，相手の意見を聴いて自分の考えを正確に伝えることができるとともに，自らの状況を受け止め，役割を果た

さらに詳しく
❷これらの能力概念は包括的なものであり，必要な要素をわかりやすくまとめたものとされています。4つの能力はそれぞれが独立したものではなく，相互に関連・依存した関係にあります。

して，他者と協力・協働して社会に参画しながら，今後の社会を積極的に形成することができる力。

- **キャリアプランニング能力**：「働くこと」の意義を理解し，自らが果たすべき様々な立場や役割との関連を踏まえて「働くこと」を位置づけ，多様な生き方に関する様々な情報を適切に取捨選択・活用しながら，自ら主体的に判断してキャリアを形成していく力。
- **課題対応能力**：様々な課題を発見・分析し，原因を洗い出し適切な計画を立て，その課題を処理し，解決することができる力。

3 キャリア・パスポート

☑「キャリア・パスポート」❸とは

児童生徒が，**小学校から高等学校までのキャリア教育**に関わる諸活動について，**特別活動の学級活動およびホームルーム活動**を中心として，各教科などと往還し，自らの学習状況やキャリア形成を見通したり振り返ったりしながら，自身の変容や成長を自己評価できるよう工夫された**ポートフォリオ**のことです。教師が対話的に関わり，児童生徒一人一人の目標修正などの改善を支援し，**個性を伸ばす指導**へとつなげながら，学校，家庭および地域における学びを自己の**キャリア形成**に生かそうとする態度を養うものとして活用することが求められます。

☑ キャリア・パスポートの目的

小学校から高等学校を通じて，児童生徒にとっては，自らの**学習状況やキャリア形成**を見通したり，振り返ったりして，**自己評価**を行うとともに，主体的に学びに向かう力を育み，**自己実現**につなぐものです。教師にとっては，その記述をもとに対話的に関わることによって，児童生徒の成長を促し，系統的な指導に資するものとなります。

☑ キャリア・パスポートの名称

学校独自の名称で呼ぶことが可能となっています。

ここが出た！

基礎的・汎用的能力の4つについては，正誤問題や，名称と説明を結び付ける問題などが出題されています。

さらに詳しく

❸キャリア・パスポートは，2020年より，すべての小学校，中学校，高等学校において実施されることとなりました。

面接対策

子どものキャリア教育をどのように進めていきますか。

確認テスト

教育原理①

1 次の各文に対応する用語を下から選びなさい。

(1) 教科の領域はそのままで内容から見て性格的に近い教科の関連を測り，学習の相乗効果をあげるために，2 教科以上の相互関連を図るカリキュラム。

(2) 文化遺産の中から主として分野別に選択され，系統的に組織された教科のまとまりを学習内容として編成しようするカリキュラム。

(3) スコープとシークエンスとして学習者の生活経験，興味，問題意識を中心とし，学問の系統の代わりに生活の系統を，教科の論理体系の代わりに現実生活の有機的体系をもって組織するカリキュラム。

(4) 中心となる教科や活動領域を設定し，その周辺に各教科や学習者の活動を配置した同心円的構造のカリキュラム。

ア 教科カリキュラム　**イ** 経験カリキュラム
ウ 相関カリキュラム　**エ** コア・カリキュラム

【大分県・改】
1
(1) ウ
(2) ア
(3) イ
(4) エ

2 次の各文について，関係の深い人物を[A 群]から，また文中の（　）に入る名称を[B 群]からそれぞれ選びなさい。

(1) （　）とは，意味を有する教材を使い，学習されるべき全ての内容を明確に最終形態として呈示し，学習者が各自の認知構造に関連づけながら受容していく学習方法である。

(2) （　）とは, クラスを 5 ～ 6 名からなる小集団（原集団）に分け，各集団から 1 名ずつを集めた新し

【奈良県・改】
2
(1) エ，(c)
(2) ア，(b)

い集団をいくつか構成し，新しい集団で学習した内容を各自が原集団に戻りメンバー間で教え合う学習方法である。

(3)（　）とは，学習目標の達成のために，系統だった内容を詳細な手順に沿って学習者自身が学習を進め，反応の正誤を確認できるような学習指導の方法で，直線型プログラムと枝分かれ型プログラムの２種類がある。

(3) ウ，(a)

［A群］ **ア** アロンソン　**イ** ヘルバルト
ウ スキナー　**エ** オーズベル

［B群］ (a) プログラム学習　(b) ジグソー学習
(c) 有意味受容学習

【秋田県・改】

3 次の文中の（**ア**）〜（**ウ**）に当てはまる人物名を，(a)〜(c)からそれぞれ選び，その正しい組み合わせを下の①〜④から選びなさい。

3

(1)（**ア**）がマサチューセッツ州ドルトン市のハイスクールにおいて実践した「ドルトン・プラン」は，生徒に興味に応じて教科を選ばせ，教科別の「実験室」で教科担任の指導を受けながら個別に学習を進めさせるというものであった。

④

(2)（**イ**）が開発した「プロジェクト・メソッド」は，教育課程における生活経験および自発的で合目的的な活動を重視するものである。この学習活動は,「目的立て purposing」,「計画立て planning」,「実行 executing」,「判断 judging」の４段階の過程を経るものと定式化された。

(3)「発見学習」は（**ウ**）によって提唱された学習指導法である。発見には二つの意味がある。一つは，学問的知識を学者が生成するように，児童・生徒が知識の生成に参加し，直観や想像を働かせ，知識の構造を自ら発見する過程とすることである。もう一つは，知識の構造を発見する普段の学習を通して，児童・生徒が学習の仕方そのものを発見することである。

(a)　ブルーナー（Bruner,J.S）

(b)　キルパトリック（Kilpatrick,W.H）

(c)　パーカースト（Parkhurst,H.）

①　**ア**(a)　**イ**(b)　**ウ**(c)

②　**ア**(a)　**イ**(c)　**ウ**(b)

③　**ア**(b)　**イ**(c)　**ウ**(a)

④　**ア**(c)　**イ**(b)　**ウ**(a)

4　次の記述は，ある学習指導の方法に関するものである。この学習方法の名称として適切なものは，下の**1**～**5**のうちのどれか。

この学習指導法の中心は，①個別的な進度，②個別科教授と学習，③社会的自己実現の諸活動である。カリキュラムは,「共通な必修教科」と「集団的・創造的活動」とから成り，英語，数学，社会などの教科では，共通に必要とされる知識及び技能のある単位を完全に習得して次の単位に進むという，学習者の業績を基礎とする自己の進度に即した完全習熟学習法をとっている。

社会的自己実現の諸活動では，集団的な創作活動が重視され，討論，自治会，集会，演劇，図工，美術，音楽，体育，雑誌・新聞の発行等の諸活動が奨励される。大正末期に我が国にも紹介された。

1　イエナ・プラン

2　ウィネトカ・プラン

3　ドルトン・プラン

4　プロジェクト・メソッド

5　モリソン・プラン

【東京都】

4

2

教育原理②

1 特別支援教育の基礎知識

傾向＆ポイント 「特別支援教育」と一言でいっても，特別支援学校から通常の学校に係ることまで，非常に広範囲にわたる内容があります。まずは，基本的な事項をおさえておくことが必要です。

頻出度 B

1 特別支援教育

❶「教育的ニーズ」
子ども一人一人の障害の状態や特性および心身の発達の段階などを把握し，具体的にどのような特別な指導内容や教育上の合理的配慮を含む支援の内容が必要とされるかを検討することで整理されるものです。

❷「校内委員会」
各学校で支援の必要がある児童生徒に対し，具体的な支援の内容を検討する会議のことです。

☑ 特別支援教育の理念

障害のある子どもの**自立**や**社会参加**に向けた主体的な取組を支援するという視点に立ち，子ども一人一人の**教育的ニーズ**❶を把握し，そのもてる力を高め，**生活や学習上の困難を改善または克服**するため，**適切な指導および必要な支援**を行うものとされています。

☑ 特別支援教育の範囲

必ずしも，医師による障害の診断がないと特別支援教育を行えないというものではありません。児童生徒の**教育的ニーズ**を踏まえ，**校内委員会**❷などにより「**障害による困難がある**」と判断された児童生徒に対しては，**適切な指導**や**必要な支援**を行う必要があります。

小・中学校の**通常の学級には 8.8％の割合**で，**学習面または行動面において困難のある児童生徒が在籍**し，この中には**発達障害**のある児童生徒が含まれている可能性があるという推計結果（令和 4 年文部科学省調査）があります。**すべての教員**が，**特別支援教育に関する一定の知識**や**技能**を有することが求められています。

特別支援教育を基盤として，障害の有無に関わらず，すべての児童生徒が互いの違いや個性を認め合う学校・学級づくり，そして，すべての児童生徒の成長を促進する基盤的な**環境整備**が進められることが，ひいては**共生する社会**の実現につながっていきます。

2 特別支援学校

特別支援学校とは

障害のある幼児児童生徒に対して，幼稚園，小学校，中学校または高等学校に**準ずる教育**[3]を行う学校のことです。

- 対象障害種：視覚障害者，聴覚障害者，知的障害者，肢体不自由者または病弱者（身体虚弱者を含む）。

センター的機能

地域における特別支援教育のセンターとして，各学校の要請に応じて，教育上特別の支援を必要とする児童生徒の教育に関し，**必要な助言**または**援助**を行う機能のことです。

3 小・中・高等学校における特別支援教育

特別支援学級

小学校，中学校などにおいて，障害のある児童生徒に対して設置される学級のことです。

- 対象障害種：知的障害者，肢体不自由者，病弱者および身体虚弱者，弱視者，難聴者，言語障害者，自閉症者・情緒障害者

通級による指導[4]

小学校，中学校，高等学校などにおいて，**通常の学級に在籍している児童生徒**に対して，障害に応じた特別の指導を行う指導形態のことです。

通常の学級での学習におおむね参加でき，一部特別な指導を必要とする児童生徒が対象となります。

- 対象障害種：言語障害者，自閉症者，情緒障害者，弱視者，難聴者，学習障害者，注意欠陥多動性障害者，肢体不自由者，病弱者および身体虚弱者。

特別支援教育コーディネーター

各学校における**特別支援教育の推進**のため，主に，校内委員会・校内研修の企画・運営，関係機関・学校との連絡・調整，保護者の相談窓口などの役割を担う教員のことです。

❸「準ずる教育」
「準ずる」とは，「原則として同一」ということです。

特別支援学校の対象障害種の穴埋め問題が出題されました。

さらに詳しく

❹通級による指導は，「自校通級」「他校通級」「巡回指導」などの形態があります。

面接対策

特別支援教育を行ううえで大切なことを述べてください。

特別支援教育の制度

傾向&ポイント 特別支援教育を推進していくことは，各自治体の喫緊の課題ですので，特別支援教育に係る法令や近年の動きは頻出です。全体の流れを確認し，重要な部分を整理しておくことが必要です。

頻出度 A

1 特別支援教育の基本法規

特別支援教育の根拠となるのは，以下の法です。

☑ **教育基本法第４条第２項**

国及び地方公共団体は，障害のある者が，その障害の状態に応じ，十分な教育を受けられるよう，教育上必要な支援を講じなければならない。

☑ **学校教育法第 72 条**：特別支援学校の目的

☑ **学校教育法第 74 条**：特別支援学校の役割

☑ **学校教育法第 75 条**：特別支援学校の対象となる障害の程度

☑ **学校教育法第 80 条**：特別支援学校の設置義務

☑ **学校教育法第 81 条**：特別支援学級の設置

☑ **学校教育法施行規則第 140，141 条**：通級による指導に関する規定

2 特別支援教育に関する近年の動き

☑ **障害者の権利に関する条約**

2006（平成 18）年，国際連合の総会にて採択されました。**障害を理由とする差別の禁止**など，障害者の権利を守るための基本原則を定めるほか，教育の分野においては**インクルーシブ教育システム**[1]の理念について提唱しています。日本は，2014（平成 26）年に批准しました。

☑ **学校教育法の改正**

2007（平成 19）年の改正により，盲・聾・養護学校は「**特**

❶「インクルーシブ教育システム」
障害のある者と障害のない者がともに学ぶ仕組みのことです。現在日本では，「連続性のある多様な学びの場」の整備を進めています。
⇒ P.66

別支援学校」に一本化されました。また，小・中学校の特殊学級は「**特別支援学級**」に改められました。

☑ 障害者基本法

2011（平成 23）年，「障害者の権利に関する条約」の締結に向けた国内体制を整えるため，障害者基本法が改正されました。

- 第 16 条第 1 項：国及び地方公共団体は，障害者が，その年齢及び能力に応じ，かつ，その**特性を踏まえた十分な教育**が受けられるようにするため，**可能な限り障害者である児童生徒が障害者でない児童生徒と共に教育を受けられるよう配慮**しつつ，教育の内容及び方法の改善及び充実を図る等必要な施策を講じなければならない。

☑ インクルーシブ教育システム構築に関する中央教育審議会報告

「障害者の権利に関する条約」や，「障害者基本法」改正の動きを受けて，2012（平成 24）年，中央教育審議会初等中等教育分科会において，報告がまとめられました。

障害のある子どもが，十分に教育を受けられるための**合理的配慮の提供**❷と，その**基礎となる環境整備の充実**の重要性について，提言されています。

- **合理的配慮**：障害のある子どもが，ほかの子どもと平等に教育を受けられるように，学校が**必要かつ適当な変更・調整**を行うことであり，均衡を失したまたは過度の負担を課さないもの。
- **基礎的環境整備**：**合理的配慮**の基礎となるものであって，障害のある子どもに対する支援について，法令に基づき，または財政措置により行う**教育環境の整備**のこと。

☑ 障害を理由とする差別の解消の推進に関する法律（障害者差別解消法）

2016（平成 28）年，すべての国民が障害の有無によって分け隔てられることなく，相互に人格と個性を尊重し合い**共生する社会**の実現を目的として施行されました。

ここが出た！

それぞれの動きの説明についての正誤問題が出題されています。

さらに詳しく

❷例えば，視力の弱い子どもがいたら，「席を前方にする」ということは合理的配慮の具体例です。
⇒ P.67

面接対策

障害のある子どもが，ほかの子どもと同じ教室で学ぶ際，あなたはどのような工夫をしますか。

特別支援教育の教育課程

傾向＆ポイント 特別支援学校，特別支援学級，通級による指導の教育課程の特徴をつかむことは，それぞれの教育の場における指導の内容を把握することにつながります。特徴的な用語について整理しておくとよいでしょう。

1　特別支援学校の教育課程

☑ 教育課程の領域

基本的には小・中・高等学校等に準ずることになっていますが，加えて**自立活動**を行うことが特徴です。

☑ 各教科

①視覚障害者，聴覚障害者，肢体不自由者，病弱者に対する教育を行う特別支援学校：小・中・高等学校と同じ。

②知的障害者に対する教育を行う特別支援学校

- **小学部**：生活，国語，算数，音楽，図画工作，体育
- **中学部**：国語，社会，数学，理科，音楽，美術，保健体育，職業・家庭
- **高等部**：国語，社会，数学，理科，音楽，美術，保健体育，職業，家庭，外国語，情報，家政，農業，工業，流通・サービス，福祉

☑ 各教科外

①**視覚障害者，聴覚障害者，肢体不自由者，病弱者に対する教育を行う特別支援学校**：小・中・高等学校と同じ。

②**知的障害者に対する教育を行う特別支援学校**

- **小学部**：外国語活動，総合的な学習の時間は除かれる。総合的な学習の時間が除かれるのは，全学年に生活科が設けられていること，各教科等をあわせた指導として「**生活単元学習**」を行うことができるためである。
- **高等部**：道徳科が加わる。

面接対策

特別支援学級の授業を構想する際には，普通学級の授業と比較してどのような点に留意しますか。

各教科等を合わせた指導

各教科，道徳科，特別活動，自立活動，外国語活動（小学部）の**一部または全部を合わせて指導**を行うことです。

- 日常生活の指導
- 遊びの指導
- 生活単元学習❶
- 作業学習

2　特別支援学級の教育課程

「特別の教育課程」の法的根拠

特別支援学級に係る教育課程については，特に必要がある場合は，**特別の教育課程**によることができます。（学校教育法施行規則第 138 条）

「特別の教育課程」とは

児童生徒の実態に応じて，特別支援学校学習指導要領を参考にすることができます。具体的には，次のいずれかの対応が可能となります。

- 自立活動を教育課程に位置づける。
- 当該児童生徒の各教科等の目標・内容を，下学年の目標・内容に替える❷。
- 当該児童生徒の各教科等の目標・内容を，**特別支援学校学習指導要領**に示されている目標・内容に替える。
- 「**各教科等を合わせた指導**」を行うことができる。

3　通級による指導の教育課程

「特別の教育課程」の法的根拠

通級による指導を受ける児童生徒は，特別の教育課程を編成する必要があります。（学校教育法施行規則第 140 条）

通級による指導時間

年間 35 単位時間から 280 単位時間以内の範囲で行うことを標準とします。（週当たりに換算すると，１単位時間から８単位時間程度まで）

❶「生活単元学習」
例として，「子ども祭り」を計画・運営する単元を設定した場合，その活動の中で国語や算数などの要素を取り入れることになります。

教育課程に関する説明の正誤問題が出題されました。

さらに詳しく

❷「下学年の目標に替える」とは，例えば小学校６年生の児童であっても，３年生の目標・内容の授業を行うことができるということです。

特別支援教育の各種規定

傾向&ポイント 多様な子どもに対して，きめ細かに対応することこそが特別支援教育であるといえます。子どもの実態に対応できるような仕組みについての知識があることは，教師としての専門性につながっていきます。

1 重複障害者等に対する特例

☑ 重複障害者

複数の種類の障害をあわせ有する児童生徒❶のことです。

☑ 教育課程の取り扱い

- 各教科及び外国語活動の目標及び内容に関する事項の一部を取り扱わないことができる。
- 各教科の各学年の目標及び内容の全部又は一部を，当該学年の前各学年の目標及び内容の全部又は一部によって，替えることができる。
- 中学部の各教科の目標及び内容に関する事項の全部又は一部を，当該各教科に相当する小学部の各教科の目標及び内容に関する事項の全部又は一部によって替えることができる。
- 中学部の外国語科については，外国語活動の目標及び内容の一部を取り入れることができる。
- 幼稚園教育要領に示す各領域のねらい及び内容の一部を取り入れることができる。

さらに詳しく

❶例えば，視覚障害と知的障害をあわせもつ子どもには，知的障害のある子どもに有効とされる絵や図を用いた視覚的コミュニケーションが取りづらいことから，体の動きなどで表現するサインなど，ほかの手段を活用することが有効です。

2 訪問教育

☑ 訪問教育とは

障害の状態により，通学して教育を受けることが困難な児童生徒に対して，**教員を派遣**して教育を行うことです。教員が**家庭**，**児童福祉施設**，**医療機関など**を訪問します。

3 教科用図書使用に関する特例

☑ 特別支援学校・特別支援学級の教科書特例

教科用図書（**教科書**）は文部科学大臣の検定を経たもの，または文部科学省が著作の名義を有するものを使用することになっていますが，特別支援学校と特別支援学級では，**学校教育法附則第９条の規定**により，それ以外の教科書の使用が認められています。文部科学省が著作の名義を有する，知的障害用の教科書は，通称「星本（☆本）」と呼ばれています。

4 交流および共同学習

☑ 交流および共同学習とは

小・中学校と特別支援学校などが行う，**障害のある子どもと障害のない子ども**，あるいは**地域の障害のある人とが触れ合い**，ともに活動する教育活動のことをいいます。

☑ 交流および共同学習の意義

障害のある子どもにとっては，学校卒業後においても，様々な人々とともに助け合って生きていく力となり，積極的な**社会参加**につながります。一方，障害のない子どもにとっては，自然に言葉をかけて手助けをすることで，人々の多様な在り方を理解し，障害のある人とともに支え合う意識の醸成につながることが期待できます。

交流および共同学習に関する説明の正誤問題が出題されています。

☑ ２つの側面

- **交流の側面**：相互の触れ合いを通じて豊かな人間性を育むことを目的とする。
- **共同の側面**：教科などのねらいの達成を目的とする。

☑ 交流および共同学習の内容

学校行事やクラブ活動，部活動，自然体験活動，ボランティア活動などの合同活動をはじめ，文通や作品の交換などの実践があります。

面接対策

交流および共同学習を進めていくためには，どのようなことが必要だと考えられますか。

特別支援教育の対象

頻出度 B

傾向&ポイント それぞれの障害の程度について，具体的にイメージしながら整理していくとよいでしょう。就学先の決定の仕組みについても，総合的な観点から決定されることを理解しておくことが必要です。

1 特別支援学校における障害の程度

学校教育法施行令第 22 条の 3 にて，障害の程度が示されています。以下は，引用です。

☑ 視覚障害者

両眼の矯正視力がおおむね 0.3 未満のもの，または視力以外の視機能障害が高度のもののうち，拡大鏡等の使用によっても通常の文字，図形等の視覚による認識が不可能または著しく困難な程度のもの。

通常の文字，図形等の視覚による認識にかなりの時間を要するとともに，すべての教科等の指導において特別の支援や配慮を必要とし，かつ，障害を改善・克服するための特別な指導が系統的・継続的に必要であること。

☑ 聴覚障害者

両耳の聴力レベルがおおむね 60 デシベル以上❶のもののうち，補聴器や人工内耳等の使用によっても通常の話声を解することが不可能または著しく困難な程度のもの。

さらに詳しく
❶聴力レベルが 60 ～ 80 デシベルの子どもは，通常の話し声を 0.2 ～ 1.5 mで聞き取れるので，補聴器のフィッティングと装用が適正であれば，耳だけでの会話聴取が可能な場合もあります。

☑ 知的障害者

①知的発達の遅滞があり，他人との意思疎通が困難で日常生活を営むのに頻繁に援助を必要とする程度のもの。
②知的発達の遅滞の程度が①の程度に達しないもののうち，社会生活への適応が著しく困難なもの。

☑ 肢体不自由者

①肢体不自由の状態が補装具の使用によっても歩行，食事，衣服の着脱，排せつ等の動作や描画等の学習活動のた

めの基本的な動作が不可能または困難な程度のもの。
②肢体不自由の状態が①の程度に達しないもののうち，常時の医学的観察指導を必要とする程度のもの。

☑ 病弱者

①慢性の呼吸器疾患，腎臓疾患及び神経疾患，悪性新生物その他の疾患の状態が継続して医療または生活規制❷を必要とする程度のもの。
②身体虚弱の状態が継続して生活規制を必要とする程度のもの。

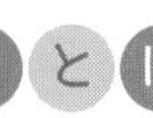

❷「生活規制」
運動，歩行，入浴，読書，学習，食事について病状や健康状態に応じて配慮することです。

2 就学の猶予・免除❸

学校教育法第 18 条では，「病弱，発育不完全その他やむを得ない事由のため，**就学困難と認められる者の保護者**に対しては，市町村の教育委員会は，文部科学大臣の定めるところにより，**就学の義務を猶予または免除**することができる」と規定されています。就学の猶予・免除の対象となる病弱，発育不完全の状態とは，「特別支援学校における教育に耐えることができない程度であり，より具体的には，治療または**生命・健康の維持のため療養に専念**することを必要とし，**教育を受けることが困難または不可能**な者」とされています。

❸「就学の猶予・免除」
⇒ P.165

障害のある子どもの就学について，正誤問題が出題されています。

3 就学先の決定の仕組み

市区町村の教育委員会が，域内に住所の存する子どもの適切な就学についての責任を負っています。就学先決定の仕組みにおいては，**本人の障害の状態など**や**教育的ニーズ**，**本人・保護者の意見**，**教育学・医学・心理学**など専門的見地からの意見，学校や地域の状況などを踏まえた**総合的な観点**から，最終的には市区町村教育委員会が就学先を決定することとなります。さらには，**教育支援委員会**などを設置し，専門家の意見を聞きながら，就学先決定のプロセスをたどっていくことになります。

面接対策

障害のある子どもの進学先について，保護者から相談を受けたとき，あなたはどのように対応しますか。

発達障害

頻出度 A

傾向＆ポイント 特別な支援を必要とする子どもが通常の学級でも増加しています。そのような現状もあり，発達障害の定義や特徴を説明する問題は，よく出題されます。それぞれの特徴や用語をおさえておくことが必要です。

1 発達障害

発達障害の定義

発達障害者支援法においては，**自閉症**，**アスペルガー症候群**，その他の**広汎性発達障害**，**学習障害**，**注意欠陥多動性障害**，その他これに類する**脳機能の障害**であって，その症状が通常低年齢において発現するものとして政令で定めるものと定義されています❶。

発達障害の可能性のある児童生徒は，通常の学級を含め，すべての学校・学級に在籍していると考えられています。

さらに詳しく

❶発達障害の診断名については，医学的な診断と，行政的な診断の基準が異なるため，呼称が混在していることがあります。

自閉症の特徴

①**社会的コミュニケーション**および対人的相互作用における持続的な問題。

②行動，興味または活動の**限定された**，**反復的な**様式。

※①②の特徴がみられる自閉症，アスペルガー症候群，広汎性発達障害などを「**自閉症スペクトラム**」❷と呼ぶこともある。

❷「自閉症スペクトラム」
⇒ P.268

学習障害（LD）❸の特徴

全般的な知的発達に遅れはありませんが，**聞く**，**話す**，**読む**，**書く**，**計算する**，**推論する**能力のうち**特定のもの**の習得と使用に**著しい困難**を示す様々な状態を指すものです。

❸「LD」
英語表記について，行政用語では「Learning Disabilities」，医学用語は「Learning Disorders」となっています。

注意欠陥多動性障害（ADHD）の特徴

年齢あるいは発達に不釣り合いな**注意力**，**衝動性**，**多動性**を特徴とする行動の障害で，社会的な活動や学業の機能に支障をきたすものとされています。

2　自立活動

☑ 自立活動とは

「**個々の障害による学習上または生活上の困難を改善・克服するための指導**」のことです。特に，**通級による指導**においては，**発達障害**のある子どもに対して，それぞれの実態に応じた自立活動の指導を行っています。

☑ 自立活動の６つの区分

自立活動には「**健康の保持**」「**心理的な安定**」「**人間関係の形成**」「**環境の把握**」「**身体の動き**」「**コミュニケーション**」の６つの区分があります。これらは，すべてを網羅的に指導するのではありません。子どもの実態に応じて，必要なものを選んで重点的に指導することになっています。

3　個別の指導計画

「**個別の指導計画**」❹とは，個々の児童生徒に対して，それぞれの実態に応じて適切な指導を行うために学校で作成される**指導計画**のことです。「個別の指導計画」を作成することによって，その子どもに「いつ，どの場面で，どのような」指導を行うのか，指導目標や指導内容，指導方法が**明確化**されます。また，教員間でも「どのように指導していくか」といった**共通理解**が図りやすくなります。

4　個別の教育支援計画

「**個別の教育支援計画**」❹とは，個々の児童生徒に対して，それぞれの実態に応じて適切な**支援**を行うために学校で作成される**支援計画**のことです。「個別の教育支援計画」を作成することによって，教員間のみならず，医療，福祉，労働などの関係機関と連携・協力を図ることが可能となります。また，転学や進学などの際に**引き継ぐ**ことにより，子どもは**継続的な支援**を受けられるようになります。

ここが出た！

自閉症，学習障害，注意欠陥多動性障害に関する説明の空欄補充問題や，正誤問題は頻出です。

さらに詳しく

❹特別支援学校，特別支援学級，通級による指導を受ける子どもについて「個別の指導計画」「個別の教育支援計画」の作成は義務となっています。

面接対策

子どもの情報は適切に管理することが必要ですが，情報管理で大切なことを述べてください。

7 人権・同和問題とは何か

頻出度 C

傾向&ポイント 人権・同和問題を知るためには，まず，同和対策審議会をはじめとした国の施策などからおさえていくとよいです。同和問題の歴史を踏まえ，同和から人権へという流れを理解することが重要です。

1 同和問題と教育

1965年の**同和対策審議会答申**を引用します。

☑ 同和問題の本質

いわゆる**同和問題**❶とは，日本社会の歴史的発展の過程において形成された**身分階層構造に基づく差別**により，日本国民の一部の集団が**経済的・社会的・文化的に低位の状態**におかれ，現代社会においても，なおいちじるしく**基本的人権を侵害**され，とくに，近代社会の原理として何人にも保障されている**市民的権利と自由を完全に保障されていない**という，もっとも深刻にして重大な**社会問題**である。

☑ 同和問題解決における教育の基本的方針

同和問題の解決にあたっての教育対策は，人間形成に主要な役割を果たすものとしてとくに重要視されなければならない。すなわち，基本的には**民主主義の確立の基礎的な課題**である。したがって，同和教育の中心課題は法のもとの平等の原則に基づき，社会の中に根づよく残っている不合理な部落差別をなくし，**人権尊重の精神**❷を貫くことである。

2 同和対策審議会答申以降の国の施策

☑ 同和対策事業特別措置法（1969（昭和44）年施行）

被差別部落の生活環境の改善，社会福祉の推進，職業の安定，教育の充実，人権擁護活動の強化などの同和対策事業に，**国が特別の措置を講ずる**ことを骨子としています。

さらに詳しく

❶今なお，こうした人々に対する差別発言，差別待遇などの事案のほか，差別的な内容の文書が送付されたり，インターネット上で差別を助長するような内容の書き込みがされるといった事案が発生しています。

ことば

❷「人権」
人権とは，すべての人間が，人間の尊厳に基づいてもっている固有の権利のことです。
⇒ P.147

☑ **地域改善対策特別措置法**（1982（昭和 57）年施行）

「同和」の表現を「**地域改善**」に変え，「**公正な運営**」という形で同和対策事業の見直しを定めました。

☑ **人権擁護施策推進法**（1997（平成９）年施行※５年間の時限立法）

同和問題を含めた**人権擁護施策**を推進する国の責務を定めた法律です。**人権尊重**のための**教育啓発**，人権侵害による被害者の救済を目指しています。

☑ **人権教育及び人権啓発の推進に関する法律**（2000（平成 12）年施行）

人権教育や**人権啓発**の基本理念，施策の推進のための措置などについて定めています。

3 同和対策審議会答申以前の主な歴史

☑ **太政官布告（解放令）**

被差別部落の身分制度を解消し，蔑称の廃止を記した明治政府による布告です。

主な歴史について年代順に並べる問題が出題されました。

☑ **水平社運動**

第二次世界大戦以前の**全国水平社**を中心とする被差別部落の人々の自主的な解放運動のことです。西光万吉（さいこうまんきち）による水平社宣言の「人の世に熱あれ，人間に光あれ」という結びの言葉によって知られています。

☑ **「オール・ロマンス」事件**

1951（昭和 26）年，雑誌「オール・ロマンス」に京都市内の被差別部落を舞台に書かれた小説が掲載。

京都市の被差別部落対策の総合計画の策定が進みました。

☑ **部落解放同盟**

水平社運動を継承した部落解放全国委員会が 1955（昭和 30）年に改称した組織。1960（昭和 35）年には同和対策審議会の設置を実現，同和対策事業特別措置法，地域改善対策特別措置法の制定へとつながりました。

面接対策

子どもが人権尊重の精神を育むために，どのような指導が考えられますか。

人権教育に関する答申・計画

頻出度 C

傾向＆ポイント 人権教育・人権啓発に関する経緯を把握することで，どのような流れを経て，現在の人権教育・人権啓発が位置づけられているのかを理解することができます。ポイントをおさえておきましょう。

1 人権擁護推進審議会答申

1999（平成11）年，人権擁護推進審議会の第1回にて答申されました。「人権尊重の理念に関する国民相互の理解を深めるための教育及び啓発に関する施策の総合的な推進に関する基本的事項について」が答申名です。人権教育・啓発の施策の基本的な在り方について提言されました。

☑ 人権尊重の理念

自分の人権のみならず**他人の人権**についても正しく理解し，その権利の行使に伴う責任を自覚して，**人権を相互に尊重し合うこと**[❶]，すなわち，**人権の共存**の考え方ととらえる。

さらに詳しく
❶自分の人権と，他人の人権は，ときに矛盾・衝突を起こすこともあります。矛盾・衝突している「人権」をいかに両立させるかが，「人権を相互に尊重し合う」ことといえます。

2 「人権教育のための国連10年」に関する国内行動計画

1994（平成6）年，国連総会にて1995年から2004年までの10年間を，「**人権教育のための国連10年**」とすることが決議されました。

1997（平成9）年，この決議を受けて，日本政府が策定した計画が，「人権教育のための国連10年」に関する国内行動計画です。**人権教育の積極的推進**を図り，真に豊かでゆとりのある**人権国家の実現**を期するとされています。

☑ 人権教育の推進にあたっての重要課題

本行動計画では，①女性②子ども[❷]③高齢者④障害者⑤同和問題⑥アイヌの人々⑦外国人⑧HIV感染者など⑨刑を終えて出所した人についての各アプローチ方法を述べて

さらに詳しく
❷「②子ども」では，いじめについて，児童生徒の人権に関わる重大な問題であり，その解決のための真剣な取り組みを一層推進すると，示されています。

います。

3 人権教育・啓発に関する基本計画

2002（平成14）年に策定され，2011（平成23）年に改定されています。

☑ 人権教育の意義・目的

人権教育とは，人権教育及び人権啓発の推進に関する法律において，「**人権尊重の精神の涵養**を目的とする教育活動」（第２条）を意味し，「国民が，その発達段階に応じ，人権尊重の理念に対する理解を深め，これを体得することができるよう」（同法第３条）にすることとされています。

☑ 学校教育における人権教育

それぞれの学校種の教育目的や目標の実現を目指して，自ら学び自ら考える力や豊かな人間性などを培う教育活動を組織的・計画的に実施するものであり，こうした学校の教育活動全体を通じ，幼児児童生徒，学生の発達段階に応じて，人権尊重の意識を高める教育を行っていくとされています。

学校における人権教育の充実に向けた取り組みについての正誤問題が出題されました。

☑ 学校教育における人権教育の施策の推進

以下の４点が整理され，示されています。

①**学校における指導方法の改善**：効果的な**教育実践**や**学習教材**などの情報収集や調査研究を行い，その成果を学校等に提供していく。

②**社会教育との連携**：社会性豊かな人間性を育むため多様な**体験活動**の機会の充実を図っていく。

③**人権に配慮した教育指導**：子どもたちに人権尊重の精神を涵養していくためにも，各学校が，人権に配慮した教育指導や学校運営に努める。

④**教職員の資質向上**：人権尊重の理念について十分な認識をもち，子どもへの愛情や教育への使命感，教科等の実践的な指導力をもった人材を確保していく。教職員の養成・採用・研修について指摘。

面接対策

人権教育を推進するためには，どのようなことが必要だと考えますか。

人権教育の定義と目標

傾向&ポイント「人権教育の指導方法等の在り方について」は，学校において人権教育を行う際の指針となります。ここで使用されている用語について理解を図ることで，面接や論文においても用語を使用することができるようになります。

頻出度 C

1 人権教育の定義

2000（平成 12）年に制定された「人権教育及び人権啓発の推進に関する法律」より引用します。

☑ **人権教育の定義**

人権尊重の精神の涵養を目的とする教育活動。

☑ **人権啓発の定義**

国民の間に**人権尊重の理念**を**普及**させ，及びそれに対する国民の理解を深めることを目的とする広報その他の啓発活動。

2 人権教育の目標

人権に関わる概念や人権教育が目指すものについて明確にし，教職員がこれを十分に理解したうえで，**組織的・計画的**に取り組みを進めることが肝要です。

2008（平成 20）年，人権教育の指導方法などに関する調査研究会議が公表した「**人権教育の指導方法等の在り方について**」❶**第 3 次とりまとめ**では，以下の目標が示されています。

☑ **学校における人権教育の目標**

一人一人の児童生徒がその**発達段階**に応じ，人権の意義・内容や重要性について理解し，「**自分の大切さとともに他の人の大切さを認めること**」ができるようになり，それが様々な場面や状況下での具体的な**態度**や**行動**に現れるとともに，人権が尊重される社会づくりに向けた行動につながるようにすること。

❶「人権教育の指導方法等の在り方について」
2004（平成 16）年に第 1 次とりまとめ，2006（平成 18）年に第 2 次とりまとめが公表されています。

3　育てたい資質・能力

「人権教育の指導方法等の在り方について」第３次とりまとめにおいて，人権教育は，人権に関する知的理解と人権感覚の涵養を基盤として，意識，態度，実践的な行動力など様々な資質や能力を育成し，発展させることを目指す総合的な教育であるとしたうえで，人権教育を通じて**培われるべき資質・能力**が３つの側面で示されています。

①**知識的側面**

人権教育により身につけるべき**知識**❷は，自他の人権を尊重したり人権問題を解決したりするうえで具体的に役立つ知識でもなければなりません。

例えば，**自由**，**責任**，**正義**，**個人の尊厳**，**権利**，**義務などの諸概念**についての知識，人権の歴史や現状についての**知識**，国内法や国際法などに関する知識，自他の人権を擁護し人権侵害を予防したり解決したりするために必要な**実践的知識**などが含まれます。

②**価値的・態度的側面**

人権教育が育成を目指す**価値**や**態度**には，人間の尊厳の尊重，自他の人権の尊重，多様性に対する肯定的評価，責任感，正義や自由の実現のために活動しようとする**意欲**などが含まれます。

③**技能的側面**

人権に関わる事がらを認知的に捉えるだけではなく，その内容を直感的に感受し，共感的に受けとめ，それを**内面化**することが求められます。そのような**受容**や**内面化**のためには，様々な**技能**の助けが必要です。

人権教育が育成を目指す**技能**には，コミュニケーション**技能**，合理的・分析的に思考をする技能や偏見や差別を見きわめる**技能**，そのほか相違を認めて受容できるための**諸技能**，協力的・建設的に問題解決に取り組む**技能**，責任を負う**技能**などが含まれます。

人権教育

さらに詳しく

❷例えば，社会科の授業では人権に関する題材を扱うことがあります。単なる知識の伝達で終わらずに資料や情報を活用していく工夫が考えらえます。

「人権教育の指導方法等の在り方について」から，「育てたい資質・能力」について用語の空欄補充問題が出題されました。

面接対策

人権教育を行うにあたって，あなたは子どもにどのような力をつけさせたいと考えますか。

10 人権教育の取り組み

頻出度 B

傾向＆ポイント 人権教育の重要性は，全国的に共通するものですが，教員採用試験においては自治体によって出題の傾向に特色があります。受験する自治体の人権教育の出題傾向を事前に把握しておきましょう。

1 人権教育の取組の視点

「人権教育の指導方法等の在り方について」第３次とりまとめにおいて，学校における人権教育の取組の視点が示されています。

児童生徒の人権感覚を健全に育んでいくために，「学習活動づくり」や「人間関係づくり」と「環境づくり」とが一体となった，**学校全体としての取組**が望まれています。

☑ 人権感覚を身につけるための前提

「自分の大切さとともに他の人の大切さを認めること」ができるために必要な**人権感覚**は，児童生徒に繰り返し言葉で説明するだけで身につくものではありません。

このような**人権感覚**を身につけるためには，学級をはじめ学校生活全体の中で自らの大切さやほかの人の大切さが認められていることを児童生徒自身が実感できるような状況を生み出すことが肝要です。

個々の児童生徒が，自らについて**一人の人間として大切にされているという実感**をもつことができるときに，自己や他者を尊重しようとする感覚や意志が芽生え，育つことが容易になるからであると考えられています。

☑ 人権教育の基盤

教職員同士，児童生徒同士，教職員と児童生徒などの間の人間関係や，学校・教室の全体としての**雰囲気**❶などは，学校教育における人権教育の**基盤**をなすものであり，この**基盤づくり**は，校長はじめ，教職員一人一人の意識と努力

さらに詳しく

❶雰囲気は，いわゆる「隠れたカリキュラム」との関連が指摘されています。例えば「いじめを許さない雰囲気」などがあります。

により，即座に取り組めるものでもあります。

このようなことからも，自分と他の人の大切さが認められるような**環境**をつくることに，まず学校・学級の中で取り組む必要があります。

☑ 学校の教育活動を通じて培うべき力や技能

各学校において，教育活動全体を通じて，例えば次のような力や技能などを**総合的にバランスよく培う**ことが求められます。

- ほかの人の立場に立ってその人に必要なことやその人の考えや気持ちなどがわかるような**想像力**，**共感的に理解する力**。
- 考えや気持ちを適切かつ豊かに表現し，また的確に理解することができるような，伝え合い，わかり合うための**コミュニケーションの能力**やそのための**技能**。
- 自分の要求を一方的に主張するのではなく，建設的な手法によりほかの人との**人間関係を調整する能力**および**自他の要求を共に満たせる解決方法**を見いだしてそれを実現させる**能力**やそのための**技能**。

2 性同一性障害に係る児童生徒への支援の対応

☑ 学校における支援体制

組織的に取り組むことが重要です❷。学校内外に**サポートチーム**をつくり，**支援委員会**（校内）や**ケース会議**（校外）等を適宜開催しながら対応を進めます。

☑ 教職員等の間における情報共有

児童生徒が自身の性同一性を可能な限り**秘匿**しておきたい場合があることなどに留意します。教職員との間で**情報共有**し，**チームで対応する**ことが欠かせません。当事者である児童生徒やその保護者に対し，情報を共有する意図を十分に**説明・相談**し，理解を得つつ，対応を進めることが必要です。

「人権教育の指導方法等の在り方について」から，空欄補充問題が出題されました。

人権教育

さらに詳しく

❷文部科学省は 2015（平成 27）年，「性同一性障害に係る児童生徒に対するきめ細かな対応の実施等について」の通知をしました。⇒ P.88

面接対策

自身の性同一性について悩みをもった子どもから相談を受けたとき，あなたはどのように対応しますか。

人権教育の国際潮流

傾向&ポイント 時代的な流れを追いながら，人権に係る主な宣言などについて，内容を整理しておきましょう。国内だけでなく，世界的な視野に立つことで，より一層，人権教育についての理解を図ることができます。

1　国連憲章

1945年のサンフランシスコ平和会議で採択されました。**国際連合**（**国連**）の設立を目的とし，基本事項を規定した条約です。第1条には「**人権及び基本的自由の尊重**」が掲げられています。**国連憲章**に人権保護が規定されたことで，国際的な人権保護が急速に進むことになりました。人権問題の国際的な対応において，国連の果たしてきた役割には大きなものがあります。

2　世界人権宣言

1948年の第3回国連総会で採択されました。人権および自由を尊重し確保するために「すべての人民とすべての国とが達成すべき**共通の基準**」を宣言したもので，人権の歴史において重要な地位を占めています。

1950年の第5回国連総会では，毎年12月10日を「人権デー」❶として，世界中で記念行事を行うことが決議されています。

- 第1条：すべての人間は，生れながらにして**自由**であり，かつ，尊厳と権利とについて**平等**である。人間は，理性と良心とを授けられており，互いに同胞の精神をもって行動しなければならない。
- 第2条：すべて人は，**人種**，**皮膚の色**，性，言語，宗教，政治上その他の意見，国民的若しくは社会的出身，財産，門地その他の地位又はこれに類するいかなる事由による

さらに詳しく
❶日本では，人権デーを含む形で，12月4日～10日を「人権週間」としています。

「世界人権宣言」の条文の空欄補充問題が出題されました。

差別をも受けることなく，この宣言に掲げるすべての権利と自由とを享有することができる。

● 第 26 条：すべての人は，**教育を受ける権利**を有する。教育は，少なくとも初等の及び基礎的の段階においては，**無償**でなければならない。初等教育は，**義務的**でなければならない。

3 児童権利宣言（児童の権利に関する宣言）

1959 年，国連で採択された**児童の権利**宣言です。世界人権宣言における一般宣言とは別に，**児童の権利**に関する特別な宣言として，1924 年の**ジュネーブ児童権利**宣言の精神を引き継いで，国連人権委員会が起草したものです。

4 国際人権規約

1966 年の第 21 回国連総会で採択され，1976 年に発効しました。世界人権宣言の内容を基礎として条約化したもので，国際的な人権諸条約の中で最も基本的で包括的な規約です。

● **社会権規約**（経済的，社会的及び文化的権利に関する国際規約）：「国際人権 A 規約」と呼ばれる。

● **自由権規約**（市民的及び政治的権利に関する国際規約）：「国際人権 B 規約」と呼ばれる。

5 児童の権利条約（児童の権利に関する条約）

1989 年の第 44 回国連総会で採択され，1990 年に発効，日本は 1994 年に批准しました。国連人権規約で定められている権利を**児童**に敷衍（ふえん）し，**児童の人権の尊重および確保**の観点から必要となる事項を具体的に規定したものです。なお，権利条約でいう「児童」❷とは，**18 歳未満の人**のことです。児童の「最善の利益」を考慮すること，児童は「自己の意見を表明する権利」「教育についての権利」を有することなどが定められています。

さらに詳しく

❷学校教育において「児童」は小学生のことです。

面接対策

「子ども一人一人が大切にされる学校」をつくるために，どのようなことが必要だと考えますか。

12 情報教育

頻出度 A

傾向＆ポイント GIGA スクール構想により，学校における ICT の活用も急速に進みつつあります。一方で，ICT の活用のしかたについては，学校の喫緊の課題となっています。「教育の情報化に関する手引」の概要をおさえておきましょう。

1 情報教育の意義

2019（令和元）年，文部科学省「教育の情報化に関する手引」が参考になります。

☑ 情報教育とは

「子どもたちの**情報活用能力**の育成を図るもの」とされています。

☑ 情報活用能力とは

学習指導要領を踏まえて，資質能力の３つの柱に即して整理されています。

- **知識及び技能**：①情報と情報技術を適切に活用するための知識と技能　②問題解決・探究における**情報活用**の方法の理解　③**情報モラル・情報セキュリティ**などについての理解
- **思考力，判断力，表現力等**：問題解決・探究における情報を活用する力（**プログラミング的思考・情報モラル・情報セキュリティ**を含む）
- **学びに向かう力，人間性等**：①問題解決・探究における情報活用の態度　②**情報モラル・情報セキュリティ**などについての態度

「教育の情報化に関する手引」についての穴埋め問題や正誤問題は頻出しています。

2 教育の情報化

☑ 教育の情報化とは

「教育の情報化に関する手引」では，次の３点を通して教育の質の向上を目指すものとされています。

①**情報教育**

②**教科指導における ICT 活用**：ICT❶を効果的に活用したわかりやすく深まる授業の実現等

③**校務の情報化**：教職員が ICT を活用した情報共有によりきめ細やかな指導を行うことや，**校務の負担軽減**等

☑ プログラミング教育

小学校におけるプログラミング教育においては，次の3点をねらいとしています。

①「**プログラミング的思考**」を育むこと

②プログラムの働きやすさ，情報社会がコンピュータなどの情報技術によって支えられていることなどに気づくことができるようにするとともに，コンピュータなどを上手に活用して**身近な問題を解決**したり，よりよい社会を築いたりしようとする**態度**を育むこと

③各教科などの内容を指導する中で実施する場合には，各教科等での学びをより確実なものとすること

☑ 教科指導における ICT 活用

学習指導要領総則編によると，**情報活用能力**の育成を図るためには，「各学校において，コンピュータや情報通信ネットワークなどの情報手段を活用するために必要な環境を整え，これらを適切に活用した学習活動の充実を図ること」❷と示されています。

3 情報モラル教育

☑ 情報モラル

情報社会で適正に活動するためのもととなる考え方や態度のことをいいます。

☑ 情報リテラシー

大量の情報の中から必要なものを探し出し，課題に即して組み合わせたり加工したりして，意思決定したり結果を表現したりするための基礎的な知識や技能の集合であり，**情報を使いこなす能力**のことをいいます。

ことば

❶「ICT」
「Information and Communication Technology」の略。

情報教育

さらに詳しく

❷教科の学習においては「学習者用デジタル教科書」の活用も進んでいますが，紙の教科書と異なりその使用が義務づけられるものではありません。

面接対策

子どもが ICT を活用する際には，どのようなことに留意するとよいですか。

13 食育

頻出度 B

傾向＆ポイント 学校における食育については，食育基本法や「食に関する指導の手引」，学習指導要領総則編などに示されています。子どもの健康をつかさどる食育の基本的な事項について，理解しておくとよいでしょう。

1 食育の意義

2005（平成 17）年に施行された**食育基本法**では，以下のように示されています。

☑ 食育とは

様々な経験を通じて**「食」に関する知識**と**「食」を選択する力**を習得し，健全な**食生活**を実践することができる人間を育てること。

☑ 食育の位置付け

生きる上での基本であって，知育，徳育及び体育の基礎となるべきもの。

☑ 子どもたちに対する食育

心身の成長及び人格の形成に大きな影響を及ぼし，生涯にわたって健全な心と身体を培い豊かな人間性をはぐくんでいく基礎となるもの。

2 食物アレルギー等への対応

2019（平成 31）年に文部科学省より示された「**食に関する指導の手引**（第二次改訂版）」において「**偏った栄養摂取**や**不規則な食事**などの**食生活の乱れ**，**肥満**や**過度のやせ**，**アレルギー等の疾患**❶への対応などが見られ，増加しつつある**生活習慣病**と**食生活**の関係も指摘されています。成長期にある子供にとって，健全な食生活は健康な心身を育むために欠かせないものであると同時に，将来の**食習慣**の形成に大きな影響を及ぼすもので，極めて重要です」

さらに詳しく

❶アレルギーのある子どもへの対応については「学校教育における食物アレルギー対応指針」（平成 27 年文部科学省）を参考にしましょう。

と指摘されています。

3 食育の推進

☑ 学校における食育の推進

小学校学習指導要領総則編では，「学校における**食育の推進**並びに体力の向上に関する指導，安全に関する指導及び心身の健康の保持増進に関する指導については，体育科，家庭科及び特別活動の時間はもとより，各教科，道徳科，外国語活動及び総合的な学習の時間などにおいてもそれぞれの**特質に応じて**適切に行うよう努めること」とされています。

☑ 食に関する指導の目標

「**食に関する指導の手引**（第二次改訂版）」では，以下の視点が示されています。

- **知識・技能**：食事の重要性や栄養バランス，食文化などについての理解を図り，健康で健全な食生活に関する**知識**や**技能**を身に付けるようにする。
- **思考力・判断力・表現力等**：食生活や食の選択について，正しい知識・情報に基づき，**自ら管理したり判断したり**できる能力を養う。
- **学びに向かう力・人間性等**：主体的に，自他の健康な食生活を実現しようとし，食や食文化，食料の生産等に関わる人々に対して感謝する心を育み，**食事のマナーや食事を通じた人間関係形成能力**❷を養う。

4 栄養教諭の職務

栄養教諭の職務は「児童の栄養の指導及び管理をつかさどる」ことです。具体的には，以下の点を学校において担います。

①**食に関する指導**
②**学校給食における栄養管理，衛生管理，物質管理等**
③**食に関する指導と学校教育の管理の一体的な展開**

食育の観点を踏まえた学校給食と望ましい食習慣の形成に関する内容が出題されました。

食育

さらに詳しく
❷例えば，「協力して食事の準備やあと片づけをすること」などが考えられます。

面接対策
子どもの健全な食生活に向けて，学校ではどのようなことができると考えますか。

14 生涯教育の概念

頻出度 C

傾向&ポイント 人は生涯にわたって学び続ける存在です。生涯学習については，理念や考え方はもちろんのこと，ラングランやリカレント教育に関する出題もみられます。それぞれについて理解を図っていきましょう。

1 生涯学習

生涯学習の理念

生涯学習[1]の理念は，**教育基本法第３条**にて示されています。

- 教育基本法第３条：国民一人一人が，**自己の人格**を磨き，**豊かな人生**を送ることができるよう，その**生涯**にわたって，あらゆる機会に，あらゆる場所において学習することができ，その成果を適切に生かすことのできる**社会の実現**が図られなければならない。

生涯学習の意義

自己の**充実・啓発**や生活の向上のため，各人が**自発的意思**に基づいて，自己に適した手段・方法を自ら選んで，**生涯**を通じて行う学習のことです。

生涯学習についての基本的な考え方

①生涯学習は，生活の向上，職業上の能力の向上や，自己の充実を目指し，各人が**自発的意思**に基づいて行うことを基本とするものであること。

②生涯学習は，必要に応じ，可能な限り自己に適した手段および方法を自ら選びながら**生涯**を通じて行うものであること。

③生涯学習は，学校や社会の中で意図的，組織的な学習活動として行われるだけでなく，人々のスポーツ活動，文化活動，趣味，レクリエーション活動，ボランティア活動の中でも行われるものであること。

❶「生涯学習」
生涯学習の現代的な背景としては，「知識基盤社会」の時代であることが挙げられます。

2　生涯教育

☑ 生涯教育の理念

生涯教育とは，国民一人一人が充実した人生を送ることを目指して生涯にわたって行う学習を助けるために，教育制度全体の基礎とされるべき基本的な理念のことです。生涯教育の考え方は，1965年**ユネスコ**の第3回成人教育推進国際委員会で，フランスの教育学者**ポール・ラングラン**が提唱しました。日本にこれを紹介したのは**波多野完治**らです。波多野はラングランの報告書「**生涯教育について**」を翻訳して普及に努めました。こうして，生涯教育の考え方は，社会教育の分野で次第に根づいていきました。

☑ リカレント教育

生涯にわたって，学校やそれに準ずるような組織的・計画的な教育機関での教育と，職場での労働とを繰り返す教育の在り方❷のことです。「**循環教育**」や「**回帰教育**」とも訳されます。**経済協力開発機構**（**OECD**）が中心になって推進しているもので，**生涯教育**のひとつの形式です。

☑ 生涯学習への移行

1981（昭和56）年，中央教育審議会答申「**生涯教育について**」が公表され，社会全体が**生涯教育**の考え方に立ち，生涯に通ずる自己向上の努力を尊び，評価する**学習社会**の方向を目指すことが提言されました。

1986（昭和61）年，臨時教育審議会が第2次答申で「生涯学習体系への移行」を提唱しました。中教審答申の「生涯教育」に対して，より学習者の立場に立った「**生涯学習**」という表現を使いました。

☑ 生涯学習社会

人々が生涯のいつでも自由に学習機会を選択して学ぶことができ，その成果が適切に評価される社会のことです。

1992（平成4）年，生涯学習審議会答申にて「**生涯学習社会構築への視点**」が示されました。

生涯教育の提唱者による説明とラングランを結び付ける問題が出題されました。

さらに詳しく

❷リカレント(recurrent)には,「循環」という意味があります。教育と仕事を「循環」することで，より学びの質を高めることが期待されます。

面接対策

あなたは，「学び続ける教師」として，どのように自己向上を図っていこうと考えていますか。

15 社会教育とは

頻出度 C

傾向&ポイント 教育は学校だけで行われるものではありません。社会教育の概念について，まずは理解を図ることが大切です。また，社会教育が行われる場についても，それぞれ法令に基づいて運営されていることを理解しておきましょう。

1 社会教育とは

社会教育法第２条の穴埋め問題が出題されました。

社会教育法第２条に，以下のように定義されています。

- 社会教育法第２条：「**社会教育**」とは，学校教育法（略）に基づき，学校の教育課程として行われる教育活動を除き，主として**青少年及び成人**に対して行われる組織的な教育活動（体育及びレクリエーションの活動を含む）をいう。

社会教育の奨励と振興

教育基本法第 12 条に，以下のように示されています。

- 教育基本法第 12 条：**個人の要望**や**社会の要請**にこたえ，社会において行われる教育は，国及び地方公共団体によって**奨励**されなければならない。

　国及び地方公共団体は，図書館，博物館，公民館その他の社会教育施設の設置，学校の施設の利用，学習の機会及び情報の提供その他の適当な方法によって社会教育の振興に努めなければならない。

社会教育主事

社会教育主事❶は，社会教育を行う者に対する専門的技術的な助言・指導に当たる役割を担います。

ことば

❶「社会教育主事」
社会教育主事に似たものとして，外部の有識者に委嘱される「社会教育委員」もあります。

2 社会教育施設

社会教育施設とは，図書館，博物館，公民館や，社会教育の奨励に必要な施設のことを指します。美術館，資料館，科学館，動物園，ユースホステル，婦人教育会館，コミュ

ニティ・センターなど，多種多様なものが含まれます。

☑ 公民館

社会教育法第 20 条では，「市町村や区域内の住民のために，生活に即した教育，学術，文化事業を行い，住民の教養の向上，健康の増進などを図り，生活文化の振興，社会福祉の増進に寄与することを目的とした施設」とされています。

☑ 図書館

図書館法第２条では,「図書,記録,資料などを収集,整理,保存して，一般公衆の利用に供し，その教養，調査研究,レクリエーション等に資することを目的とする施設」であり，学校付属の図書館や図書室は除くとされています。

☑ 博物館

博物館法第２条では，「歴史，芸術，民俗，産業，自然科学等に関する資料を収集，保管，展示して，教育的配慮の下に一般公衆の利用に供し，その教養，調査研究，レクリエーション等に資するために必要な事業を行い，あわせてこれら資料に関して調査研究することを目的とする機関」とされています。

3　社会教育施設・学校の開放

学校の諸施設を，社会教育の利用のために**開放**❷すべきことが以下の法によって定められています。

- 学校教育法第 137 条：学校教育上支障のない限り，学校には，社会教育に関する施設を**附置**し，又は学校の施設を社会教育その他公共のために，**利用**させることができる。
- 社会教育法第 44 条第１項：学校の管理機関は，学校教育上支障がないと認める限り，その管理する学校の施設を社会教育のために**利用**に供するように努めなければならない。

さらに詳しく

❷具体的には「夜間開放」「休日開放」などとして，学校施設を地域の方たちが使用することがあります。

面接対策

学校の学習活動として，図書館などの社会教育施設を利用する場合，どのようなことに留意しますか。

16 環境教育

頻出度 C

傾向&ポイント 環境教育の概念，環境教育の推進などについて，理解を図ることが必要です。特に近年は，SDGs（持続可能な開発目標）に注目が集まっていますので，あわせてチェックしましょう。

1 環境教育の意義

環境教育とは

教育基本法第２条では，以下のように**環境教育**の視点が示されています。

- 教育基本法第２条第４項：**生命**を尊び，**自然**を大切にし，**環境の保全**に寄与する態度を養うこと。

環境教育の定義

「環境教育等による環境保全の取組の促進に関する法律」（**環境教育等促進法**）では，以下のように示されています。

- 環境教育とは，**持続可能な社会**の**構築**[1]を目指して，家庭，学校，職場，地域その他のあらゆる場において，環境と社会，経済及び文化とのつながりその他環境の保全についての理解を深めるために行われる環境の保全に関する教育及び学習をいう。

さらに詳しく

❶持続可能な社会づくりに関連して，最近ではSDGs（持続可能な開発目標）の取り組みも多くなってきています。

ベオグラード憲章

1975年にユーゴスラビア（現セルビア）の**ベオグラード**で開催された**国際環境教育会議**で採択された憲章のことです。環境の状況，環境の目標，環境教育の目標，環境教育の目的，対象，環境教育プログラムの指針となる原則の６つで構成され，環境教育のフレームワークとなっています。環境教育の具体的目標としては，認識，知識，態度，技能，評価能力，参加という６項目を挙げています。

2 環境教育推進の方針

2004（平成 16）年，「**環境保全の意欲の増進及び環境教育の推進に関する基本的な方針**」が示されました。

「環境保全の意欲の増進及び環境教育の推進に関する基本的な方針」の内容についての出題がされました。

環境教育

☑ 環境教育の目指す人間像

この方針の中で，**環境教育**の目指す人間像として，知識の取得や理解にとどまらず，自ら行動できる人材を育むことが大切とされています。**環境教育**を通じて，人間と環境との関わりについての正しい認識に立ち，自らの責任ある行動をもって，**持続可能な社会づくり**に主体的に参画できる人材を育成することを目指すとされています。

☑ 環境教育の推進方策

学校における**環境教育**は，各教科❷や総合的な学習の時間などの中で扱われています。職場や地域社会では，事業活動や地域の自然や社会に応じた環境教育が実施されています。共通の基礎的要素は，以下のことを重視しているといえます。

- **人間と環境との関わり**に関するものと，環境に関連する**人間と人間との関わり**に関するもの，その両方を学ぶことが大切であること。
- 環境に関わる問題を客観的かつ公平な態度で捉えること。
- 豊かな環境とその恵みを大切に思う心を育むこと。
- **いのちの大切さ**を学ぶこと。

さらに詳しく

❷例えば，社会科では「飲料水，電気，ガスの確保や廃棄物の処理と自分たちの生活や産業との関わり」といった学習活動があり，環境教育と関係しています。

☑ 環境教育を進めるための施策の考え方

環境は様々な形で私たちの生活や社会経済活動に関わっており，環境教育に関する取り組みは，相互に連携し合っていくことが大切です。環境教育を推進する施策の効果的な実施のため，以下の考え方に基づいて進めていきます。

- 場をつなぐ
- 主体をつなぐ
- 施策をつなぐ

17 インクルーシブ教育

頻出度 B

傾向&ポイント インクルーシブ教育については，「共生社会」や「多様性」という用語がキーワードとなります。また，子ども一人一人に応じた合理的配慮については，面接や論文においても問われることがあります。

1 共生社会

インクルーシブ教育[1]で，最終的に目指すべきは**共生社会の実現**です。

❶「インクルーシブ教育」
インクルーシブ（inclusive）とは，「包み込むような」「包摂的な」という意味の言葉です。

☑ 共生社会とは

これまで必ずしも十分に社会参加できるような環境になかった障害者などが，積極的に参加・貢献していくことができる社会であるとされています。それは，誰もが相互に人格と個性を尊重し支え合い，人々の多様な在り方を相互に認め合える全員参加型の社会です。このような社会を目指すことは，我が国においても最も積極的に取り組むべき重要な課題です。

☑ 共生社会の形成に向けて

学校教育は，障害のある子どもの自立と**社会参加**を目指した取り組みを含め，共生社会の形成に向けて，重要な役割を果たすことが求められています。その意味で，共生社会の形成に向けた**インクルーシブ教育システムの構築**のための特別支援教育の推進についての基本的な考え方が，学校教育関係者をはじめとして国民全体に共有されることを目指すべきとされています。

2 インクルーシブ教育システム

共生社会を実現させるうえで，**インクルーシブ教育システム**が重要とされています。

インクルーシブ教育システムの理念

人間の多様性の尊重などの強化，障害者が精神的および身体的な能力などを可能な限り発達させ，社会に効果的に参加することを可能とする目的のもと，**障害のある者と障害のない者とがともに学ぶ仕組み**のことです。

インクルーシブ教育の実現

インクルーシブ教育システムにおいては，同じ場でともに学ぶことを追求するとともに，個別の**教育的ニーズ**のある幼児児童生徒に対して，自立と**社会参加**を見据えて，その時点で教育的ニーズに最も的確に応える指導を提供できる，**多様で柔軟な仕組み**を整備することが重要です。

具体的には，小・中学校における通常の学級，通級による指導，特別支援学級，特別支援学校といった，**連続性のある「多様な学びの場」**を用意する取り組みが進められています。

インクルーシブ教育の実現についての穴埋め問題が出題されました。

インクルーシブ教育

3 合理的配慮

障害のある子どもに対しては，その個人に必要な合理的配慮が提供されるようにすることが重要です。

合理的配慮とは

障害のある子どもが，ほかの子どもと平等に「**教育を受ける権利**」を享有・行使することを確保するために，学校の設置者および学校が**必要かつ適当な変更・調整**❷を行うことです。障害のある子どもに対し，その状況に応じて，学校教育を受ける場合に個別に必要とされるものです。

合理的配慮の留意点

- 学校の設置者および学校に対して，体制面，財政面において，**均衡を失したまたは過度の負担を課さない。**
- 障害者の権利に関する条約において，合理的配慮の否定は，障害を理由とする差別に含まれるとされている。
- 合理的配慮の基礎となる環境整備を，**基礎的環境整備**という。

さらに詳しく

❷例えば，板書を書き写すことが難しい子どもに対して，写真の撮影を許可することは「必要かつ適当な変更・調整」といえます。

面接対策

障害のある子どもに対して，どのような合理的配慮ができますか。具体的な例を挙げて説明してください。

確認テスト

教育原理②

1 次の文は,「新しい時代の特別支援教育の在り方に関する有識者会議　報告」(令和３年１月)からの抜粋である。文中の(　A　)〜(　E　)にあてはまる語句を下から選びなさい。

特別支援学級や(　A　)の担当教師には,通常の教育課程に基づく指導の専門性を基盤として,実際に指導に当たる上で必用な,(　B　)教育課程の編成方法や,個別の(　C　)と個別の指導計画の作成方法,障害の特性等に応じた指導方法,(　D　)を実践する力,障害のある児童生徒の保護者支援の方法,関係者間との連携の方法等に関する専門性の習得が求められる。

特に,児童生徒の実態に応じて教育課程が異なる場合のある特別支援学級では,各教科等での目標が異なる児童生徒を(　E　)実践力が求められる。

ア　通級による指導　**イ**　個別指導
ウ　特別な　**エ**　柔軟な
オ　学習支援計画　**カ**　教育支援計画
キ　特別活動　**ク**　自立活動
ケ　個別に指導する　**コ**　同時に指導する

【京都府・改】
1
(A)　ア
(B)　ウ
(C)　カ
(D)　ク
(E)　コ

2 次の文は,発達上の特性について述べたものである。文中の(　**ア**　)〜(　**ウ**　)にあてはまる語句の組合せとして正しいものを選びなさい。

(　**ア**　)は,不注意と多動性,衝動性によって特徴づけられている。不注意とは,気が散りやすいことなどを指す。多動性とは，手足を過度に動かすことなどを指す。衝動性とは，順番を守れないことなどを指す。

（ イ ）は，他者とのコミュニケーションの難しさと興味の幅の狭さ（こだわりの強さ）などにより説明される。また，感覚刺激に対する過剰・過小反応や偏食，時間・空間の見通しをもつといった想像力の弱さなどの特徴もみられる。

（ ウ ）は，知能の遅れはないが，読む，書く，計算するという基礎学習に関わる特定の機能に困難を示す状態のことである。

①**ア** SLD **イ** ASD **ウ** ADHD
②**ア** SLD **イ** ADHD **ウ** ASD
③**ア** ADHD **イ** SLD **ウ** ASD
④**ア** ADHD **イ** ASD **ウ** SLD
⑤**ア** ASD **イ** ADHD **ウ** SLD
⑥**ア** ASD **イ** SLD **ウ** ADHD

【神奈川県・横浜市・川崎市・相模原市・改】

2

④

3 次の各文は，人権及び人権教育に関して述べた文章である。文中の(　)に入る語句を下から選びなさい。

(1) 「世界人権宣言」の第１条には,「すべての人間は，生れながらにして自由であり，かつ，尊厳と権利とについて平等である。人間は，理性と良心とを授けられており，互いに（ A ）をもつて行動しなければならない。」と示されている。

(2) 「人権教育及び人権啓発の推進に関する法律」の第６条には，「国民は，人権尊重の（ B ）の涵養に努めるとともに，人権が尊重される（ C ）の実現に寄与するよう努めなければならない。

(3) 「障害者の権利に関する条約」の第 24 条には,「締約国は，障害者が，差別なしに，かつ他の者との平等を基礎として，一般的な高等教育，職業訓練，成

【長崎県・改】

3

(1) A　エ

【愛媛県・改】

(2) B　ア

C　キ

【山口県・改】

(3) D　イ

教育原理②

人教育及び生涯学習を享受することができることを確保する。このため，締約国は，（ D ）が障害者に提供されることを確保する。

ア 精神　**イ** 合理的配慮　**ウ** 平和
エ 同胞の精神　**オ** 人権意識
カ 基本的人権　**キ** 社会

4 「教育の情報化に関する手引（追補版）」（令和２年６月　文部科学省）に関する内容として適当でないものを一つ選びなさい。

① 情報活用能力は，世の中の様々な事象を情報とその結び付きとして捉え，情報及び情報技術を適切かつ効果的に活用して，問題を発見・解決したり自分の考えを形成したりしていくために必要な資質・能力である。

② 情報活用能力を育成することは，将来の予測が難しい社会において，情報を主体的に捉えながら，何が重要かを主体的に考え，見いだした情報を活用しながら他者と協働し，新たな価値の創造に挑んでいくために重要である。

③ 情報技術は人々の生活にますます身近なものとなっていくと考えられるが，学校教育の中では，情報を活用する知識と技術を身に付けることは求められていない。

④ 学校生活の中でICTを活用する機会が増加し，児童生徒の姿勢や目などの体調の変化に配慮する取組を進めることが重要となっている。

【宮城県・仙台市・改】
4

③
「学校教育の中では…求められていない」が誤り

教育原理③

1 学校運営

頻出度 C

傾向&ポイント 学校教育目標の達成に向けて，どのような体制で教育活動が展開されているのか，体系的に理解することが重要です。それぞれの内容を挙げて正誤を選択させる問題は毎年みられるため，法規の規定をおさえておきましょう。

1 学校運営・学年運営について

面接対策

学校運営は校長だけが行うものですか。また，あなたはどのような形で学校運営に参加しようと考えますか。

☑ 学校運営

学校教育目標の達成に向けて，学校がもてる人・物・財・情報などの資源を活用し，教育活動全体のマネジメントサイクルを推進する営みであり，**校長の責任のもと**，全教職員が**協働**して取り組みます。

☑ 学年運営

学年を単位として行う学校運営の一領域です。学校教育目標を学年単位で具現化するための**学年目標を設定し，その達成に向けて**教育活動のマネジメントサイクルを推進する営みであり，**学年主任を中心として**，学年を担当する全教員が協働して取り組みます。

☑ マネジメントサイクル

Plan（計画），Do（実行），Check（評価），Action（改善）を循環することで，取り組みを改善する方法で，各頭文字をとって**PDCAサイクル**と呼ばれています。

2 学校運営の内容

☑ 学校運営の内容

運営管理…教育活動の運営，教育課程の編成，実施・評価（学校教育目標の設定，指導内容の組織，授業時数の配当）など，教材の取り扱いなど

人的管理…職員組織，校務分掌，教職員の管理など

物的管理…学校施設・設備の管理・保全など

☑ 学校運営の責任者

校長の権限と責任のもと，全教職員が参画して行われます。

☑ 職員会議

校長の円滑な学校運営のために開催され，**校長が主宰する会議**❶であり，「校長の補助機関」です。

☑ 校務と校務分掌

校務とは，学校が担うすべての仕事のことであり，全教職員が分担して処理することを**校務分掌**といいます。校務分掌を組織化したものを**校務分掌組織**といい，各部門のまとめ役として主任が位置づけられます。

☑ 学校に置かれる主な職と職務内容

校長（**必置**）

校務をつかさどり，**所属職員を監督**します。

副校長

校長を助け，命を受けて校務をつかさどります。

教頭

校長（および副校長）を助け，校務を整理し，および必要に応じ児童の教育をつかさどります。

主幹教諭

校長（および副校長）および教頭を助け，**命を受けて校務の一部を整理し**，ならびに児童の教育をつかさどります。

指導教諭

児童の教育をつかさどり，教諭そのほかの職員に対して，**指導の改善・充実のために必要な指導および助言を行います。**

教諭（**必置**）

児童の教育をつかさどります。

養護教諭　**児童の養護**をつかさどります。

栄養教諭

児童の栄養の指導および管理をつかさどります。

事務職員（**必置**）

事務に従事します。

さらに詳しく

❶学校教育法施行規則第48条参照。2000年の同法改正により，職員会議は法令上に明確に位置づけられました。

ここが出た！

それぞれの職と職務内容を結び付ける問題や，設置について，必置か任意かに関する正誤問題が出題されています。

学級運営

傾向&ポイント 学校運営の一部である学級運営の仕組みや内容について理解しておきましょう。学級運営は子どもの成長とも密接に関わります。2021 年に決定した「小学校における 35 人学級」についても，しっかりおさえておきましょう。

1 学級運営について

学級運営

学級を単位として**学級担任が行う**学校運営の一領域であり，学年目標を踏まえて，学級の発達段階や実態に応じた**学級目標ならびに学級経営計画**を策定し，教育活動全体のマネジメントサイクルを推進する営みのことです。**教育指導**と，そのための**条件整備**のすべてを含んでいます。

学級のもつ機能

児童生徒は学校生活の大半を学級で過ごします。学級は，児童生徒にとって**学習の場**であるとともに**生活の場**でもあることから，児童生徒の生きる力の育成のために学級運営は大きな役割を担っています。

学級の機能と学級運営の内容

	教育指導の内容	条件整備の内容
学習の場としての機能	確かな学力の育成 各教科等の指導 など	学習規律の確立 主体的・対話的で深い学びの視点からの授業改善
生活の場としての機能	社会性の育成 など	安心・安全な居場所づくり

面接対策

●学級は児童生徒にとってどのような場所であることが望ましいと考えますか。

●あなたは学級担任として，学級運営において何を大切にしたいですか。

2 学級運営の内容

学級運営の内容

学級運営の内容は多岐にわたりますが，主に学習指導，生活指導，進路指導，安全指導などの**教育指導**，望ましい人間関係構築につながる**学級集団づくり**，教室の**環境整備**，保護者会や家庭訪問などの**家庭との連携**，週ごとの指導計画，指導要録，表簿や教材の管理，学級だよりの作成などの**学級事務**があります。

☑ 児童生徒の実態把握

児童生徒の実態について，最も身近で把握できるのは学級担任です。アンケートなどの方法以外に，日頃の**言動や様子を丁寧に観察すること**が何よりも大切です。

児童生徒の実態把握

	観点	具体的な児童生徒の様子
登校時	心身の健康状態など	表情，服装，身体の状態 挨拶や返事，提出物
授業中	学習内容の理解 習得状況など	学習に向かう姿勢，意欲 ノートの記述，発言内容
休み時間 給食	交友関係 健康状態など	誰と何をして過ごしているか 食欲の有無
下校後	家庭での様子 (保護者との連携)	放課後の過ごし方，交友関係， 家庭学習への取り組み状況

3 学級編制基準

学級編制基準とは，国が一学級の児童数を定めた基準であり，各学校はそれに順じて学級を編制します。**2021年3月，文部科学省は40年ぶりに小学校の学級編制基準を40名から35名に引き下げることを決定**しました。[❶]2021年度以降，第2学年から学年進行で引き下げ，2025年度には全学年で35人学級が標準となります。

校種	学級編制区分	児童生徒数
小学校	**同学年の児童で編制する学級**	**35人**
	2学年の児童で編制する学級	16人（8人[❷]）
	特別支援学級	8人
中学校	**同学年の生徒で編制する学級**	**40人**
	2学年の生徒で編制する学級	8人
	特別支援学級	8人
高等学校	**全日制の課程**	**40人**
	定時制の課程	**40人**

さらに詳しく

❶2021（令和3）年3月，参議院本会議において「公立義務教育諸学校の学級編制及び教職員定数の標準に関する法律の一部を改正する法律案」が可決・成立しました。学級編制の標準を計画的・一律に引き下げるのは昭和55年以来，約40年ぶりのことです。

❷小学校において2学年の児童で編制する際，第1学年を含む場合の学級編制基準は，8人となります。

学校評議員，学校運営協議会，学校評価

傾向＆ポイント 学校評議員，学校運営協議会，学校評価は，開かれた学校づくりにつながる代表的な仕組み・取り組みです。内容のポイントと根拠となる法令や答申について，それぞれおさえておきましょう。

1 学校評議員制度

☑ 学校評議員とは

学校教育法施行規則第 49 条に基づき設置できる委員であり，地域に開かれた特色ある学校づくりを推進するため，学校や地域の実情などに応じて，学校の運営に関し，①**保護者や地域住民などの意向を把握する**こと，②**保護者や地域住民の協力を得る**こと，③学校としての**説明責任を果たす**ことを目的に制度化されました。

☑ 学校評議員の委嘱

校長の推薦に基づき**学校の設置者が委嘱**します。特定の団体や地域に偏らないよう，**保護者，町会・自治会，社会教育団体者，福祉関係者，学識経験者など**が委嘱されます。

☑ 学校評議員制度の内容

学校評議員に対して意見を求める内容は，校長が判断します。学校の教育目標や計画，教育活動の実施状況，地域との連携協力の進め方などが一般的です。

2 学校運営協議会

☑ 学校運営協議会とは

地方教育行政の組織及び運営に関する法律第 47 条に基づき設置することができる**合議制の機関**で，コミュニティ・スクール（地域運営学校）❶の仕組みです。**保護者や地域住民が権限と責任をもって学校運営に参画する**ことにより，地域に開かれた特色ある学校づくりを推進します。

さらに詳しく

❶全国の公立学校におけるコミュニティ・スクールの数は 11,856 校（導入率 33.3%）で，コミュニティ・スクールを導入している自治体数は 32 道府県 998 市区町村 11 学校組合です。

☑ **学校運営協議会の設置と委員の任命**

教育委員会は，学校運営協議会を設置するとともに，**地域住民，保護者，地域学校協働活動推進委員**などの中から**委員を任命**します。

☑ **学校運営協議会の内容**

学校運営協議会は，**校長が作成する学校運営の基本方針を承認**したり，**教職員の任命に関して任命権をもつ教育委員会に意見**を述べたりすることができます。

3 学校評価

文部科学省は「**学校評価ガイドライン**」❷（平成20年1月策定，平成28年3月改訂）に次のように示しています。

☑ **学校評価の目的**

学校評価は，①各学校が，教育活動その他の学校運営について目標を設定し，**達成状況や取組の適切さを評価**することにより**組織的・継続的な改善を図る**，②各学校が，自己評価及び学校関係者による評価と，結果の公表・説明により**説明責任を果たす**とともに，**保護者，地域住民等からの理解と参画**を得て家庭・地域との連携協力による学校づくりを進める，③各学校の設置者等が，学校評価の結果に応じて**支援や条件整備等の改善措置**を講じることにより，**教育の質を保障し向上を図る**ために実施します。

☑ **学校評価の方法**

学校評価は，**学校教育法**及び**学校教育法施行規則**に基づき，**自己評価**（教職員が行う。**実施・結果公表義務，設置者への報告義務**），**学校関係者評価**（保護者や地域住民等の学校関係者による自己評価の結果に関する評価。**実施・結果公表の努力義務，実施した場合の設置者への報告義務**）によって実施します。他にも，**第三者評価**（学校と設置者が実施者となり，外部の専門家を中心とする評価者が，自己評価や学校関係者評価の実施状況を踏まえて学校運営の状況に関して行う評価。）などが行われることもあります。

さらに詳しく

❷平成20年1月，小学校，中学校，高等学校，中等教育学校，特別支援学校を対象とした「学校評価ガイドライン」を策定し，平成28年の改訂では，義務教育学校ならびに小中一貫型小学校および小中一貫型中学校が発足することを踏まえ，小中一貫教育を実施する学校における学校評価の留意点をガイドラインに反映させました。

学校安全・安全教育

頻出度 B

傾向&ポイント 子どもの命を守るためにも，学校安全の構造と，直近の文部科学省の学校安全推進計画の概要をしっかりとおさえておきましょう。受験する都道府県の取り組みについても，入手・確認しておくことが重要です。

1 学校安全

☑ 学校安全とは

学校安全は，「**安全教育**」と「**安全管理**」，両者の活動を円滑に進めるための「**組織活動**」の３つの主要な活動から構成されており，これらの活動を組織的・計画的に行うために，**学校保健安全法第 27 条**に基づき**学校安全計画**を策定し，実施することが義務づけられています。

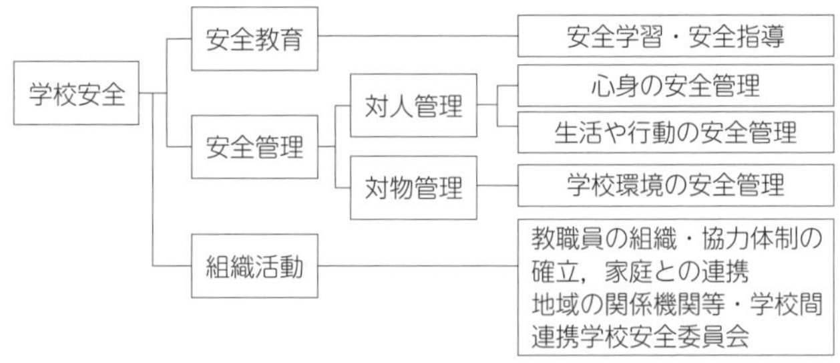

2 危機管理体制

☑ 学校危機とは

学校危機は，事件や事故，災害などにより，通常の課題解決方法では解決することが難しく，学校運営の機能に支障をきたす事態をさします。主に，けんか，いじめ，暴力行為，窃盗，授業・課外活動中のけが，実験・実習中の火災，食中毒や感染症，放火や殺傷事件，また地域の自然災害などがこれにあたりますが，児童生徒の個人的な事柄や社会での出来事からの影響を受けたことにより，緊急対応が必要な場合もあります。一方で，帰宅後や児童生徒の家族の事件・事故，自殺や性的被害といった個人レベルの危機に対しても，児童生徒個人や学校での交友関係に配慮した対応を行うことが必要です。

☑ 学校危機への介入

事件や事故，災害の対応を想定した危機管理体制と組織活動，外部の関係機関との連携を日頃から築いておくことが必要です。

①リスクマネジメント

事件・事故の発生を未然に防止し，災害の影響を回避，緩和するための取組みです。

⑴危機管理マニュアルの整備

⑵危機対応の実践的研修

⑶日常の観察や未然防止教育等の実施

②クライシスマネジメント

事前の取組みにもかかわらず，事件や事故，災害の発生・影響が及ぶ際には，心のケアと学校運営に関する迅速かつ適切な対応を行うことにより，被害を最小限にとどめる必要があります。

⑴初期段階の対応と早期の介入

- 負傷者が出た場合，迅速な応急手当や救命救急処置，救急車の要請を行うなどの対応を，全ての教職員が行えるようにしておくことが求められます。

⑵中・長期の支援

- 危機の解消に向け，学校や個人における日常の学校生活が徐々に回復していくなかで，身体的な回復だけでなく，社会的側面や情緒的側面も含めた回復に向けた包括的な支援を行うことが必要です。

⑶再発防止への取組み

- 被害回復と併行しながら，安全管理の見直しと徹底，安全教育の強化，危機管理体制の見直しと一層の整備を進めることが求められます。

危機管理・学校防災

傾向&ポイント 危機管理マニュアル（危険等発生時対処要領）や学校防災マニュアルは，内容についての正誤問題や語句を選ばせる問題が多くみられます。受験する都道府県におけるマニュアルについても，必ず入手・確認しておきましょう。

1 危機管理マニュアル(危険等発生時対処要領)

危機管理マニュアルとは

学校保健安全法第29条により，すべての学校において，児童生徒等の安全の確保を図るため，学校の実情に応じて危険等発生時において**当該学校の職員がとるべき措置の具体的内容及び手順**を定めた危険等発生時対処要領（危険管理マニュアル）❶を作成することが**義務づけられています。**

作成にあたっては，**不審者侵入**や**自然災害への対応**のほか，あらゆる場面における危機事象を想定することが求められており，作成したマニュアルについて**教職員に対して周知**するとともに，マニュアルを活用した**訓練の実施**，そのほかの危険等発生時において教職員が適切に対処するために必要な措置を講じ，**随時見直しを行う**ことが必要です。

なお，危機管理マニュアルをめぐる主な国の方針・対策などは，次のとおりです。

> 2007（平成19）年
> **「学校の危機管理マニュアル～子どもを犯罪から守るために～」**
> 2012（平成24）年
> **「学校防災マニュアル（地震・津波災害）作成の手引き」**
> 2016（平成28）年**「学校事故対応に関する指針」**
> 2017（平成29）年
> 閣議決定**「第2次学校安全の推進に関する計画」**
> 2018（平成30）年**「学校の危機管理マニュアル作成の手引」**
> 2021（令和3）年　**学校の「危機管理マニュアル」等の評価**

さらに詳しく
❶学校においては「危機管理マニュアル」という名称が用いられています。各学校が作成し，毎年見直しが図られています。

2 学校防災マニュアル(地震・津波災害)

学校防災マニュアルとは

2011（平成 23）年に発生した東日本大震災での教訓を踏まえて，**学校保健安全法第 29 条**に基づき，危機管理マニュアルの一環として「**学校防災マニュアル**（**地震・津波災害**）」の作成が義務づけられています。

「学校防災マニュアル（地震・津波災害）作成の手引き」

学校防災マニュアルは，①安全な環境を整備し，災害の発生を未然に防ぐための**事前の危機管理**，②災害の発生時に適切かつ迅速に対処し，被害を最小限に抑えるための**発生時の危機管理**，③危機が一旦収まった後，心のケアや授業再開など通常の生活の再開と再発防止を図る**事後の危機管理**の３段階の危機管理に対応して作成することを求めています。

学校における地震防災のフローチャート

学校防災マニュアルに示されている「学校における地震防災のフローチャート」の枠組みは次のとおりです。

(1)**事前の危機管理**（備える）
- 体制整備と備蓄　● 点検
- 避難訓練　● 教職員研修等

(2)**発生時の危機管理**（命を守る）

初期対応

「落ちてこない・倒れてこない・移動してこない」場所に身を寄せる

二次対応

素早い情報収集，臨機応変な判断と避難

(3)**事後の危機管理**（立て直す）

対策本部の設置
- 安否確認　● 引き渡し・待機
- 避難所協力　● 心のケア

「学校における地震防災のフローチャート」の３段階についておさえておきましょう。また，自治体が策定するマニュアル作成のためのガイドラインなどについても，確認しておきましょう。

教育改革年表

頻出度 B

傾向&ポイント 様々な変化に伴い，教育改革が推進されていることを確認しましょう。なお，教育改革については直近の答申，通知，報告を中心に出題されています。それぞれの内容について，おさえておくことも必要です。

年	月	答申名	備考
2007（平成 19）	4	通知「特別支援教育の推進について」	
2011（平成 23）	1	答申「今後の学校におけるキャリア教育・職業教育の在り方について」	キャリア教育を学校段階ごとに体系化／教育課程に位置づけたうえですべての教育活動を通して実践
2012（平成 24）	7	報告「共生社会の形成に向けたインクルーシブ教育システム構築のための特別支援教育の推進」	今後の特別支援教育が目指す方向性としての「インクルーシブ教育」➡就学先決定の仕組みが変更
2013（平成 25）	1	答申「今後の青少年の体験活動の推進について」	
	3	通知「体罰の禁止及び児童生徒理解に基づく指導の徹底について」別紙「学校教育法第 11 条に規定する児童生徒の懲戒・体罰等に関する参考事例」	別紙：体罰と判断される行為，懲戒として認められる行為，正当な行為の具体例を掲載
	6	「いじめ防止対策推進法」公布（９月施行）	
		「障害を理由とする差別の解消の推進に関する法律」公布（2016 年４月施行）	合理的配慮の具体例を掲載
	10	文科省「いじめの防止等のための基本的な方針」（2017 年３月最終改定）	いじめ防止対策推進法第 11 条に基づき，総合的かつ効果的に推進するために策定された基本的方針
	12	答申「今後の地方教育行政の在り方について」	
2014（平成 26）	1	「障害者の権利に関する条約」批准	
	8	「ICT を活用した教育の推進に関する懇談会」報告書（中間まとめ）	
	9	英語教育の在り方に関する有識者会議報告「今後の英語教育の改善・充実方策について～グローバル化に対応した英語教育改革の五つの提言～」	
	10	答申「道徳に係る教育課程の改善等について」	「特別の教科　道徳」と位置づけ／検定教科書導入／評価を充実

	12	答申「子供の発達や学習者の意欲・能力等に応じた柔軟かつ効果的な教育システムの構築について」	小中一貫教育の制度設計の基本方向性 ➡ 2016（平成 28）年 4 月　一部改正学校教育法により「義務教育学校」を一条校に規定
		答申「新しい時代にふさわしい高大接続の実現に向けた高等学校教育，大学教育，大学入学者選抜の一体的改革について」	高等学校教育で育むべき「確かな学力」（学力の三要素）／高大接続改革の方向性
2015（平成 27）	2	内閣府「障害を理由とする差別の解消の推進に関する基本方針」	
	3	一部改正学習指導要領等「特別の教科道徳」	
	10	通知「高等学校等における政治的教養の教育と高等学校等の生徒による政治的活動等について」	選挙権年齢等の引き下げに対応して，高校における政治的教養の教育の充実，政治的活動などに対する適切な生徒指導の実施を目的
	11	通知「文部科学省所管事業分野における障害を理由とする差別の解消の推進に関する対応方針」	
	12	答申「チームとしての学校の在り方と今後の改善方策について」「これからの学校教育を担う教員の資質能力の向上について～学び合い，高め合う教員育成コミュニティの構築に向けて～」「新しい時代の教育や地方創生の実現に向けた学校と地域の連携・協働の在り方と今後の推進方策について」	
2016（平成 28）	1	文部科学大臣「『次世代の学校・地域』創生プラン～学校と地域の一体改革による地域創生～」	
	4	文部科学省「性同一性障害や性的指向・性自認に係る，児童生徒に対するきめ細やかな対応等の実施について（教職員向け）」	
	11	文部科学大臣メッセージ「いじめに正面から向き合う『考え，議論する道徳』への転換に向けて」 答申「幼稚園，小学校，中学校，高等学校及び特別支援学校の学習指導要領等の改善及び必要な方策等について」	

2017 (平成 29)	2	答申「第２次学校安全の推進に関する計画の策定について」	学校保健安全法に基づき，平成 24 年に第１次計画（平成 24 年度から平成 28 年度まで）を策定・措置を講じ，特に防災教育を中心として安全教育が進展➡新たな５年間（平成 29 年度から令和３年度まで）における施策の基本的方向と具体的な方策を検討・策定
	3	文部科学省「発達障害を含む障害のある幼児児童生徒に対する教育支援体制整備ガイドライン」	
		文部科学省「いじめの防止等のための基本的な方針」（最終改定）	
		通知「第２次学校安全の推進に関する計画について」	①平成 29 年度から令和３年度までの施策の基本的方向と具体的な方策
	6	「第３期教育振興基本計画」（閣議決定）	①夢と志を持ち可能性に挑戦するために必要となる力を育成②社会の持続的な発展を牽引するための多様な力を育成③生涯学び活躍できる環境を整備④誰もが社会の担い手となるための学びのセーフティネットを構築⑤教育政策推進のための基盤を整備
2018 (平成 30)	3	スポーツ庁「運動部活動の在り方に関する総合的なガイドライン」	
2019 （平成 31/令和元）	1	報告「児童生徒の学習評価の在り方について」 答申「新しい時代の教育に向けた持続可能な学校指導・運営体制の構築のための学校における働き方改革に関する総合的な方策について」	①知識・技能／②思考・判断・表現／③主体的に学習に取り組む態度
	4	文部科学省「障害者活躍推進プラン」	
	5	文部科学省「学校・教育委員会等向け虐待対応の手引き」	
	10	通知「不登校児童生徒への支援の在り方について」	
	11	「子供の貧困対策に関する大綱～日本の将来を担う子供たちを誰一人取り残すことがない社会に向けて～」（閣議決定）	
	12	文部科学省「教育の情報化に関する手引」	
2020 (令和 2)	6	文部科学省「教育の情報化に関する手引」（追補版）	

2021 (令和 3)	1	答申「『令和の日本型学校教育』の構築を目指して～全ての子供たちの可能性を引き出す，個別最適な学びと，協働的な学びの実現～」	
	3	中教審諮問「令和の日本型学校教育を担う教師の養成・採用・研修等の在り方について」	①教師に求められる資質能力の再定義②多様な専門性を有する質の高い教職員集団の在り方③教員免許の在り方・教員免許更新制の抜本的な見直し④教員養成大学・学部，教職大学院の機能強化・高度化⑤教師を支える環境整備
2022 (令和４)	2	次期教育振興基本計画 (令和５(2023)年度～ 令和９(2027)年度)諮問	①今後の教育政策に関する基本的な方針：特にオンライン教育を活用する観点など「デジタル」と「リアル」の最適な組合せ，及び，幼児教育・義務教育の基礎の上に，高等学校，大学，高等専門学校，専門学校，大学院まで全体が連続性・一貫性を持ち，社会のニーズに応えるものとなる教育や学習の在り方について／②基本的な方針を踏まえた，生涯を通じたあらゆる教育段階における，今後５年間の教育政策の目指すべき方向性と主な施策について／③学校内外において，生涯を通じて学び成長し，主体的に社会の形成に参画する中で，共生社会の実現を目指した学習を充実するための環境づくりについて／④第３期教育振興基本計画及びその点検結果を踏まえつつ，多様な教育データをより有効な政策の評価・改善に活用するための方策について
		「令和の日本型学校教育」を担う教師の養成・採用・研修等の在り方について公立の小学校等の校長及び教員としての資質の向上に関する指標の策定に関する指針	
		第３次 学校安全の推進に関する計画(閣議決定)	
2023 (令和５)		誰一人取り残されない学びの保障に向けた不登校対策について	
各年		文部科学省「児童生徒の問題行動・不登校等生徒指導上の諸課題に関する調査」	
		文部科学省「全国学力・学習状況調査」	

教育政策

子どもの貧困対策

傾向&ポイント 子どもの貧困対策については，「子どもの貧困対策の推進に関する法律」と，それに基づき策定された「子供の貧困対策に関する大綱」の内容を概観し，キーワードをおさえておきましょう。

頻出度 C

1 子どもの貧困対策の推進に関する法律❶

子どもの将来がその生まれた環境によって左右されず，貧困の状況にある子どもも健やかに育成される環境を整備し，**教育の機会均等**を図るために，**子どもの貧困対策の基本理念や基本となる事項を定め，国等の責務を明らかにし，子どもの貧困対策を総合的に推進する**ことを目的としています（2013（平成25）年成立，2019（令和元）年改正）。

< 2019（令和元）年の改正点>

第1条　この法律は，子どもの現在及び将来がその生まれ育った環境によって左右されることのないよう，全ての子どもが心身ともに健やかに育成され，及びその**教育の機会均等**が保障され，子ども一人一人が夢や希望を持つことができるようにするため，子どもの貧困の解消に向けて，**児童の権利に関する条約**の精神にのっとり，子どもの貧困対策に関し，基本理念を定め，国等の責務を明らかにし，及び子どもの貧困対策の基本となる事項を定めることにより，子どもの**貧困対策**を総合的に推進することを目的とする。

第2条

<第1項>子どもの貧困対策は，社会のあらゆる分野において，子どもの年齢及び発達の程度に応じて，その意見が尊重され，その最善の利益が優先して考慮され，子どもが心身ともに健やかに育成されることを旨として推進されなければならない。

さらに詳しく

❶国：「子供の貧困対策に関する大綱」を策定する（義務）
都道府県：大綱を勘案した都道府県計画を策定する（努力義務）
市町村：大綱および都道府県計画を勘案した市町村計画を策定する（努力義務）
義務の強さが異なることに注意しましょう。

<第２項>子どもの貧困対策は，子ども等に対する**教育の支援**，**生活の安定に資するための支援**，職業生活の安定と向上に資するための**就労の支援**，**経済的支援**等の施策を，子どもの現在及び将来がその**生まれ育った環境によって左右されることのない社会を実現すること**を旨として，子ども等の生活及び取り巻く環境の状況に応じて包括的かつ早期に講ずることにより，推進されなければならない。

2　子供の貧困対策に関する大綱❷

「子どもの貧困対策の推進に関する法律」の中で政府が子どもの貧困対策を総合的に推進するために策定が義務づけられた，**子どもの貧困対策の基本方針**です。子どもの貧困対策に関する有識者や当事者，支援者の意見を聞くために開催された子どもの貧困対策に関する検討会の内容と，検討会にて取りまとめられた「大綱案に盛り込むべき事項（意見の整理）」を参考に作成されました（2014（平成 26）年閣議決定，2019（令和元）年改正）。

< 2019（令和元）年の改正点>

☑ **教育の支援**

- **学力保障**，地域の学習支援，高等学校などでの就学継続のための支援
- **奨学給付金**などによる経済的負担の軽減，特別支援教育に関する支援

☑ **生活の安定に資するための支援**

- 妊娠・出産期から**切れ目のない支援**
- 生活困窮家庭**保護者の自立支援**，一人親家庭や生活困窮世帯などの**子どもの居場所づくり**

☑ **就労の支援**

- 親の就労支援，学び直しの支援，就労機会の確保

☑ **経済的支援**

- **児童扶養手当制度**，**養育費の確保**に関する支援

教育政策

さらに詳しく

❷「2019年 国民生活基礎調査」の結果から，2018（平成30）年の子どもの貧困率（17歳以下）は13.5％であることが明らかになり，約７人に１人の子どもが貧困状態にあります。なお，一人親世帯における子どもの貧困率は48.1％と，半数に近い家庭の子どもが貧困状態にあります。

8 性同一性障害の支援

頻出度 B

傾向&ポイント 文部科学省通知「性同一性障害に係る児童生徒に対するきめ細かな対応の実施等について」（平成 27 年 4 月 30 日）をもとに，性同一性障害に係る児童生徒についての具体的な支援や支援体制についておさえておきましょう。

1 性同一性障害

性同一性障害とは，**生物学的な性と性別に関する自己意識（性自認）が一致しないため**，社会生活に支障がある状態とされます。❶

さらに詳しく
❶学校生活を送るうえで特有の支援が必要な場合があることから，個別の事案に応じ，児童生徒の心情などに配慮した対応を行うことが求められます。

2 支援体制（サポートチーム，支援委員会）

☑ 組織的な取り組み

最初に相談（入学などにあたって児童生徒の保護者からなされた相談を含む）を受けた者だけで抱え込むことなく，組織的に取り組むことが重要であり，学校内外に「サポートチーム」をつくり，「支援委員会」（校内）やケース会議（校外）などを適時開催しながら対応を進めます。

☑ 教職員間の情報共有

児童生徒が自身の性同一性を可能な限り秘匿しておきたい場合があることなどに留意しつつ，一方で，学校として効果的な対応を進めるためには，教職員などの間で情報共有し，チームで対応することが欠かせないことから，**当事者である児童生徒やその保護者に対し，情報を共有する意図を十分に説明・相談し理解を得つつ，対応を進めます。**

さらに詳しく
❷これらの支援は一例です。実際はこのような画一的な対応ではなく，個別の事例における学校や家庭の状況などに応じた取り組みを進める必要があります。

3 学校生活における支援❷

☑ 学校生活の各場面での支援

- 自認する性別の制服・衣服や体操着の着用を認める。
- 更衣室：保健室，多目的トイレなどの利用を認める。

- トイレ：職員トイレ・多目的トイレの利用を認める。
- 授業：体育または保健体育において別メニューを設定する。
- 水泳：補習として別日に実施，またはレポート提出で代替。
- 修学旅行など：1人部屋の使用を許可，入浴時間をずらす。

☑ 支援を行ううえでの配慮事項

- 性同一性障害に係る児童生徒への配慮と，ほかの児童生徒への配慮との均衡をとりながら支援を進める。
- 性同一性障害に係る児童生徒が求める支援は，学校として先入観をもたず，その時々の児童生徒の状況などに応じた支援を行う。
- 他の児童生徒や保護者との情報の共有は，当事者である児童生徒や保護者の意向などを踏まえ，個別の事情に応じて進める。
- 医療機関を受診して性同一性障害の診断がなされない場合，児童生徒の悩みや不安に寄り添い支援していく観点から医療機関との相談の状況，児童生徒や保護者の意向などを踏まえつつ，支援を行うことが可能。

☑ 卒業証明書等

指導要録の記載は学齢簿の記載に基づきます。卒業後に法に基づく戸籍上の性別の変更などを行った者から証明書などの発行を求められた場合は，戸籍を確認したうえで，当該者が不利益を被らないよう適切に対応します。

☑ 当事者である児童生徒の保護者との関係

学校と保護者とが緊密に連携しながら支援を進め，保護者が受容していない場合は児童生徒の悩みや不安を軽減し，問題行動の未然防止などを進めるために保護者と十分話し合い，可能な支援を行っていきます。

☑ 教育委員会等による支援

教職員の資質向上のための取り組みとして，人権教育担当者や生徒指導担当者，養護教諭，管理職，学校医やスクールカウンセラー研修などを通じ，適切な理解を図っていきます。

頻出度 B

日本における ESD

傾向&ポイント ESD は「Education for Sustainable Development」の略です。持続可能な社会を実現していくことを目指して行う学習・教育活動であり，「持続可能な社会の創り手を育む教育」として取り組まれています。

1 ESD とは

今，世界には気候変動，生物多様性の喪失，資源の枯渇，貧困の拡大など人類の開発活動に起因する，様々な問題があります。ESD とは，これらの現代社会の問題を自らの問題として主体的に捉え，人類が将来の世代にわたり恵み豊かな生活を確保できるよう，身近なところから取り組む（think globally, act locally）ことで，問題の解決につながる新たな価値観や行動などの変容をもたらし，持続可能な社会を実現していくことを目指して行う学習や活動を指します。

2 ESD を通して身につける力，学び方❶

持続可能な社会づくりを構成する「6つの視点（**多様性**，**相互性**，**有限性**，**公平性**，**連携性**，**責任性**）を軸にし，持続可能な社会づくりに関わる課題を見い出し，その解決に向けた探究的な学びを展開します。

さらに詳しく
❶学習指導要領においては，前文および総則に，「持続可能な社会の創り手」の育成が掲げられています。

☑ 身につける力

持続可能な社会づくりのための課題解決に必要な７つの能力・態度（**批判的に考える力**，**未来像を予測して計画を立てる力**，**多面的・総合的に考える力**，**コミュニケーションを行う力**，**他者と協力する態度**，**つながりを尊重する態度**，**進んで参加する態度**）を身につけます。

☑ どのように学ぶか

「主体的・対話的で深い学び」の視点から，探究的な学習過程を重視し，学習者を中心とした主体的な学びの機会を充実し，体験や活動を取り入れます。グループ活動における話し合い，協力しての調査やまとめ，発表などを通して，協働的に学びます。

☑ 実践にあたって留意すること

①何ができるようになるか

知識・理解にとどまらず，学びを活かし，様々な問題を「**自分の問題**」として行動する「**実践する力の育成**」を目指します。また，「**持続可能な社会の構築**」という観点を意識することにより，児童・生徒の価値観の変容を引き出すことができます。

②どのように取り組むか

ESD を効果的に推進するためには，ESD の実施を学校経営方針に位置づけ，校内組織を整備して学校全体として組織的に取り組むこと，ESD を適切に指導計画に位置づけること，地域や大学・企業との連携の視点を取り入れること，**児童・生徒による発信と学習成果の振り返り**を適切に行うことなどが重要です。

3　SDGs との関係

2020 年～ 2030 年における ESD の国際的な実施枠組みである「**持続可能な開発のための教育**：SDGs 実現に向けて（ESD for 2030）」が，2019 年 11 月の第 40 回ユネスコ総会で採択され，同年，国連総会で承認されました。ESD for 2030 は，ESD の強化と **SDGs の 17 のすべての目標実現**[❷]への貢献を通じて，より公正で持続可能な世界の構築を目指すものです。ESD for 2030 の採択を受けて，SDGs の 17 のすべての目標実現に向けた教育の役割を強調，持続可能な開発に向けた大きな変革への重点化，ユネスコ加盟国によるリーダーシップへの重点化が謳われています。

さらに詳しく

❷ SDGs の 17 の目標は次のとおりです。
①貧困をなくそう
②飢餓をゼロに
③すべての人に健康と福祉を
④質の高い教育をみんなに
⑤ジェンダー平等を実現しよう
⑥安全な水とトイレを世界中に
⑦エネルギーをみんなに，そしてクリーンに
⑧働きがいも経済成長も
⑨産業と技術革新の基盤をつくろう
⑩人や国の不平等をなくそう
⑪住み続けられるまちづくりを
⑫つくる責任，つかう責任
⑬気候変動に具体的な対策を
⑭海の豊かさを守ろう
⑮陸の豊かさも守ろう
⑯平和と公平をすべての人に
⑰パートナーシップで目標を達成しよう

10 教員の働き方改革

傾向＆ポイント 「新しい時代の教育に向けた持続可能な学校指導・運営体制の構築のための学校における働き方改革に関する総合的な方策について（答申）」（平成31年1月25日中教審）に，働き方改革に関する取り組みのポイントが集約されています。

頻出度 B

1 背景・意義

社会の急激な変化が進む中で，子どもが予測困難な未来社会を自立的に生き，社会の形成に参画するための資質・能力を育成するため，学校教育の改善・充実が求められています。学校が抱える課題はより複雑化・困難化する中，**教員勤務実態調査**（平成28年度）でも，看過できない教師の勤務実態が明らかとなりました。文部科学省では，**教師のこれまでの働き方を見直し，自らの授業を磨くとともに，その人間性や創造性を高め，**子どもたちに対して効果**的な教育活動を行うことができるようにすること**を目的として，学校における働き方改革を進めています。

2 検討の視点と基本的な考え方

☑ **勤務時間管理の徹底と勤務時間・健康管理を意識した働き方の推進**

(1)勤務時間管理の徹底と勤務時間の上限に関するガイドラインに係る取組

(2)適正な勤務時間の設定❶

(3)労働安全衛生管理の徹底

(4)研修・人事評価等を活用した教職員の意識改革及び学校評価等

☑ **学校及び教師が担う業務の明確化・適正化**

(1)基本的な考え方：**教育委員会は自ら学校現場に課している業務負担を見直す，地域社会と学校の連携の起点・つ**

さらに詳しく

❶具体的には，教職員の勤務時間を考慮した時間の設定・周知，勤務時間の割り振り等適正な措置の徹底，週休日の振替期間の延長や学校閉庁日の設定等の工夫の実施，留守番電話の設置等があります。

なぎ役として前面に立つ，学校以外で業務を担う受け皿の整備を進める

⑵業務の役割分担・適正化のために教育委員会等が取り組むべき方策（**PDCA サイクルの構築**，他の主体への対応の要請，教師以外の担い手の確保，業務のスクラップ・アンド・ビルド，必要性の低い業務を思い切って廃止，**これまで学校・教師が担ってきた 14 の業務の在り方に関する考え方**❷，**「チームとしての学校」**❸，教職員の業務量を一元的に俯瞰・調整する体制の構築，**ICT や OA 機器の積極的な導入・更新**等）

⑶業務の役割分担・適正化のために各学校が取り組むべき方策（**学校の重点目標や経営方針**の明確化，削減する業務の洗い出し，**校内の分担の見直しや，校長の権限と責任による業務の削減，保護者や地域住民等との情報共有**等）

⑷学校が作成する計画等の見直し（**個別の指導計画・教育支援計画等：複数の教師が協力して作成し共有化，計画等の統合・整理・合理化，既存の各種計画の見直しの範囲内での対応**等）

⑸教師の働き方改革に配慮した教育課程の編成・実施（**指導体制の整備状況を踏まえた精査**等）

☑ 学校の組織運営体制の在り方

⑴服務監督権者である教育委員会から所管の学校に対する取組の促進及び支援（**委員会等の合同設置**や**構成員の統一**，校務分掌の在り方の適時柔軟な見直し，**ミドルリーダー**の活躍促進，校長が適材適所で主任を命じることの徹底，若手教師の支援，事務職員の校務運営への参画等）

⑵各教育委員会における取組の推進（**総合的な学校組織マネジメント**の確立，管理職に求められる能力の明確化，**指導主事等によるアドバイス**，事務職員の質の向上や学校事務の適正化，**人材バンク**の整備等）

さらに詳しく

❷ 14 の業務とは，以下のとおりです。

①登下校に関する対応
②放課後から夜間などにおける見回り，児童生徒が補導されたときの対応
③学校徴収金の徴収・管理
④地域ボランティアとの連絡調整
⑤調査・統計などへの回答等
⑥児童生徒の休み時間における対応
⑦校内清掃
⑧部活動
⑨給食時の対応
⑩授業準備
⑪学習評価や成績処理
⑫学校行事の準備・運営
⑬進路指導
⑭支援が必要な児童生徒・家庭への対応

❸「チームとしての学校」
⇒ P.98

11 部活動に関するガイドライン

頻出度 C

傾向&ポイント 2022（令和4）年12月，スポーツ庁は「学校部活動及び新たな地域クラブ活動の在り方等に関する総合的なガイドライン」を策定・公表しました。休養日や活動時間の規定などとの連携といったポイントをおさえましょう。

「運動習慣の確立」「豊かなスポーツライフ」「バランスのとれた心身の成長と学校生活」などがポイントとなります。

❶「部活動指導員」
学校教育法施行規則第78条の2に基づき，「中学校におけるスポーツ，文化，科学等に関する教育活動（学校の教育課程として行われるものを除く。）に係る技術的な指導に従事する」学校の職員です。学校の教育計画に基づき，校長の監督を受け，部活動の実技指導，大会・練習試合等の引率などを行います。校長は，部活動指導員に部活動の顧問を命じることができます。

1 背景・趣旨

本ガイドラインは，義務教育である**中学校**（義務教育学校後期課程，中等教育学校前期課程，特別支援学校中学部を含む）段階の学校部活動を主な対象とし，生徒にとって望ましいスポーツ・文化芸術環境を構築するという観点に立ち，学校部活動が以下の点を重視して，地域，学校，競技種目などに応じた**多様な形で最適に実施されることを目指す**ものです。

2 体制整備

☑ 運動部活動の方針の策定等

主に，次の分担で行われます。

- 活動方針の策定（都道府県，設置者，校長）
- 活動計画の作成，公表（部活動顧問，校長）

☑ 指導・運営に係る体制の構築

主に，次の分担で行われます。

- **部活動指導員❶の任用・配置，研修の実施（設置者）**
- 適切な校務分掌への留意（校長）
- 部活動顧問・管理職への研修等（都道府県，設置者）
- 業務改善及び勤務時間管理（都道府県，設置者，校長）

3 適切な休養日等の設定

運動部活動における休養日および活動時間については，成長期にある生徒が，運動，食事，休養および睡眠のバランスのとれた生活を送ることができるよう，スポーツ医科学の観点からのジュニア期におけるスポーツ活動時間に関する研究も踏まえ，以下を基準とします。

☑ 学期中の休養日

週当たり２日以上の休養日を設けます。平日は少なくとも１日，土曜日および日曜日は少なくとも１日以上を休養日とする。週末に大会参加などで活動した場合は，休養日をほかの日に振り替えます。

☑ 長期休業中の休養日

学期中に準じた扱いを行います。また，生徒が十分な休養をとることができるとともに，運動部活動以外にも多様な活動を行うことができるよう，ある程度**長期の休養期間（オフシーズン）**を設けます。

☑ １日の活動時間

長くとも**平日では２時間程度**，学校の**休業日（学期中の週末を含む）は３時間程度**とし，できるだけ短時間に，合理的でかつ効率的・効果的な活動を行います。

4 生徒のニーズを踏まえた環境の整備

☑ 生徒のニーズを踏まえた学校部活動の設置

生徒の**多様なニーズに応じた**学校部活動を設置します。また，少子化に伴い，単一の学校では特定の学校部活動を設けることができない場合には，生徒のスポーツ・文化芸術活動の機会が損なわれることがないよう，複数校の生徒が拠点校の学校部活動に参加するなど，**合同部活動などの取り組み**を推進します。

☑ 地域との連携等

学校や地域の実態に応じて，**地域のスポーツ・文化芸術団体との連携**，保護者の理解と協力，民間事業者の活用などによる，学校と地域がともに子どもを育てるという視点に立った，**学校と地域が協働・融合**した形での地域におけるスポーツ・文化芸術環境整備を進めます。

12 教員の資質能力の向上

頻出度 C

傾向＆ポイント 「学び続ける教師像」からはじまり，「教員に求められる３つの資質能力」，社会の変化に対応した資質能力の向上施策の変遷について，キーワードを中心におさえておきましょう。

1 これまでの向上施策

☑ 中教審答申「これからの学校教育を担う教員の資質能力の向上について～学び合い，高め合う教員育成コミュニティの構築に向けて～」（2015〈平成 27〉年 12 月）

多様化・複雑化する教育課題や教員の大量退職・大量採用に対応するために必要となる教員の資質能力を以下に整理しました。

①教員が自律的に学ぶ姿勢をもち自らのキャリアステージに応じて求められる資質能力を生涯にわたり高めていくことのできる力②主体的・対話的で深い学びの実現に向けた授業改善や ICT の活用，特別な支援を必要とする児童生徒等への対応など，新たな課題に対応できる力③チーム学校の考えの下，多様な専門性をもつ人材と連携・分担し組織的・協働的に諸課題の解決に取り組む力。

さらに詳しく
❶①については教員養成の修士レベル化と高度専門職業人としての位置づけを示しています。

2 これから求められる資質能力❶と向上施策

☑ 中教審答申「『令和の日本型学校教育』の構築を目指して」（2021〈令和３〉年１月）

「令和の日本型学校教育」で目指す学びの姿として「個別最適な学び」と「協働的な学び」を一体的に充実し,「主体的・対話的で深い学び」の実現に向けた授業改善につなげることとし,「令和の日本型学校教育」において実現すべき教師を巡る理想的な姿を示しました。

- 学校教育を取り巻く環境の変化を前向きに受け止め，教職生涯を通じて学び続け，子ども一人一人の学びを最大限に引き出し，主体的な学びを支援する伴走者としての役割を果たしている。

- 多様な人材の確保や教師の資質・能力の向上により質の高い教職員集団が実現し，専門性を有する多様なスタッフ等とチームとなり，校長のリーダーシップのもと，家庭や地域と連携しつつ学校が運営されている。
- 働き方改革の実現や教職の魅力発信，新時代の学びを支える環境整備により，教師が創造的で魅力ある仕事であることが再認識され，志望者が増加し，教師自身も志気を高め，誇りをもって働くことができている。

☑ **中教審諮問「『令和の日本型学校教育』を担う教師の養成・採用・研修等の在り方について」(2021〈令和3〉年3月)**

ICTの活用と少人数学級を車の両輪として，「**令和の日本型学校教育**」**を実現し，それを担う質の高い教師を確保する**ため，**教師の養成・採用・研修等の在り方**について，既存の在り方にとらわれることなく，必要な変革を実施，**教師の魅力を向上**することとし，①教師に求められる資質能力の再定義②多様な専門性を有する質の高い教職員集団の在り方③教員免許の在り方・教員免許更新制の抜本的な見直し④教員養成大学・学部，教職大学院の機能強化・高度化⑤教師を支える環境整備について諮問されました。

☑ **公立の小学校等の校長及び教員としての資質の向上に関する指標の策定に関する指針（2022〈令和4〉8月）**

これまでの審議で教員としての資質向上について指摘されているが，その中で教員に共通的に求められる各事項に係る資質の具体的内容を以下のように示しました。

①教職に必要な素養②学習指導③生徒指導④特別な配慮や支援を必要とする子供への対応⑤ ICT や情報・教育データの利活用

さらに詳しく

❶ 2015（平成27）年の答申以降，教員に求められる資質能力は以下のとおりです。

①教職に対する責任感，探究力，教職生活全体を通じて自主的に学び続ける力（使命感や責任感，教育的愛情）

②専門職としての高度な知識・技能（教科に関する専門的知識にとどまらない生徒指導や特別な支援を要する児童生徒への理解等の多岐にわたる専門性）

③総合的な人間力（豊かな人間性や社会性，コミュニケーション力，同僚とチームで対応する力，地域や社会の多様な組織などと連携・協働できる力）

教師や学校は，変化を前向きに受け止め，求められる知識・技能を意識し，継続的に新しい知識・技能を学び続けていくことが必要です。

13 チームとしての学校

傾向&ポイント 2015（平成27）年12月の中教審答申「チームとしての学校の在り方と今後の改善方策について」は，今後の学校の在り方の指針として理解しておくことが必要です。答申の目的や背景，改革の方向性をおさえておきましょう。

頻出度 C

1 答申の目的と背景

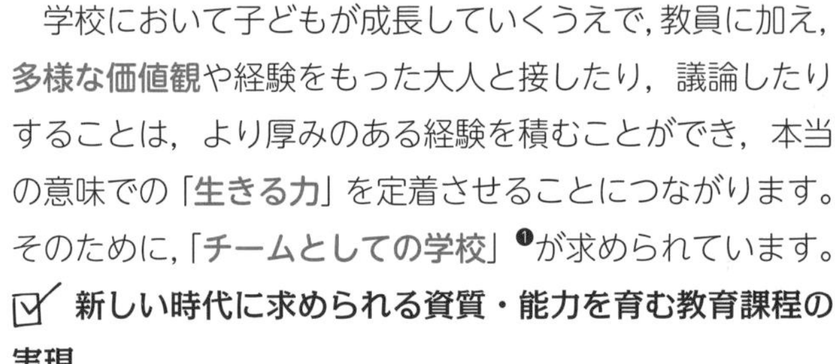

学校において子どもが成長していくうえで，教員に加え，**多様な価値観**や経験をもった大人と接したり，議論したりすることは，より厚みのある経験を積むことができ，本当の意味での「**生きる力**」を定着させることにつながります。そのために，「**チームとしての学校**」❶が求められています。

❶「『チームとしての学校』像」
中教審答申では，「校長のリーダーシップの下，カリキュラム，日々の教育活動，学校の資源が一体的にマネジメントされ，教職員や学校内の多様な人材が，それぞれの専門性を生かして能力を発揮し，子供に必要な資質・能力を確実に身につけさせることができる学校」としています。

☑ 新しい時代に求められる資質・能力を育む教育課程の実現

新しい時代に求められる資質・能力を子どもに育むために，「**社会に開かれた教育課程**」の実現と，そのための「**アクティブ・ラーニング**」の視点からの授業改善ならびに「**カリキュラム・マネジメント**」を通した組織運営を改善するための組織体制の整備が必要です。

☑ 複雑化・多様化した課題を解決するための体制整備

いじめ・不登校などの生徒指導上の課題や特別支援教育の充実など**学校の抱える課題が複雑化・多様化**するとともに，貧困問題への対応など**学校に求められる役割が拡大し**，**心理学や福祉等の専門性**が求められています。

☑ 子どもと向き合う時間の確保等のための体制整備

我が国の教員は，学習指導，生徒指導，部活動等，幅広い業務を担いながら，子どもの状況を総合的に把握し，指導しています。しかし，欧米諸国に比べて教員以外の専門スタッフの配置が少なく，教員の勤務時間は国際的にみて長時間におよぶことから，**教員が子どもと向き合う時間を**

確保するための体制づくりが求められています。

2　実現のための３つの視点と方策

①専門性に基づくチーム体制の構築

- 教職員の指導体制の充実
  いじめ，特別支援教育，貧困等の増加に対応した必要な教職員定数の拡充／指導教諭の配置促進等
- 教員以外の専門スタッフの参画
  スクールカウンセラー，スクールソーシャルワーカー，**部活動指導員**，学校司書，看護師等の配置を充実
- 地域との連携体制の整備
  地域連携担当教職員を法令上明確化

②学校のマネジメント機能の強化

- 管理職の適材確保
  管理職の計画的な養成／**マネジメント能力**を身につけさせるための管理職研修の充実・研修プログラムの開発
- 主幹教諭制度の充実
  管理職の補佐体制の充実のため加配措置の拡充による**主幹教諭**の配置の促進／実践的な研修プログラムを開発
- 事務体制の強化
  学校運営に関わる職として学校教育法上の職務規定を見直し／学校事務の共同実施組織❷について法令上明確化

③教員一人一人が力を発揮できる環境の整備

- 人材育成の充実
  人事評価の結果を任用・給与などの処遇や研修に適切に反映／文部科学大臣優秀教職員表彰にて取組を表彰
- 業務改善の推進
  ガイドラインを活用した研修の実施／ストレスチェック制度の活用など**教職員のメンタルヘルス対策**を推進
- 教育委員会等による支援
  指導主事の配置を充実／教育委員会が不当な要望等に対し，弁護士等による「**問題解決支援チーム**」を設置

さらに詳しく

❷「学校事務の共同実施」とは，普段各校に勤務している学校事務職員が，週１回程度１つの学校に集まるなどし，複数の学校の事務業務を共同で行うことです。平成29年３月に地方教育行政の組織および運営に関する法律の一部改正により制度化されました。

14 国内の学力調査

頻出度 C

傾向&ポイント 毎年実施されている全国学力・学習状況調査について，調査の目的や対象，調査項目などの調査概要をおさえておきましょう。また，直近の調査結果について，国や都道府県などの主要施策と結び付けておきましょう。

1 全国学力・学習状況調査

義務教育の機会均等とその水準の維持向上の観点から，(1)全国的な児童生徒の学力や学習状況を把握・分析し教育施策の成果と課題を検証しその改善を図ること，(2)学校における児童生徒への教育指導の充実や学習状況の改善等に役立てることを目的としています。

調査の時期と対象❶

《小学校調査》

小学校第６学年，義務教育学校前期課程第６学年，特別支援学校小学部第６学年

《中学校調査》

中学校第３学年，義務教育学校後期課程第３学年，中等教育学校前期課程第３学年，特別支援学校中学部第３学年

さらに詳しく

❶特別支援学校および小中学校の特別支援学級に在籍している児童生徒のうち，下学年の内容などに代替して指導を受けている児童生徒，知的障害者である児童生徒に対する教育を行う特別支援学校の教科の内容の指導を受けている児童生徒は，調査の対象としないことを原則とします。

調査事項

児童生徒を対象とした事項と学校を対象とした事項で構成されます。

＜児童生徒を対象とした事項＞

(1)教科に関する調査

【教科】**国語**，**算数・数学**，理科，英語（理科，英語は３年に１度実施されています）

【出題範囲】調査学年の前学年までに含まれる指導事項

【出題内容】

- 身につけておかなければ後の学年等の学習内容に影響を

及ぼす内容，実生活において不可欠であり常に活用できるようになっていることが望ましい知識・技能等

- 知識・技能を実生活の様々な場面に活用する力，様々な課題解決のための構想を立て実践し評価・改善する力等

⑵**質問紙調査**

児童生徒を対象に，**学習意欲**，**学習方法**，**学習環境**，**生活の諸側面**等に関する質問調査を実施します。

＜学校を対象とした調査＞

指導方法に関する取組や学校の**人的・物的な教育条件の整備の状況等**に関する学校質問調査を実施します。

調査結果の取扱いに関する配慮事項❷

調査の目的を前提とし，教育委員会や学校が保護者や地域住民に対して説明責任を果たすため，序列化や過度な競争が生じないようにするといった教育上の効果や影響等に十分配慮したうえで，結果の公表が行われています。

令和５年度の結果の概要（教科に関する調査の抜粋）

【実施教科】国語，算数・数学，英語（中学校）

【質問紙】学習指導要領に基づく**主体的・対話的で深い学びの視点**からの授業改善に関する取組はほぼ横ばい。英語学習への興味・関心や授業の理解度は増加。**学習におけるICT 機器の活用頻度は増加**。児童生徒の心身の状況や学習状況の把握，長期休業期間の短縮，補習の実施等，**各学校が学びを保障するための取組**を展開。

【国の改善策】①調査研究，指導改善に資する情報提供，教員研修の充実等，**新学習指導要領の着実な実施**，②英語学習指導の改善・充実，③ **GIGA スクール構想の実現のための一体的な学びの環境整備**，④**多様な体験・交流活動の充実等，豊かな心を育むための取り組みの推進**，⑤小学校の**教科担任制の推進**や **35 人学級の計画的な整備**，支援スタッフの充実等による働き方改革の推進等，学校における**教師等の指導・運営体制の充実**の取り組み

さらに詳しく

❷平均正答数や平均正答率などの数値については，一覧での公表や順位を付した公表などは行わない，調査の目的や調査結果は学力の一部分であることや教育活動の一側面であることなどを明示する，児童生徒個人の結果が特定されるおそれがある場合は公表しない（児童生徒の個人情報の保護），学校や地域の実情に応じて個別の学校や地域の結果を公表しないなどの配慮がされています。

15 国外の学力調査

頻出度 B

傾向&ポイント PISAは3年ごと，TIMSSは4年ごとに実施されています。いずれも調査の目的や対象，調査項目などの概要をおさえておきましょう。また，直近の調査結果についても，それぞれおさえておきましょう。

1 OECD生徒の学習到達度調査（PISA）

OECD（経済協力開発機構）は各国の教育を比較する教育インディケータ事業の一環としてPISA（ピサ）と呼ばれる国際的な学習到達度に関する調査を実施しています。PISA調査の目的は，義務教育終了段階の15歳の生徒がそれまでに身につけてきた知識や技能を，**実生活の様々な場面で直面する課題にどの程度活用できるかを測ること**にあります。調査結果から自国の教育システムのよい点や課題について情報を得ることができ，国の教育政策や教育実践に活かすことができます。

☑ 調査の内容・特徴

- 実施主体：OECD（経済協力開発機構）
- 参加国・地域：OECD加盟国37，非加盟国・地域45
- 調査対象：15歳（高等学校1年）
- 主要3分野調査：3年ごとのサイクルで，中心とする分野を変えながら実施。2022年調査では**数学的リテラシー**を中心に，**科学的リテラシー**，**読解リテラシー**の3分野を調査❶。思考プロセスの習得や概念の理解を重視。
- **生徒質問調査**：生徒の家庭環境や学習条件などを調査し，学習到達度との関連性を分析するために実施。ICT活用調査実施。

☑ PISA2022の結果

＜読解リテラシー＞

- 平均得点（516点）は平均より高得点のグループに位

さらに詳しく

❶ 2000年に第1回目の調査を実施し，以後3年ごとのサイクルで調査を継続しています。各調査サイクルごとに中心分野を重点的に調べ，ほかの2つの分野については概括的な状況を調査しています。2015年調査からコンピュータ使用型調査へと移行しました。

置しているが，前回 2018 年調査（504 点）から有意に上昇。

- 正答率が比較的低かったものは，**テキストから情報を探し出す，テキストの質と信ぴょう性を評価する問題**など。
- 自由記述形式の問題において，自分の考えを他者に伝わるように根拠を示して説明することに課題がある。
- 生徒質問調査から，**読書を肯定的に捉える傾向がある生徒ほど読解リテラシーの得点が高い傾向**にある。

<数学的リテラシー><科学的リテラシー>

- 世界トップレベルに位置。

2 国際数学・理科教育動向調査（TIMSS）

国際教育到達度評価学会（IEA）が，児童生徒の算数・数学，理科の教育到達度を国際的な尺度によって測定し，児童生徒の教育上の諸要因との関係を明らかにするため，1995 年から 4 年ごとに実施しています。直近では 2019 年調査（第 7 回）です。

☑ 調査の内容・特徴

- 実施主体：IEA（国際教育到達度評価学会）
- 調査対象❷：小学校第 4 学年，中学校第 2 学年。算数・数学，理科について学校のカリキュラムで学んだ知識・技能の習得状況を調査。児童生徒，保護者，教師，学校は各質問紙調査も実施。

☑ TIMSS2019 の結果

- 小学校，中学校いずれも，算数・数学，理科ともに，引き続き高い水準を維持している。前回調査に比べ，**小学校理科においては平均得点が有意に低下**しており，**中学校数学においては平均得点が有意に上昇**している。
- 質問紙調査については，小学校，中学校いずれも算数・数学，理科ともに「勉強は楽しい」と答えた割合が増加。小学校算数，中学校数学および中学校理科について「勉強は楽しい」と答えた割合は，国際平均を下回っている。

さらに詳しく

❷第 4 学年は 58 の国と地域が，第 8 学年は 39 の国と地域が参加しました。

教育政策

16 教育振興基本計画

頻出度 A

傾向＆ポイント 第４期教育振興基本計画は，2023（令和５）年度から2027（令和９）年度までの５年間，教育施策の計画的な推進を図るために策定されました。関連して，受験する自治体の教育振興基本計画もあわせて概観しておきましょう。

1 基本事項

教育振興基本計画は，2006（平成18）年に改正された教育基本法に示された理念の実現と，我が国の教育振興に関する施策の総合的・計画的な推進を図るため，**教育基本法第17条**❶に基づき政府として策定する計画です。令和５年６月16日付けで，第４期の教育振興基本計画を閣議決定しました。

2 第４期教育振興基本計画❷

第３期計画を継承し，以下の姿を目指します。

☑ **総括的な基本方針・コンセプト**

教育をめぐる現状・課題・展望を踏まえた上で，「持続可能な社会の創り手の育成」及び「日本社会に根差したウェルビーイングの向上」が掲げられました。

① 2040年以降の社会を見据えた持続可能な社会の創り手の育成

②日本社会に根差したウェルビーイングの向上

☑ **今後の教育政策に関する基本的な５つの方針**

①グローバル化する社会の持続的な発展に向けて学び続ける人材の育成

②誰一人取り残されず，全ての人の可能性を引き出す共生社会の実現に向けた教育の推進

③地域や家庭で共に学び支え合う社会の実現に向けた教育の推進

❶「教育基本法第17条」
政府は，教育の振興に関する施策の総合的かつ計画的な推進を図るため，教育の振興に関する施策についての基本的な方針及び講ずべき施策その他必要な事項について，基本的な計画を定め，これを国会に報告するとともに，公表しなければならない。

❷第１期（2008～2012年）では，社会全体で教育の向上に取り組む，個性の尊重，生きる力の育成などが打ち出され，第２期（2013～17年）では，社会を生き抜く力の養成，学びのセーフティネットの構築などが打ち出されました。

④教育デジタルトランスフォーメーション（DX）の推進
⑤計画の実効性確保のための基盤整備・対話

教育政策の遂行にあたって特に留意すべき視点

①教育政策の持続的改善のための評価・指標の在り方
- 教育政策の PDCA サイクルの推進
- 教育政策の各段階の推進
- 客観的な根拠を重視した政策推進の基盤形成

②**教育投資**の在り方
- 幼児教育・保育の無償化，高等教育の修学支援制度等により，教育費負担を軽減
- 各教育段階において教育の質を向上させるために教育投資を確保する
- OECD 諸国など諸外国における公財政支出など教育投資の状況を参考とし，必要な予算を財源措置し，真に必要な教育投資を確保
- 客観的な根拠に基づく PDCA サイクルを徹底
- 国民の理解醸成及び寄附等の促進

③新時代の到来を見据えた**次世代の教育**の創造❸
- 超スマート社会（Society 5.0）の実現など，社会構造の急速な変革が見込まれる中，次世代の学校の在り方など，教育の質を向上させる環境を整備

ICT の活用❹

- 児童生徒の情報活用能力の向上
- 教師の ICT 活用指導力の改善
- 児童生徒一人一人の特性や理解度・進度に合わせて課題に取り組む場面での ICT 機器の活用頻度の増加
- 児童生徒同士がやりとりする場面での ICT 機器の活用頻度の増加
- ICT を活用した校務の効率化の優良事例を十分に取り入れている学校の割合の増加
- ICT 機器を活用した授業頻度の増加
- 全国の運営支援センターのカバー率の増加

さらに詳しく
❸ほかにも，人口減少・高齢化などの，地域課題の解決に向けた新たな政策の展開などがあります。

さらに詳しく
❹数理・データサイエンス・AI 教育プログラムの認定プログラムにおける1学年当たりの受講対象学生数の増加も指標として盛り込まれています。

令和の日本型学校教育

傾向＆ポイント 中教審答申「『令和の日本型学校教育』の構築を目指して～全ての子供たちの可能性を引き出す，個別最適な学びと，協働的な学びの実現～」には，今後の学校教育の指針が示されています。丁寧に読み，ポイントを整理しましょう。

1　総論のポイント

急激に変化する時代の中で，学習指導要領の着実な実施とICTの活用を通して，一人一人の児童生徒が自分のよさや可能性を認識するとともに，あらゆる他者を価値のある存在として尊重し，多様な人々と協働しながら様々な社会的変化を乗り越え，豊かな人生を切り拓き，持続可能な社会の創り手となるようにすることが必要です。

☑ 学校教育が抱える課題

変化する社会の中で，以下の課題に直面しています。

- 業務の範囲拡大に伴う負担の増大
- 子どもの多様化（特別支援，外国人児童生徒，貧困など）
- 生徒の学習意欲の低下
- 長時間勤務による疲弊や教員採用倍率の低下，教員不足
- 学習場面における情報化への対応の遅れ
- 少子高齢化による学校教育の維持と質保証の必要性
- 感染防止策と学校教育活動の両立

☑ 令和の日本型学校教育　4本の柱

次の4本の柱によって学校が抱える課題の解決を図り，従来の日本型学校教育を発展させ，「令和の日本型学校教育」の実現を目指します❶。

①**教育振興基本計画の理念**（自立・協働・創造）の継承
②**働き方改革の推進**
③ GIGAスクール構想**の実現**
④**新学習指導要領の着実な実施**

さらに詳しく

❶これまで，日本型学校教育が果たしてきた役割を継承しつつ，学校における働き方改革やGIGAスクール構想を強力に推進するとともに，新学習指導要領を着実に実施し，学校教育を社会に開かれたものとしていくこと，また，文部科学省をはじめとする関係府省および教育委員会，首長部局，教職員，さらには家庭，地域などを含め，学校教育を支えるすべての関係者が，それぞれの役割を果たし，互いにしっかりと連携することを求めています。

2 個別最適な学び

「個別最適な学び」は，**個に応じた指導を学習者の視点から整理した概念**です。学習指導要領を踏まえ，改善指導方法や**指導体制の工夫改善**，**ICT 環境の活用**，**少人数によるきめ細かな指導体制**の整備を進め，「主体的・対話的で深い学び」を実現し，個々の家庭の経済事情などに左右されることなく子どもに必要な力を育みます。

☑ **指導の個別化**

支援が必要な子どもに重点的な指導を行うなど，効果的な指導を実現することで，**特性や学習進度などに応じた指導方法・教材などの柔軟な提供・設定**などが挙げられます。

☑ **指導の個性化**

興味・関心など，**一人一人に応じた学習活動や学習課題に取り組む機会を提供**し，**学習が最適となるよう子ども自身が調整**します。

☑ **ICT の活用**

子どもの成長やつまずき，悩み，興味・関心・意欲などを踏まえた**きめ細かな指導・支援，子どもが自らの学習の状況を把握し，主体的に学習を調整できるよう促す**ため，ICT を活用することで，学習履歴（スタディ・ログ）や生徒指導上のデータ，健康診断情報などを利活用し，教員の負担を軽減することが期待されています。

3 協働的な学び

「協働的な学び」は，個別最適な学びが「孤立した学び」にならないよう，**探究的な学習や体験活動など**を通じ，**多様な他者と協働しながら，他者を価値ある存在として尊重し，様々な社会的な変化を乗り越え，持続可能な社会の創り手となることができるよう，必要な資質・能力の育成を目指す**ものです。**一人一人の可能性を生かす**ことで，**異なる考え方が組み合わさり，よりよい学びを生み出し**ます。

確 認 テ ス ト

教育原理③

1　「チームとしての学校の在り方と今後の改善方策について（答申）」（平成27年12月21日　中央教育審議会）「2.「チームとしての学校」の在り方」について，次の文の（　）内の記号に当てはまる語句の組み合わせを，あとの選択肢から選びなさい。ただし，同じ記号には同じ語句が入るものとする。

【宮崎県】
1

これからの学校が教育課程の改善等を実現し，複雑化・（ **ア** ）した課題を解決していくためには，学校の組織としての在り方や，学校の組織（ **イ** ）に基づく業務の在り方などを見直し，「チームとしての学校」を作り上げていくことが大切である。 5

そのため，現在，配置されている教員に加えて，多様な専門性を持つ職員の配置を進めるとともに，教員と多様な専門性を持つ職員が一つのチームとして，それぞれの専門性を生かして，連携・分担することができるよう，管理職のリーダーシップや校務の在り方，教職員の働き方の見直しを行うことが必要である。また，「チームとしての学校」が成果を上げるためには，必要な教職員の配置と，学校や教職員のマネジメント，組織（ **イ** ）等の改革に一体的に取り組まなければならない。

「チームとしての学校」像

（ **ウ** ）のリーダーシップの下，カリキュラム，日々の教育活動，学校の資源が一体的にマネジメントされ，教職員や学校内の多様な人材が，それぞれの専門性を生かして（ **エ** ）を発揮し，子供たちに必要な資質・能力を確実に身に付けさせることができる学校

1　**ア**：多様化　**イ**：規律　**ウ**：校長　**エ**：個性

2　**ア**：深刻化　**イ**：文化　**ウ**：教諭　**エ**：能力
3　**ア**：多様化　**イ**：規律　**ウ**：教諭　**エ**：個性
4　**ア**：深刻化　**イ**：規律　**ウ**：校長　**エ**：個性
5　**ア**：多様化　**イ**：文化　**ウ**：校長　**エ**：能力

2　「性同一性障害や性的指向・性自認に係る，児童生徒に対するきめ細かな対応等の実施について（教職員向け）」（平成 28 年 4 月　文部科学省）を踏まえ，学校における必要な支援について述べたものとして誤っているものを，次の**ア**～**オ**から 1 つ選びなさい。

ア　教職員が児童生徒から相談を受けた際は，当該児童生徒からの信頼を踏まえつつ，まずは悩みや不安を聞く姿勢を示すことが重要であること。

イ　教職員等の間における情報共有については，当事者である児童生徒やその保護者に対し，その意図を十分に説明・相談し理解を得つつ，対応を進めること。

ウ　当事者である児童生徒や保護者の同意が得られない場合でも，具体的な個人情報に関連することについて医療機関の助言を受けることは可能であること。

エ　学級・ホームルームにおいては，いかなる理由でもいじめや差別を許さない適切な生徒指導・人権教育等を推進することが，悩みや不安を抱える児童生徒に対する支援の土台となること。

オ　児童生徒の支援は組織的に取り組むことが重要であり，学校内外に「サポートチーム」を作り，「支援委員会」（校内）やケース会議（校外）等を適時開催しながら対応を進めること。

【京都府】
2

ウ

当事者である児童生徒や保護者の意図を踏まえることが原則である

3 次の条文は，学校保健安全法第 29 条の一部です。空欄にあてはまることばを，下の a ～ e から一つ選び，記号で記せ。

学校においては，児童生徒等の（　　）を図るため，当該学校の実情に応じて，危険等発生時において当該学校の職員がとるべき措置の具体的内容及び手順を定めた対処要領（中略）を作成するものとする。

a　危険の回避　　b　事故の防止　　c　心の安定
d　健やかな身体の育成　　e　安全の確保

【広島県・広島市・改】
3
e

4 次は,「第４期教育振興基本計画について(答申)」(令和５年３月, 中央教育審議会) において示された「今後の教育政策に関する基本的な方針」の一部である。**ア**～**ウ**にあてはまることばを，下の a ～ i からそれぞれ一つ選び，記号で記せ。

1．（ **ア** ）化する社会の持続的な発展に向けて学び続ける人材の育成
2．誰一人取り残さず，全ての人の可能性を引き出す（ **イ** ）社会の実現に向けた教育の推進
3．地域や家庭で共に学び支え合う社会の実現に向けた教育の推進
4．教育デジタルトランスフォーメーション（DX）の推進
5．計画の実効性確保のための（ **ウ** ）整備・対話

a　多様　　b　基盤　　c　グローバル
d　限界　　e　共生　　f　環境
g　共同体　　h　体制　　i　参画

【山梨県・改】
4
（ア）c
（イ）e
（ウ）b

学習指導要領

1 学習指導要領の性格

傾向＆ポイント 学習指導要領の性格と法的根拠についておさえるとともに，学習指導要領には必ず目を通しておきましょう。小論文や面接においても，授業に関して問われた際に対応できる力が身につきます。

頻出度 B

1 学習指導要領の性格

学習指導要領とは

学習指導要領は，教育の機会均等の観点から，全国的に一定の教育水準を確保するため，**文部科学省が学校教育法などに基づき，各学校で教育課程（カリキュラム）を編成する際の基準を定める**もので，**法規としての性格を有する**とされています。

学習指導要領では，校種ごとに，**それぞれの教科などの目標**や大まかな**教育内容**を定めています。また，これとは別に，学校教育法施行規則で小・中学校の教科などの**年間の標準授業時数など**が定められています。

各学校では，**学習指導要領や年間の標準授業時数などを踏まえ，地域や学校の実態に応じて，教育課程（カリキュラム）を編成**しています。

2 法的根拠

学校教育法（第 33 条ほか）では，「**教育課程に関する事項は文部科学大臣が定める**」と規定されており，これを受けて学校教育法施行規則（第 52 条ほか）では「**教育課程については，教育課程の基準として文部科学大臣が別に公示する学習指導要領によるものとする**」と規定されています。

面接対策

あなたは授業づくりをどのような手順で行いますか。

学校教育法

第 33 条　小学校の教育課程に関する事項は，第 29 条及び第 30 条の規定に従い，文部科学大臣が定める。
準用：第 48 条（中学校）
第 52 条（高等学校）
第 68 条（中等教育学校）
第 77 条（特別支援学校）

☑ 学校教育法施行規則

第 52 条　小学校の教育課程については，この節に定めるもののほか，教育課程の基準として文部科学大臣が別に公示する小学校学習指導要領によるものとする。
準用：第 74 条（中学校）
第 84 条（高等学校）
第 109 条（中等教育学校）
第 129 条（特別支援学校）

3　学習指導要領の沿革

学習指導要領は, **1947（昭和 22）年**, 戦後の民主主義新教育体制のもと, アメリカの「コース・オブ・スタディ」を範として, 戦前の「教授要目」「教授細目」に代わって**初めて発行**されました。当時は「試案」と記されており, 教育課程編成のための教師の手引や, 研究の参考として作成されました。その後,「試案」の表記は削除され，時代の変化に対応してほぼ 10 年ごとに全面改訂されています。

4　学習指導要領と告示

学習指導要領は，「告示」という形式がとられています。これは，**公的機関が決定した事がらを広く一般国民に知らせる**という形であり，原則，法的な性格を有するものではありません。しかし学習指導要領は，**法的な拘束力をもつ**とされており，**学校教育法**ならびに**学校教育法施行規則**，**各自治体の管理運営規則**（教育課程の編成），**司法の判断**❶などが根拠として挙げられます。

さらに詳しく
❶伝習館高校事件（平成 2 年 1 月 18 日最高裁判決）では，「高等学校学習指導要領は法規としての性質を有するとした原審の判断は，正当として是認することができ」とし，学習指導要領の法規としての性格を認めています。また，旭川学力テスト事件（昭和 51 年 5 月 21 日最高裁判決）などにおいても同様に，学習指導要領の法規としての性質を認める判決が出されています。

2 学習指導要領の変遷

傾向&ポイント 学習指導要領の改訂年次と特徴を結び付ける正誤問題が頻出しています。年次とそれぞれの改訂のポイント，概要や特徴をあらわすキーワードをおさえておきましょう。

頻出度 A

1 学習指導要領の変遷

昭和22年に「教科課程，教科内容及びその取扱い」の基準として発行され，以下のとおり改訂が重ねられました。

☑ **1947（昭和22）年　学習指導要領発行【試案】** ❶
<小・中学校：昭和22年，高校：昭和23年実施>
児童中心，経験主義の立場で**教師のための手引**として作成。「**社会科**」，小学校に男女共修の「**家庭科**」，小学校第4学年以上に「**自由研究**」を新設。中学校に「**職業科**」を設置。

☑ **1951（昭和26）年　第1次改訂**
<小・中・高校：昭和26年実施>
小学校に「**教科以外の活動**」，中・高校に「**特別教育活動**」を設置。

☑ **1955（昭和30）年**
<高校のみ：昭和31年実施>
選択教科制を改め必修教科・科目を増設，**コース制**を導入。

☑ **1958（昭和33）～1960（昭和35）年　第2次改訂**
<小学校：昭和36年，中学校：昭和37年，高校：昭和38年実施>
「告示」❷となり，教育課程の国家基準として明確化。小・中学校に「**道徳の時間**」を，高校に「**倫理・社会**」を新設，**教科内容の系統性や科学技術教育の向上**を重視。**小・中学校**の教育課程は「**教科**」「**道徳**」「**特別教育活動**」「**学校行事等**」の**4領域**，**高校**の教育課程は「**教科・科目**」「**特別教育活動**」「**学校行事等**」の**3領域**に。

☑ **1968（昭和43）～1970（昭和45）年　第3次改訂**
<小学校：昭和46年，中学校：昭和47年，高校：昭和48年実施>
教育内容の現代化が図られ，授業時数は最低時数から「**標準時数**」に。特別教育活動と学校行事等を統合し，**小・中学校**では「**特別活動**」，高校では各教科以外の教育活動とした。**小・中学校**の教育課程は「**各教科**」「**道徳**」「**特別活動**」の**3領域**，高校は「**各教科・科目**」「**各教科以外の教育活動**」の**2領域**に。

さらに詳しく
❶戦前の「教授要目」「教授細目」に代わって，アメリカの「コース・オブ・スタディ」を範として作られ，発行時は「試案」と記されていました。昭和30年に「試案」の2文字が削除され，時代の変化に対応してほぼ10年ごとに全面改訂されています。

❷「告示」
公の機関が決定したことを広く国民に知らせること。原則として法規としての性格は有しませんが，学習指導要領は法規としての性格を有するとされています。⇒P.113

☑ 1977（昭和 52）～ 1978（昭和 53）年　第４次改訂
<小学校：昭和 55 年，中学校：昭和 56 年，高校：昭和 57 年実施>

「ゆとりと充実」を目指し，授業時数・指導内容を大幅に**削減**。各学校の創意を活かす**「ゆとりの時間」**を新設，教育課程の基準の大綱化・弾力化を図る。

☑ 1989（平成元）年　第５次改訂
<小学校：平成４年，中学校：平成５年，高校：平成６年実施>

個性重視の教育を重視し，小・中学校で**授業時数の弾力的運用**，中・高校で**選択履修幅の拡大**を図る。小学校低学年に**「生活科」**を新設，**入学式・卒業式における国旗・国家の取扱いを明確化**，中学校の技術・家庭科に**「情報基礎」**を加え，高校の社会科を**「地理歴史科」**と**「公民科」**に分割再編，**「世界史」を必修化**。高校の**「家庭科」**を**男女共修**に。

☑ 1998（平成 10）～ 1999（平成 11）年　第６次改訂
<小・中学校：平成 14 年，高校：平成 15 年実施>

完全学校週５日制の下，**「生きる力」**[3]**の育成**を目指し，**授業時数を大幅に削減し教育内容を厳選**（小・中学校：年間 70 単位時間削減，高校：卒業単位数を 74 単位に削減）。**「総合的な学習の時間」**を新設，中・高校の特別活動の**クラブ活動を廃止**，中学校の外国語を必修科目とし，**英語の履修を原則化**。高校の必修教科として**「情報」**を新設，高校で**「学校設定教科・科目」**を新設。盲・聾・養護学校の養護・訓練を改め，**「自立活動」**とする。

＊ 2003（平成 15）年一部改正

☑ 2008（平成 20）～ 2009（平成 21）年　第７次改訂
<小学校：平成 23 年，中学校：平成 24 年，高校：平成 25 年実施>

改正教育基本法を踏まえ，**「生きる力」の育成**に向けて，**確かな学力（基礎的・基本的な知識・技能の習得，思考力・判断力・表現力等の育成，学習意欲の向上）**，**豊かな人間性**，**健康・体力**をバランスよく育成，**思考力・判断力・表現力等の育成に向けた言語活動の充実について示された。情報教育，キャリア教育，食育，安全教育**の充実，**小学校高学年**に**「外国語活動」**が導入。**授業時数を増加**，中学校選択科目を標準授業時数から除外した。

＊ 2015（平成 27）年一部改正（道徳教育の充実を図るため，「特別の教科である道徳」として新たに位置づける。）

☑ 2017（平成 29）～ 2019（平成 31）年　第８次改訂
<小学校：令和２年，中学校：令和３年，高校：令和４年実施>

さらに詳しく

❸「生きる力」とは，次世代を担う子どもがこれからの社会において必要となる力です。「生きる力」を育むためには，学校だけではなく，家庭や地域など社会全体で子どもの教育に取り組むことが大切であり，この理念は現行の学習指導要領に引き継がれています。

平成29～31年版学習指導要領

傾向&ポイント　「社会に開かれた教育課程」「カリキュラム・マネジメント」「主体的・対話的で深い学び」については，面接においてもよく聞かれるポイントです。総則を読み込み，改訂の基本的な考え方を全体像としておさえておきましょう。

頻出度 A

1　改訂の基本的な考え方❶

☑ 社会に開かれた教育課程の実現

よりよい学校教育を通じてよりよい社会をつくるという目標を学校と社会とが共有し，連携・協働しながら，未来のつくり手となるために必要な資質・能力を育む「**社会に開かれた教育課程**」の実現を図っていきます。

＜社会に開かれた教育課程とは＞

①社会や世界の状況を幅広く視野に入れ，よりよい学校教育を通じてよりよい社会を創るという目標を持ち，教育課程を介してその目標を社会と共有していくこと。

②これからの社会を創り出していく子供たちが，社会や世界に向き合い関わり合い，自分の人生を切り拓いていくために求められる資質・能力とは何かを，教育課程において明確化し育んでいくこと。

③教育課程の実施に当たって，地域の人的・物的資源を活用したり，放課後や土曜日等を活用した社会教育との連携を図ったりし，学校教育を学校内に閉じずに，その目指すところを社会と共有・連携しながら実現させること。

☑ カリキュラム・マネジメントの確立

「社会に開かれた教育課程」の実現に向けて，各学校においては，**児童生徒や学校，地域の実態**を適切に把握し，教育課程に基づき組織的かつ計画的に各学校の教育活動の質の向上を図っていく「**カリキュラム・マネジメント**」❷**に努める**ことが求められています。

さらに詳しく

❶知識の理解の質をさらに高め，確かな学力を育成すること，先行する特別教科化など道徳教育の充実や体験活動の重視，体育・健康に関する指導の充実により，豊かな心や健やかな体を育成することを前提としています。

さらに詳しく

❷カリキュラム・マネジメントには，以下3つの側面があります。

①教育の目的や目標の実現に必要な教育の内容等を教科等横断的な視点で組み立てていくこと。

②教育課程の実施状況を評価してその改善を図っていくこと。

③教育課程の実施に必要な人的又は物的な体制を確保するとともにその改善を図っていくこと。

☑ 何ができるようになるか－育成を目指す資質・能力

「生きる力」を子どもに育むため，学習する子どもの視点に立ち，育成を目指す資質・能力の要素を「**知識及び技能**」，「**思考力・判断力・表現力等**」，「**学びに向かう力，人間性等**」の３つの柱で整理❸し，各教科などの「目標」「内容」の記述をこれら３つの柱で再整理しました。

☑ どのように学ぶか－「主体的・対話的で深い学び」の視点からの授業改善

「**主体的・対話的で深い学び**」の視点に立った授業改善❹を行い，学校教育における質の高い学びを実現し，学習内容を深く理解し，資質・能力を身につけ，生涯にわたって能動的（アクティブ）に学び続けることを目指します。

> 【主体的な学び】の視点：学ぶことに興味や関心を持ち，自己のキャリア形成の方向性と関連付けながら，見通しを持って粘り強く取り組み，自己の学習活動を振り返って次につなげる「主体的な学び」が実現できているか。
> 【対話的な学び】の視点：子供同士の協働，教職員や地域の人との対話，先哲の考え方を手掛かりに考えること等を通じ，自己の考えを広げ深める「対話的な学び」が実現できているか。
> 【深い学び】の視点：習得・活用・探究という学びの過程の中で，各教科等の特質に応じた「見方・考え方」を働かせながら，知識を相互に関連付けてより深く理解したり，情報を精査して考えを形成したり，問題を見いだして解決策を考えたり，思いや考えを基に創造したりすることに向かう「深い学び」が実現できているか。

☑ 何を学ぶか－具体的な教育内容の改善・充実

教育内容に関する改善事項として，言語能力の確実な育成，**理数教育**の充実，**伝統や文化に関する教育**の充実，**道徳教育**の充実，**体験活動**の充実，**外国語教育**の充実，**情報活用能力**の育成などが挙げられます（小・中学校，高等学校共通）❺。

さらに詳しく

❸法的根拠は「学校教育法第30条の第２項」です。

さらに詳しく

❹「主体的・対話的で深い学び」は，毎時間の授業で実現しなければならないわけではありません。単元や題材，数コマ程度の授業など，内容や時間のまとまりの中で，習得・活用・探究のバランスを工夫することが大切です。

さらに詳しく

❺そのほかの重要事項として，**学校段階間の円滑な接続**，**主権者教育や消費者教育**，**防災・安全教育**などの充実，**部活動の持続可能な運営体制**づくり，**子どもたちの発達の支援**（**障害に応じた指導**，**日本語の能力等に応じた指導**，**不登校等への指導**）の充実などが挙げられています。

小学校学習指導要領

頻出度 A

傾向&ポイント 前文と総則を読み込み，小・中・高等学校共通の特徴ならびに小学校の特徴をおさえましょう。今，求められる教育の在り方と小学校における重点を体系的に理解することで，筆記・論文・面接を通じた対応力を高めましょう。

1 特徴

小・中・高等学校共通の特徴として，①**改訂の基本的な考え方（社会に開かれた教育課程, 確かな学力や豊かな心・健やかな身体の育成）**②**育成を目指す資質・能力の明確化**③**知識の理解の質を高め資質・能力を育む「主体的・対話的で深い学び」**④教育課程に基づく教育活動の質を向上させ，学習の効果の最大化を図る**カリキュラム・マネジメントの確立**の４点が挙げられます。小学校学習指導要領における特徴としては，次の点が挙げられます。

☑ 外国語活動および外国語科の新設

小・中・高等学校における一貫した学びを通して外国語能力の向上を図るため, 目標を明確化した外国語科を**第５・６学年に新設し，聞くこと，話すこと，読むこと，書くこと**[1]の言語活動を通して，コミュニケーションを図る**基礎となる資質・能力**を育成します。

外国語活動を**第３・４学年**に設置し，**聞くこと，話すことの言語活動を中心**に, **外国語に慣れ親しみ, コミュニケーションを図る素地となる資質・能力**を育成します。

☑ 情報活用能力の育成（プログラミング教育）

各教科などにおけるコンピュータなどを活用した学習活動の充実とともに，コンピュータでの文字入力などの基本的な操作の習得，**各教科など（算数，理科，総合的な学習の時間など）における**プログラミング**体験**などによる，**プログラミング的思考**の育成が求められています。

さらに詳しく
❶「聞くこと」「読むこと」「話すこと」「書くこと」を，英語の４技能といいます。

その他

教育内容に関する改善点として，**言語能力の確実な育成**（国語），**理数教育の充実**（算数，理科），**伝統や文化に関する教育の充実**（国語，社会，音楽，家庭），道徳教育の充実，体験活動の充実（特別活動等）などがあります。

2 教育課程

小学校の教育課程は，**各教科**と**特別の教科 道徳**，**外国語活動**，**総合的な学習の時間**，**特別活動**の**5領域**で構成されています。各教科は，国語，社会，算数，理科，生活，音楽，図画工作，家庭，体育，外国語の**10教科**です。

特別活動には，**学級活動**，**児童会活動**，**クラブ活動**，**学校行事**があり，**学校行事**は**儀式的行事**，**文化的行事**，**健康安全・体育的行事**，**遠足・集団宿泊的行事**，**勤労生産・奉仕的行事**の５つがあります。

3 授業時数

学校教育法施行規則 第51条には，下の表のとおり標準時数が示されています❷。

さらに詳しく

❷１単位時間は45分が常例とされてきましたが，平成10年度版より規程がなくなり，各学校において弾力的な運用が可能となりました。

教科	1年	2年	3年	4年	5年	6年
国語	306	315	245	245	175	175
社会	-	-	70	90	100	105
算数	136	175	175	175	175	175
理科	-	-	90	105	105	105
生活	102	105	-	-	-	-
音楽	68	70	60	60	50	50
図画工作	68	70	60	60	50	50
家庭	-	-	-	-	60	55
体育	102	105	105	105	90	90
特別の教科 道徳	34	35	35	35	35	35
特別活動	34	35	35	35	35	35
総合的な学習の時間	-	-	70	70	70	70
外国語活動	-	-	35	35	-	-
外国語	-	-	-	-	70	70
総授業時数	850	910	980	1015	1015	1015

学校教育法施行規則第51条別表第１より作成

頻出度 A

中学校学習指導要領

傾向&ポイント 前文と総則を読み込み，小・中・高等学校共通の特徴ならびに中学校の特徴をおさえましょう。今，求められる教育の在り方と中学校における重点を体系的に理解することで，筆記・論文・面接を通じた対応力を高めましょう。

1 特徴

小・中・高等学校共通の特徴のほか，中学校学習指導要領における特徴としては，次の点が挙げられます。

☑ 主体的・対話的で深い学びの実現に向けた授業改善

小・中学校共通して，各教科等において身につけた知識および技能を活用したり，思考力，判断力，表現力等や学びに向かう力，人間性等を発揮させたりして，学習の対象となる物事を捉え思考することにより，各教科等の特質に応じた物事を捉える視点や考え方としての「**見方·考え方**」が鍛えられていくことに留意し，**生徒が各教科等の特質に応じた見方・考え方を働かせながら，知識を相互に関連付けてより深く理解したり，情報を精査して考えを形成したり，問題を見い出して解決策を考えたり，思いや考えをもとに創造したりすることに向かう過程を重視した学習の充実を図る**ことが求められています。

☑ 情報活用能力の育成

技術・家庭科（技術分野）における**プログラミング**，**情報セキュリティ**に関する内容の充実が求められています。

2 教育課程[1]

☑ 教育課程の構成

各教科（国語，社会，数学，理科，音楽，美術，保健体育，技術・家庭，外国語の**9教科**）と「**特別の教科 道徳**」，**総合的な学習の時間**，**特別活動**（学級活動，生徒会活動，学

さらに詳しく

❶教育課程外である部活動については，学校教育が目指す資質・能力の育成に寄与するとしつつ，社会教育との連携など，**持続可能な運営体制の整備**が求められています。

校行事）の**4領域**で構成されています。

☑ 教育課程の実施と学習評価の充実

実施にあたっての配慮事項として，⑴ 生徒のよい点や**進歩の状況などを積極的に評価**し，**学習したことの意義や価値**を実感できるようにすること。また，各教科等の目標の実現に向けた学習状況を把握する観点から，単元や題材など内容や時間のまとまりを見通しながら評価の場面や方法を工夫して，**学習の過程や成果を評価**し，**指導の改善や学習意欲の向上**を図り，**資質・能力の育成**に活かすようにすること，⑵ **創意工夫**の中で学習評価の妥当性や信頼性が高められるよう，組織的かつ計画的な取組を推進するとともに，学年や学校段階を越えて生徒の学習の成果が円滑に接続されるように工夫することを挙げています。

「総則編 第3章 第3節 教育課程の実施と学習評価 2学習評価の充実」の当該箇所は，多くの自治体で出題されています。キーワードだけでなく，学習評価の在り方として理解しましょう。

3 授業時数

学校教育法施行規則第73条には，下の表のとおり標準時数が示されています。

1単位時間は50分とし，特別活動の授業時数は学級活動にあてるものとしています。

教科	1年	2年	3年
国語	140	140	105
社会	105	105	140
数学	140	105	140
理科	105	140	140
音楽	45	35	35
美術	45	35	35
保健体育	105	105	105
技術・家庭	70	70	35
外国語	140	140	140
特別の教科 道徳	35	35	35
総合的な学習の時間	50	70	70
特別活動	35	35	35
合計	1015	1015	1015

学校教育法施行規則第73条別表第2より作成

高等学校学習指導要領

頻出度 A

傾向＆ポイント 前文と総則を読み込み，小・中・高等学校共通の特徴をおさえましょう。高等学校においては各教科・科目の履修，授業時数，単位の修得や卒業の認定に関する規定を重点的に学習しておきましょう。

1 特徴

小・中・高等学校共通の特徴として，①**社会に開かれた教育課程，確かな学力や豊かな心・健やかな身体の育成，②育成を目指す資質・能力の明確化，③主体的・対話的で深い学び，④カリキュラム・マネジメントの確立**の４点が挙げられます。高等学校においては，履修や時数，単位などに関する特徴が顕著であり，主に次の点が挙げられます。

☑ **卒業までに履修させる単位数**

各教科・科目の単位数ならびに総合的な探究の時間の単位数を含めて**74単位以上**とし，１単位時間を**50分**，**35単位時間の授業を１単位とする**ことを標準としています。

☑ **各学科に共通する必履修教科・科目および総合的な探究の時間**

生徒の実態および専門学科の特色等を考慮し，特に必要がある場合には，「**数学Ⅰ**」**および**「**英語コミュニケーションⅠ**」**については２単位とすることができ**❶，そのほかの必履修教科・科目（標準単位数が２単位であるものを除く）については，その単位数の一部を減じることができます。

❶単位や授業時数については，正誤問題で数多く出題されています。必要に応じた増減，弾力的な運用について，おさえておきましょう。

☑ **専門学科における各教科・科目の履修**

すべての生徒に履修させる単位数は，**25単位を下らない**としています。

☑ **総合学科における各教科・科目の履修**

必修科目「産業社会と人間」および専門教科・科目を合わせて**25単位以上**設け，生徒が多様な各教科・科目から主体的に選択履修できます。

教育課程の構成

各教科（全学科に共通の教科は「**理数**」❷を含む 11 教科，専門学科の教科は **13 教科**）・科目，**総合的な探究の時間**，**特別活動**の **3 領域**で構成されています。

さらに詳しく
❷理数は，新学習指導要領で新設された教科です。

2 授業時数等

年間授業時数

全日制の課程における各教科・科目およびホームルーム活動の授業は**年間 35 週行うこと**を標準とし，必要がある場合には，特定の学期または特定の期間（夏季，冬季，学年末などの休業日の期間に授業日を設定する場合を含む）に行うことができます。

週当たりの授業時数

全日制の課程における**週当たりの授業時数は 30 単位時間**を標準とし，必要がある場合には**増加する**ことができます。

短い時間の活用

各教科・科目などの特質に応じ，**10 分から 15 分程度の短い時間**を活用して指導を行う場合，**その時間を当該各教科・科目などの授業時数に含めること**ができます。

総合的な探究の時間の読み替え

特別活動の学校行事と同様の成果が期待できる場合，**総合的な探究の時間における学習活動をもって相当する特別活動の学校行事に掲げる各行事の実施に替えることができます。**

学校設定科目，学校設定教科

学校においては，学習指導要領に明記されている科目，教科のほかに**学校設定科目**，**学校設定教科**（「産業社会と人間」など）を設置することができます。ただし，卒業までに修得させる単位数に含めることができるのは，あわせて 20 単位までです。

7 学習評価の在り方について

頻出度 B

傾向&ポイント 平成29～31年版学習指導要領にあわせて，学習評価の見直しが図られました。外国語活動や総合的な学習の時間などの評価，資質・能力の3つの柱と評価の3つの観点の関係性など，改善のポイントをおさえておきましょう。

1 基本的な枠組みと改善の方向性

☑ 学習評価の基本的な枠組み

学習評価は，学校における教育活動に関し，児童生徒の学習状況を評価するものです。現在，各教科の評価については，**学習状況を分析的に捉える**「**観点別学習状況評価**」と，これらを**総括的に捉える**「**評定**」の両方について，**学習指導要領に定める目標に準拠した評価**として実施するものとされており，観点別学習状況の評価や評定には示しきれない**児童生徒一人一人のよい点や可能性，進歩の状況については**，「**個人内評価**」[1]として実施するものとされています。また，外国語活動や総合的な学習の時間，特別の教科である道徳，特別活動についても，それぞれの特質に応じ適切に評価することとされています。

さらに詳しく

❶「学びに向かう力，人間性等」については，「主体的に学習に取り組む態度」として観点別学習状況の評価を通じて見取る部分と，観点別学習状況の評価にはなじまず，個人内評価を通じて見取る部分があることに留意する必要があることを明確にしています。

☑ 改善の方向性

「知識・技能」，「思考・判断・表現」，「主体的に学習に取り組む態度」の観点ごとに児童生徒の学習状況を分析的に捉え，**ABCの3段階で評価**を行います。

● 「知識・技能」の評価

各教科等における学習の過程を通した知識及び技能の習得状況について評価を行うとともに，それらを既有の知識及び技能と関連付けたり活用したりする中で，他の学習や生活の場面でも活用できる程度に概念等を理解したり，技能を習得したりしているかについて評価します。

<評価方法>ペーパーテストで事実的な知識の習得を問う

問題と知識の概念的な理解を問う問題とのバランスに配慮する，文章による説明や観察・実験，式やグラフで表現するなど実際に知識や技能を用いる場面を設けるなど

● 「思考・判断・表現」の評価
  各教科等の知識及び技能を活用して課題を解決する等のために必要な思考力，判断力，表現力等を身につけているかどうかを評価します。

<評価方法>ペーパーテストのみならず論述やレポート，発表，グループでの話し合い，作品の制作や表現等の活動，作品や表現等を集めたポートフォリオを活用する❷など

● 「主体的に学習に取り組む態度」の評価
  知識及び技能を獲得したり，思考力，判断力，表現力等を身につけたりするために，**自らの学習状況を把握し，学習の進め方について試行錯誤するなど自らの学習を調整しながら，学ぼうとしているかどうかという意思的な側面を評価**することが重要です。

<評価方法>ノートやレポート等の記述，授業中の発言，教師による行動観察，児童生徒による自己評価や相互評価等の状況（評価材料の一つとして用いる）など

さらに詳しく
❷発表や表現などのパフォーマンス評価やポートフォリオ評価，形成的評価など，多面的・多角的な評価のための方法について，それぞれの内容をおさえておきましょう。
⇒ P.274

学習評価

2 観点別学習状況評価

「知識・技能」，「思考・判断・表現」，「主体的に学習に取り組む態度」の**観点ごとに学習指導要領の規定に沿って評価規準を作成**し，各教科などの特質を踏まえて適切に評価を行います。**学習評価の結果を，児童生徒の学習改善や教師の指導改善につなげること**が重要です。

☑ 資質・能力の３つの柱と評価の３観点

「**知識及び技能**」は「**知識・技能**」において，「**思考力・判断力・表現力等**」は「**思考・判断・表現**」において，「**学びに向かう力，人間性等**」のうち「**知識及び技能**」「**思考力・判断力・表現力等**」に向かう部分については「**主体的に学習に取り組む態度**」において，それぞれ評価します。

道徳教育と「特別の教科 道徳」

傾向&ポイント 平成 27 年 3 月の学習指導要領一部改正により教科となった「特別の教科 道徳」。目標と内容項目の 4 本柱をおさえましょう。教育活動全体を通じて行う道徳教育と，その要である「特別の教科 道徳」の関係性も必須です。

1 「総則」における道徳教育

☑ 小・中学校における道徳教育

学校における道徳教育は，**特別の教科である道徳を要として**学校の**教育活動全体**を通じ行うものであり，道徳科はもとより，各教科・外国語活動，総合的な学習の時間および特別活動のそれぞれの特質に応じて，児童生徒の**発達の段階を考慮して**，適切な指導を行うこととしています。

☑ 高等学校における道徳教育

人間としての在り方生き方に関する教育を学校の**教育活動全体**を通じて行うことにより，その充実を図るものとし，各教科・科目，総合的な探究の時間および特別活動のそれぞれの特質に応じて，適切な指導を行うこととしています。

☑ 小・中学校における道徳教育の目標

教育基本法および学校教育法に定められた教育の根本精神に基づき，自己の（小学校）／人間としての（中学校）**生き方**を考え，**主体的な判断**のもとに行動し，**自立した人間**として他者とともによりよく生きるための**基盤**となる**道徳性**を養うことを目標としています。

☑ 高等学校❶における道徳教育の目標

教育基本法および学校教育法に定められた教育の根本精神に基づき，生徒が自己探求と自己実現に努め，国家・社会の一員としての自覚に基づき，行為しうる発達の段階にあることを考慮し，人間としての**在り方生き方**を考え，**主体的な判断**のもとに行動し，**自立した人間**として他者とと

さらに詳しく
❶高等学校では教科としての道徳は位置づけられておらず，教育活動全体を通じて道徳教育を行います。

もによりよく生きるための**基礎**となる**道徳性**を養うことを目標としています。

☑ **道徳教育を進める際の配慮事項**

人間尊重の精神と**生命に対する畏敬の念**を家庭，学校，その他社会における具体的な生活の中に活かし，豊かな心をもち，**伝統**と**文化**を尊重し，それらを育んできた我が国と郷土を愛し，個性豊かな文化の創造を図るとともに，平和で民主的な国家および社会の形成者として，**公共の精神**を尊び，社会および国家の発展に努め，他国を尊重し，国際社会の平和と発展や**環境**の保全に貢献し，未来を拓く**主体性**のある日本人の育成に資することとなるよう，特に配慮することとしています。

2 「特別の教科 道徳」の目標

第１章総則の第１の２に示す道徳教育の目標に基づき，よりよく生きるための基盤となる**道徳性**を養うため，**道徳的諸価値**についての**理解**をもとに，自己を見つめ，物事を**多面的・多角的**に考え，**自己の生き方**についての考えを深める学習を通して（小学校）／物事を広い視野から**多面的・多角的**に考え，**人間としての生き方**についての考えを深める学習を通して（中学校），**道徳的な判断力**，**心情**，**実践意欲**と**態度**を育てることを目標としています。

「特別の教科 道徳」の目標はよく出題されます。キーワードだけでなく，全文を正しく理解しておきましょう。

3 「特別の教科 道徳」の内容

内容項目は，次の４つの視点で，小学校では 61 項目，中学校では 22 項目で構成されています。

A　主として**自分自身**に関すること。

B　主として**人との関わり**に関すること。

C　主として**集団や社会との関わり**に関すること。

D　主として**生命や自然，崇高なものとの関わり**に関すること。

それぞれの内容項目には，手がかりとなる「善悪の判断，自律，自由と責任」「正直，誠実」などのキーワードが示されていますので，確認しておきましょう。

道徳教育の指導計画

頻出度 A

傾向&ポイント 道徳教育ならびに「特別の教科 道徳」(道徳科)の指導計画，道徳教育推進教師を中心とした指導体制の充実，道徳科の指導の在り方や指導方法の工夫，評価のしかたなどについて，しっかりおさえておきましょう。

1 道徳教育の全体計画と配慮事項

道徳教育の全体計画

児童生徒や学校，**地域**の実態を考慮して道徳教育の重点**目標**を設定し，道徳科の指導方針，道徳科の内容との関連❶を踏まえた各教科などにおける指導内容や指導時期，**家庭や地域社会との連携**の方法を示します。

指導にあたっての配慮事項

各学校においては児童生徒の発達の段階や特性などを踏まえ，指導内容の**重点化**を図り，各学年を通じて，**自立心や自律性**，**生命を尊重する心や他者を思いやる心**を育てることに留意します。

さらに詳しく

❶道徳科の内容項目は，そのすべてが道徳科を要として学校の教育活動全体を通じて行われる道徳教育における学習の基本となるものです。それぞれの内容項目の発展性や特質および児童生徒の発達の段階などを全体にわたって理解し，児童が主体的に道徳性を養うことができるようにしていく必要があります。

2 道徳科の指導計画

道徳科の指導計画

道徳教育推進教師を中心に，**道徳教育の全体計画に基づき**，全学年にわたって各教科等との関連を考慮しながら，**道徳科の年間指導計画**を作成します。

3 指導にあたっての配慮事項

指導体制の充実

校長や教頭などの参加，ほかの教師との協力的な指導など，**道徳教育推進教師を中心とした指導体制**を充実させます。

道徳教育の要としての道徳科

道徳科が教育活動全体を通じて行う**道徳教育の要**として

の役割を果たすよう，計画的・発展的な指導を行います。

☑ **児童生徒が自ら道徳性を養うこと**

自らを振り返って**成長**を実感したり，これからの課題や目標を見つけたりすることができるように工夫します。その際，**道徳性**を養うことの意義について自ら考え，理解し，主体的に学習に取り組むことができるようにします。

☑ **言語活動の充実**

児童生徒が**多様な感じ方や考え方**に接する中で，考えを深め，判断し，表現する力を育めるよう，自分の考えをもとに話し合う，書くなどの**言語活動**を充実させます。

☑ **指導方法の工夫**

問題解決的な学習や**道徳的行為**に関する**体験的な学習**などを取り入れるなど，指導方法を工夫します。

☑ **道徳科の内容との関連を踏まえた指導の充実**

道徳科の内容との関連を踏まえて，次の点に配慮します。

- 情報モラルに関する指導の充実を図ること
- 社会の持続可能な発展などの現代的課題，身近な社会的課題を自分との関係において考え，それらの解決に寄与しようとする意欲や態度を育てるように努めること
- 多様な見方や考え方のできる事がらについて，**特定の見方や考え方に偏った指導を行うことのないように**すること

☑ **教材の開発や活用**

発達の段階や地域の実情などを考慮し，多様な教材の活用に努めます。

☑ **家庭や地域社会との相互連携**

道徳科の授業公開，授業の実施や教材の開発・活用において，家庭や地域の人々や専門家などの参加や協力を得るなど，**家庭や地域社会との共通理解，相互連携**を図ります。

☑ **道徳科の評価**

児童生徒の学習状況や道徳性に係る成長の様子を継続的に把握し，指導に活かすよう努める必要があります。ただし，**数値などによる評価は行わない**ようにします。

道徳科の評価の在り方については頻出です。「道徳科において養うべき道徳性は，児童の人格全体に関わるものであり，数値などによって不用意に評価してはならない」とされています（小学校学習指導要領解説）。また，道徳科の評価は調査書（内申書）には記載せず，入学者選抜の合否判定に活用してはならないとされています。

10 総合的な学習(探究)の時間の内容

頻出度 B

傾向&ポイント 小・中，高いずれも目標についての空欄補充，学習内容や学習指導の改善・充実，指導計画の作成と内容の取り扱い，改訂に伴う変更点に関する正誤問題など，幅広い出題が目立ちます。学習指導要領を丁寧に読み込んでおきましょう。

1 総合的な学習(探究)の時間の目標

さらに詳しく

❶小・中学校においては「総合的な学習の時間」，高等学校においては「総合的な探究の時間」となっています。小・中学校においては"探究的な学習の過程"，高等学校においては"探究の過程"など，校種によって違いがあることに留意しましょう。

☑ 総合的な学習❶の時間<小・中>

探究的な見方・考え方を働かせ，横断的・総合的な学習を行うことを通して，よりよく課題を解決し，自己の生き方を考えていくための資質・能力を育成することを目指します。

ア 知識及び技能：探究的な学習の過程において，課題の解決に必要な知識及び技能を身につけ，課題に関わる概念を形成，探究的な学習のよさを理解するようにします。

イ 思考力，判断力，表現力等：**実社会や実生活**の中から問いを見いだし，**自分で課題を立て**，**情報を集め**，**整理・分析して**，**まとめ・表現する**ことができるようにします。

ウ 学びに向かう力，人間性等：探究的な学習に**主体的・協働的に取り組む**とともに，**互いのよさを活かしながら**，積極的に社会に参画しようとする態度を養います。

☑ 総合的な探究❶の時間<高>

探究的な見方・考え方を働かせ，横断的・総合的な学習を行うことを通して，自己の在り方生き方を考えながら，よりよく課題を発見し解決していくための資質・能力を育成することを目指します。

ア 知識及び技能：探究の過程において，課題の発見と解決に必要な知識及び技能を身につけ，課題に関わる概念を形成し，探究の意義や価値を理解するようにします。

イ 思考力，判断力，表現力等：**実社会や実生活と自己と**

の関わりから**問い**を見い出し，**自分で課題を立て**，**情報を集め**，**整理・分析して**，**まとめ**，**表現する**ことができるようにします。

ウ　学びに向かう力，人間性等：探究に**主体的・協働的に取り組む**とともに，**互いのよさを生かしながら**，新たな価値を創造し，よりよい社会を実現しようとする態度を養います。

2 各学校において定める目標及び内容

☑ 目標及び内容

⑴育成を目指す資質・能力の明確化，⑵他教科等の目標及び内容との違いや関連を重視すること，⑶日常生活や社会とのかかわりを重視すること，⑷目標を実現するためにふさわしい探究課題および探究課題の解決を通して育成を目指す具体的な資質・能力の明確化が求められています。

☑ 目標を実現するためにふさわしい探究課題

学校の実態に応じて，**現代的な諸課題に対応する横断的・総合的な課題**，**地域や学校の特色に応じた課題**，**児童生徒の興味・関心に基づく課題**などを設定することとしています。

☑ 探究課題の解決を通して育成を目指す具体的な資質・能力

教科等を越えたすべての学習の基盤となる資質・能力が育まれ，活用されるものとなるよう配慮します。

ア　知識及び技能：**他教科等で習得される知識及び技能と相互に関連付けられ**，社会の中で**生きて働く**ものとして形成されるようにすることとしています。

イ　思考力，判断力，表現力等：**探究的な学習の過程において発揮**され，**未知の状況において活用できる**ものとして身につけられるようにすることとしています。

ウ　学びに向かう力，人間性等：**自分自身に関することおよび他者や社会との関わりに関することの両方の視点を踏まえる**こととしています。

新学習指導要領の目標および内容に関する正誤問題が出題されました。新学習指導要領と前学習指導要領との違いをおさえておくことが大切です。

※参考：学習指導要領の目標および内容「学び方やものの考え方」，「主体的，創造的，協同的に取り組む」，「体験活動，観察・実験，見学や調査，発表や討論などの学習活動を積極的に取り入れる」など

11 総合的な学習(探究)の時間の指導計画

頻出度 B

傾向&ポイント 指導計画の作成ならびに内容の取り扱いにあたっての配慮事項は，キーワードの穴埋め問題を中心に出題されています。校種による違いに留意しつつ，ポイントをおさえておきましょう。

1 指導計画の作成にあたっての配慮事項

☑ 主体的・対話的で深い学びの実現<小・中，高>

年間や，単元など内容のまとまりを見通し，資質・能力❶の育成に向け，児童（生徒）の**主体的・対話的で深い学び**の実現を図り，児童（生徒）や学校，地域の実態などに応じ，児童（生徒）が**探究的な見方・考え方**を働かせ，教科などの枠を超えた学習や児童（生徒）の興味・関心などに基づく学習を行うなど創意工夫をした活動の充実を図ります。

☑ 全体計画および年間指導計画❷の作成<小・中，高>

全教育活動との関連のもとに，**目標**および**内容**，**学習活動**，**指導方法**や**指導体制**，**学習の評価**の計画などを示します。

☑ 総合的な学習（探究）の時間の名称<小・中，高>

名称は各学校において適切に定めます。

☑ 障害のある児童（生徒）への指導<小・中，高>

学習活動を行う場合に生じる困難さに応じた指導内容や指導方法の工夫を**計画的**，**組織的**に行います。

☑ 道徳教育の推進<小・中>

道徳教育の目標に基づき，道徳科の内容について，総合的な学習の時間の特質に応じて適切な指導を行います。

2 内容の取り扱いにあたっての配慮事項

☑ 総合的な学習（探究）の過程における学習活動

他者と協働して課題を解決しようとする学習活動や，言

さらに詳しく

❶総合的な学習（探究）の時間で身につけた資質・能力を，他教科で身につけたものと相互に関連付けることで，言語能力，情報活用能力などすべての学習の基盤となる資質・能力を身につけることを重視します。

❷年間授業時数は次のとおりです。
- 小学校
  第3～6学年
  各70単位時間
- 中学校
  第1学年
  50単位時間
  第2・3学年
  各70単位時間
- 高等学校
  卒業までに3～6単位（105～210単位時間）

語により分析し，まとめたり表現したりするなどの学習活動が行われるようにし，例えば，**比較する**，**分類する**，**関連づける**などの技法が自在に活用されるようにします。

☑ コンピュータや情報通信ネットワークなどの活用

情報を**収集・整理・発信**するなどの学習活動が行われるよう工夫し，文字を入力するなど**基本的な操作**を習得し＜小＞，**情報や情報手段を主体的に選択・活用**できるよう配慮します＜小・中，高＞。プログラミングの体験が探究的な学習の過程に適切に位置づくようにします＜小＞。

☑ 学習活動の工夫

自然体験や職場体験活動＜中＞，就業体験活動＜高＞，ボランティア活動などの**社会体験**，**ものづくり**，**生産活動**などの体験活動，**観察・実験**，**見学**＜小・中＞，**実習**＜高＞，調査・研究，発表や討論などを積極的に取り入れます。

☑ 学習形態や指導体制の工夫

グループ活動や異年齢集団による学習＜小・中＞，個人研究＜高＞などの多様な学習形態，地域の人々の協力も得つつ，全教師が一体となって指導にあたるなどの工夫を行います。

☑ 国際理解に関する学習＜小＞

探究的な学習に取り組むことを通し，諸外国の生活や文化などの体験・調査といった活動が行われるようにします。

☑ キャリア教育との関連＜中，高＞

職業や自己の将来＜中＞進路＜高＞に関する学習を行う際には，探究的な学習に取り組むことを通して，自己を理解し，将来の生き方＜中＞，在り方生き方＜高＞を考えるなどの学習活動が行われるようにすることとしています。

3 評価の方法

ペーパーテストなどによる数値的評価ではなく，観察，ポートフォリオ評価❸，パフォーマンス評価❹，自己評価や相互評価，他者評価など多様な方法を用います。

❸「ポートフォリオ評価」
児童生徒の学習の過程や成果などの記録や作品を計画的にファイルなどに集積し，そのファイルなどを活用して児童生徒の学習状況を把握するとともに，児童生徒や保護者などに対し，その成長の過程や到達点，今後の課題などを示す方法。
⇒ P.275

❹「パフォーマンス評価」
知識やスキルを使いこなすことを求める評価方法。レポートや展示物などの完成作品や，スピーチやプレゼンテーション，協同での問題解決，実験の実施といった実演（狭義のパフォーマンス）を評価します。ルーブリック（成功の度合いを示す数レベル程度の尺度と各レベルに対応するパフォーマンスの特徴を示した評価規準からなる評価基準表）をもとに評価を行います。

12 外国語活動・外国語の目標

頻出度 B

傾向&ポイント 外国語活動，外国語それぞれについて，学習指導要領の目標から出題されています。外国語活動と外国語を比較しながら，それぞれのキーワードをおさえておきましょう。

1 外国語活動，外国語の目標

平成29年度の改訂により，第5・6学年に教科としての「外国語」（英語を履修させることを原則とする）が加わり，第3・4学年から「外国語活動」が導入されました。

☑ 外国語活動＜第3・4学年＞

外国語によるコミュニケーションにおける見方・考え方を働かせ，外国語による**聞くこと**，**話すこと**の言語活動を通して，**コミュニケーションを図る**素地**となる資質・能力**を次のとおり育成することを目指す。(1)外国語を通して，**言語や文化**について体験的に理解を深め，日本語と外国語との音声の違いなどに気づくとともに，外国語の音声や基本的な**表現に**慣れ親しむようにする。(2)身近で簡単な事がらについて，外国語で聞いたり話したりして**自分の考えや気持ちなどを伝え合う力の**素地を養う。(3)外国語を通して，言語やその背景にある文化に対する理解を深め，相手に配慮しながら，主体的に外国語を用いてコミュニケーションを図ろうとする態度を養う。

☑ 外国語＜第5・6学年＞

外国語によるコミュニケーションにおける見方・考え方を働かせ，外国語による**聞くこと**，**読むこと**，**話すこと**，書くこと❶の言語活動を通して，コミュニケーション**を図る基礎となる資質・能力**を次のとおり育成することを目指す。(1)外国語の音声や**文字**，語彙，**表現**，**文構造**，**言語の働き**などについて，日本語と外国語との違いに気づき，こ

さらに詳しく
❶教科「外国語」では中学校以降の外国語につながる4技能についてコミュニケーションを図る基礎となる力を，「外国語活動」では聞くこと，話すことを通してコミュニケーションを図る素地となる力を，それぞれ育成することを目指しています。

れらの**知識を理解**するとともに，読むこと，書くことに慣れ親しみ，**聞くこと，読むこと，話すこと，書くことによる実際のコミュニケーションにおいて活用できる基礎的な技能**を身に付けるようにする。(2)**コミュニケーション**を行う目的や場面，状況などに応じて，身近で簡単な事がらについて，聞いたり話したりするとともに，音声で十分に慣れ親しんだ外国語の語彙や基本的な表現を推測しながら読んだり，語順を意識しながら書いたりして，**自分の考えや気持ちなどを伝え合うことができる基礎的な力**を養う。(3)外国語の背景にある文化に対する理解を深め，他者に配慮しながら，主体的に外国語を用いて**コミュニケーション**を図ろうとする態度を養う。

2 各言語（英語）における目標

☑ 外国語活動（英語）❷

英語学習の特質を踏まえ，**3つの領域**別に設定する目標の実現を目指した指導を通して，外国語活動の目標に示す資質・能力を育成します。

聞くこと：簡単な語句や**基本的な表現**の意味，発音と文字
話すこと（やり取り）：簡単な挨拶，感謝，簡単な指示，伝え合う，簡単な質問
話すこと（発表）：身近な事がら，自分のこと，実物を見せながら

☑ 外国語（英語）

英語学習の特質を踏まえ，**5つの領域**別に設定する目標の実現を目指した指導を通して，外国語の目標に示す資質・能力を育成します。

聞くこと：**簡単な語句や基本的な表現**，情報，身近な事がら
読むこと：文字と発音，**簡単な語句や基本的な表現**の意味
話すこと（やり取り）：指示や依頼，伝え合う，質問
話すこと（発表）：身近な事がら，自分のこと
書くこと：大文字や小文字，書き写す，例文を参考に書く

さらに詳しく

❷それぞれのキーワードをおさえておきましょう。

【外国語活動】
- コミュニケーションを図る素地
- 表現に慣れ親しむ
- 3つの領域
- 基本的な表現

【外国語】
- コミュニケーションを図る基礎
- 基礎的な力（技能）
- 5つの領域
- 簡単な語句や基本的な表現

13 外国語活動・外国語の内容

頻出度 B

傾向&ポイント 外国語活動，外国語それぞれについて，学習指導要領の内容の取り扱いからも出題されています。前項同様，外国語活動と外国語を比較しながら，それぞれのキーワードをおさえておきましょう。

1 配慮事項と内容の取り扱い

外国語活動においては聞くこと，話すことの言語活動を行う際は英語を取り扱うことを，外国語においては英語を履修させることを原則とします。

☑ 外国語・外国語活動の指導計画❶

第３学年および第４学年（第５学年および第６学年）ならびに中学校および高等学校における指導との接続に留意しながら，次の事項に配慮します。

- 主体的・対話的で深い学びの実現を図り，コミュニケーションにおける見方・考え方を働かせながら，５つ（３つ）の領域における実際のコミュニケーションを重視します。
- 学年ごとの目標を適切に定め，２学年間を通じて外国語科・外国語活動の目標の実現を図るようにします❶。
- 外国語活動では，英語を初めて学習することに配慮し，**簡単な語句や基本的な表現**を用いながら，友達との関わりを大切にした**体験的な言語活動**を行います。
- 英語を使用した言語活動を行う際は言語材料について理解・練習するための指導を必要に応じて行います。
- 外国語では，外国語活動で扱った**簡単な語句や基本的な表現**などの学習内容を繰り返し指導し定着を図ります。
- 必要に応じた 10 ～ 15 分程度の指導（外国語），児童の興味関心に沿った題材，外国語や外国の文化，わが国の文化についての関心や理解を深める題材，障害のある

さらに詳しく
❶外国語活動はコミュニケーションの「素地」を，外国語はコミュニケーションの「基礎」を，それぞれ重視します。

児童に関する計画的・組織的な指導の工夫，学級担任または外国語（外国語活動）担当による**指導計画**の作成，**ネイティブ・スピーカー**や英語が堪能な**地域人材**などの協力による指導体制の充実，指導の工夫が求められます。

☑ 外国語・外国語活動の内容の取り扱い

<外国語活動>

- **文字**は音声によるコミュニケーションを補助するものとして取り扱う。
- **言葉によらないコミュニケーションの手段**（**ジェスチャーなど**）を取り上げ，その役割を理解させる。

<外国語>

- 言語材料：段階的な指導を行う。
- 音声指導：**発声練習や文字と関連させた指導**を行う。
- 文や文構造の指導：日本語と英語との語順などの違い，文法の用語や用法の指導に偏ることがないようにする。

<外国語活動・外国語共通>

- **ペアやグループワーク**などの学習形態の工夫。
- 視聴覚教材やコンピュータ，情報通信ネットワーク，**教育機器など**の活用。
- 児童による**学習の見通し**や**振り返り**。

☑ 外国語の教材に関する留意事項

- 聞くこと，読むこと，話すこと［やり取り］，話すこと［発表］，書くことなどのコミュニケーションを図る基礎となる資質・能力を総合的に育成するため，５つの領域別の目標と内容との関係について，単元など内容や時間のまとまりごとに各教材の中で明確に示すとともに，実際の言語の使用場面や言語の働きに十分配慮した題材を取り上げること。
- 英語を使用する世界の人々や日本人の日常生活，習慣，物語，地理，歴史，伝統文化，自然などに関するものの中から，児童の**発達の段階**や**興味・関心**に即して適切な題材を，変化をもたせて取り上げること❷。

外国語科

さらに詳しく

❷次の観点に配慮することとしています。

- 多様な考え方に対する理解を深めさせ，公正な判断力を養い，豊かな心情を育てることに役立つ
- 我が国の文化や英語の背景にある文化に対する関心を高め，理解を深めようとする態度を養うことに役立つ
- 広い視野から国際理解を深め，国際社会と向き合うことが求められている我が国の一員としての自覚を高め，国際協調の精神を養うことに役立つ

14 特別活動の目標

頻出度 B

傾向＆ポイント 特別活動の目標を中心に，各活動の内容，その取り扱いまで広く出題されています。各学校と各活動のキーワードを中心に，解説もあわせて，内容を丁寧に読み込んでおきましょう。

1 特別活動の目標❶

集団や社会の形成者としての**見方・考え方**を働かせ，様々な集団活動に自主的，実践的に取り組み，互いのよさや可能性を発揮しながら集団や自己の生活上の課題を解決することを通して，次のとおり資質・能力を育成することを目指します。⑴多様な他者と協働する様々な集団活動の意義や活動を行う上で必要となることについて理解し，行動の仕方を身に付けるようにする。⑵集団や自己の生活，人間関係の課題を見いだし，解決するために話し合い，**合意形成**を図ったり，意思決定したりすることができるようにする。⑶＜小中＞自主的，実践的な集団活動を通して身に付けたことを生かして，集団や社会における生活及び人間関係をよりよく形成するとともに，**自己の生き方（小）／人間としての生き方（中）**についての**考え**を深め，自己実現を図ろうとする態度を養う。⑶＜高＞自主的，実践的な集団活動を通して身に付けたことを生かして，主体的に集団や社会に参画し，生活および人間関係をよりよく形成するとともに，**人間としての在り方生き方**についての**自覚**を深め，自己実現を図ろうとする態度を養う。

さらに詳しく

❶各学校または内容ごとに特徴的なキーワードをおさえておきましょう。
1．目標
＜小＞自己の生き方
＜中＞人間としての生き方
＜高＞人間としての在り方生き方
2．各活動
＜小＞児童会，クラブ活動
＜高＞ホームルーム活動

2 特別活動の各活動

＜小＞ 学級活動，**児童会活動**，**クラブ活動**，学校行事
＜中＞ 学級活動，生徒会活動，学校行事
＜高＞ **ホームルーム活動**，生徒会活動，学校行事

☑ **学級活動**

学級や学校での生活をよりよくするための課題を見い出し,解決するために**合意形成**し,役割を分担して協力して実践したり,学級での話し合いを生かして自己の課題の解決および**将来の生き方**を描くために**意思決定**して実践したりすることに,**自主的,実践的に取り組む**ことを通して,第1の目標に掲げる資質・能力を育成することを目指します。

☑ **児童会/生徒会活動**

異年齢の者同士で協力し,**学校生活の充実と向上を図る**ための諸問題の解決に向けて,計画を立て役割を分担・協力して運営することに**自主的,実践的に取り組む**ことで,第1の目標に掲げる資質・能力を育成することを目指します。

☑ **<小>クラブ活動**

異年齢の児童同士で協力し,**共通の興味・関心**を追求する集団活動の計画を立てて運営することに**自主的・実践的に取り組む**ことを通して,**個性の伸長を図りながら**,第1の目標に掲げる資質・能力を育成することを目指します。

☑ **<小中高>学校行事**

全校または学年の児童/生徒で協力し,よりよい学校生活を築くための**体験的な活動**を通して,集団への**所属感や連帯感**を深め,公共の精神を養いながら,第1の目標に掲げる資質・能力を育成することを目指します。

3 指導計画の作成と内容の取り扱い

☑ **ガイダンスとカウンセリング**❷

ガイダンス(集団への指導・支援)とカウンセリング(個別に対応した指導や教育相談)の双方の趣旨を踏まえて指導します。

☑ **障害のある児童生徒**

交流および共同学習の機会を通して協働や貢献の喜びを得られる活動を充実させます。

さらに詳しく

❷ガイダンスとカウンセリングは,今回の改訂のポイントの一つです。

特別活動

15 特別活動の内容

頻出度 B

傾向&ポイント 各活動の内容は，校種に応じて段階的に変化しています。目標とあわせて，全体の構成を捉えながら，キーワードを中心に目を通しておきましょう。学校行事の内容についても，それぞれおさえておきましょう。

1 各活動の内容❶

各学校の主な活動は，以下のとおりです。

☑ 小学校

● 学級活動

①学級や学校における生活づくりへの参画

学級や学校における**生活上の諸問題の解決**，**多様な集団の生活の向上**，学級内の組織づくりや**役割の自覚**など

②日常の生活や学習への適応と自己の成長および健康安全

基本的な生活習慣，よりよい人間関係，心身ともに健康で安全な生活態度，**食育**・望ましい食習慣など

③一人一人のキャリア形成と自己実現

現在や将来に希望や目標をもって生きる意欲や態度の形成，**社会参画意識の醸成**や働くことの意義の理解など

● 児童会活動

①児童会の組織づくりと児童会活動の計画や運営

②異年齢集団による交流　③学校行事への協力

● クラブ活動

①クラブの組織づくりとクラブ活動の計画や運営

②クラブを楽しむ活動　③クラブの成果の発表

● 学校行事

①儀式的行事❷　②文化的行事　③健康安全・体育的行事

④遠足・集団宿泊的行事　⑤勤労生産・奉仕的行事

さらに詳しく

❶各学校の内容は，以下のとおりです。

<小>学級活動，児童会活動，クラブ活動，学校行事

<中>学級活動，生徒会活動，学校行事

<高>ホームルーム活動，生徒会活動，学校行事

❷「儀式的行事」
学校生活に有意義な変化や折り目をつけ，厳粛で清新な気分を味わい，新しい生活の展開への動機づけとなるようにすること。

中学校

- 学級活動

①学級や学校における生活づくりへの参画

②日常の生活や学習への適応と自己の成長および健康安全

自他の個性の理解と尊重，よりよい人間関係，男女相互の**理解と協力**，**心身**ともに健康で安全な生活態度，食育・食習慣など

③一人一人のキャリア形成と自己実現

社会生活や職業生活との接続を踏まえた主体的な学習習慣，**社会参画意識の醸成や勤労観・職業観**，主体的な進路の選択と将来設計など

- 生徒会活動

①生徒会の組織づくりと生徒会活動の計画や運営

②学校行事への協力 ③ボランティア活動などの社会参画

- 学校行事

①儀式的行事 ②文化的行事 ③健康安全・体育的行事

④旅行・集団宿泊的行事 ⑤勤労生産・奉仕的行事

高等学校

- ホームルーム活動

①ホームルームや学校における生活づくりへの参画

②日常の生活や学習への適応と自己の成長および健康安全

自他の個性の理解と尊重，よりよい人間関係，男女相互の理解と協力，**国際理解と国際交流の推進**，青年期の悩みや課題と解決など

③一人一人のキャリア形成と自己実現

学校生活と社会的・職業的自立の意義の理解，社会参画意識の醸成や勤労観・職業観，主体的な進路の選択決定と将来設計など

- 学校行事

①儀式的行事 ②文化的行事 ③健康安全・体育的行事

④旅行・集団宿泊的行事 ⑤勤労生産・奉仕的行事

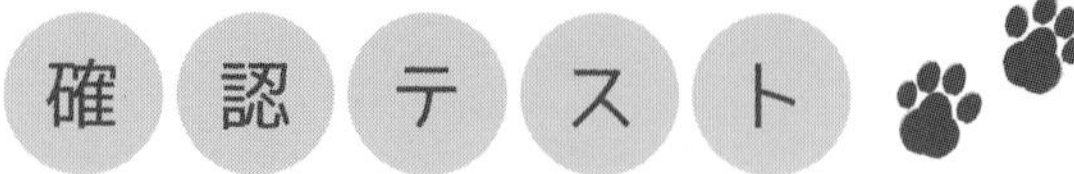

学習指導要領

1 次の文は，中学校学習指導要領（平成29年　文部科学省）第1章「総則」の「第3　教育課程の実施と学習評価」の一部である。空欄1，空欄2に当てはまる適切な語句を選びなさい。

2　学習評価の充実

学習評価の実施に当たっては，次の事項に配慮するものとする。

(1)　生徒の［ 1 ］などを積極的に評価し，学習したことの意義や価値を実感できるようにすること。また，［ 2 ］に向けた学習状況を把握する観点から，単元や題材など内容や時間のまとまりを見通しながら評価の場面や方法を工夫して，学習の過程や成果を評価し，指導の改善や学習意欲の向上を図り，資質・能力の育成に生かすようにすること。（後略）

ア　よい点や進歩の状況
イ　各教科等の目標の実現
ウ　通知表や指導要録への記録
エ　挙手の回数やノート等の提出状況
オ　評価基準の作成及び検討

【北海道・札幌市・改】
1
［1］ア
［2］イ

2 小学校学習指導要領「特別の教科道徳」に示されている4つの視点に関する次の各文について，関係の深い文章を下から選べ。

(1)　自分の考えや意見を相手に伝えるとともに，謙虚な心をもち，広い心で自分と異なる意見や立場を尊重すること。

(2)　よりよく生きようとする人間の強さや気高さを

【東京都・改】
2
(1) イ
(2) エ

理解し，人間として生きる喜びを感じること。

(3)　より高い目標を立て，希望と勇気をもち，困難があってもくじけずに努力して物事をやり抜くこと。

(4)　我が国や郷土の伝統と文化を大切にし，先人の努力を知り，国や郷土を愛する心を持つこと。

ア　主として自分自身に関すること

イ　主として人との関わりに関すること

ウ　主として集団や社会との関わりに関すること

エ　主として生命や自然，崇高なものとの関わりに関すること

(3)　ア

(4)　ウ

3　次の文は，小学校＜中学校＞学習指導要領（平成29年3月告示）「第5＜4＞章　総合的な学習の時間」「第1　目標」を抜粋したものである。文中の（**ア**）～（**オ**）に当てはまる語句を選びなさい。

探究的な見方・考え方を働かせ，（**ア**）な学習を行うことを通して，よりよく課題を解決し，自己の（**イ**）を考えていくための資質・能力を次のとおり育成することを目指す。

(1)　探究的な学習の過程において，課題の解決に必要な知識及び技能を身に付け，課題に関わる（**ウ**）を形成し，探究的な学習のよさを理解するようにする。

(2)　実社会や実生活の中から（**エ**）を見いだし，自分で課題を立て，情報を集め，整理・分析して，まとめ・表現することができるようにする。

(3)　探究的な学習に主体的・（**オ**）に取り組むとともに，互いのよさを生かしながら，積極的に社会に参画しようとする態度を養う。

ア　主体的　**イ**　横断的・総合的　**ウ**　将来
エ　生き方　**オ**　考え　**カ**　概念　**キ**　価値
ク　問い　**ケ**　協働的　**コ**　対話的

【福岡県・福岡市・北九州市・改】

3

(ア)　イ

(イ)　エ

(ウ)　カ

(エ)　ク

(オ)　ケ

4 次の文章は，小学校学習指導要領の第６章（中学校学習指導要領及び高等学校学習指導要領の第５章）「特別活動」「第２　各活動・学校行事の目標及び内容」「学級活動」（高等学校では「ホームルーム活動」）の「目標」と，「学校行事」の「目標」の一部である。（ A ）～（ D ）に当てはまる語句の組み合わせとして正しいものを選びなさい。

［学級活動］　学級（高等学校ではホームルーム）や学校での生活をよりよくするための課題を見いだし，解決するために話し合い，合意形成し，役割を分担して協力して実践したり，学級での話合いを生かして自己の課題の解決及び将来の生き方を描くために（ A ）して実践したりすることに，（ B ），実践的に取り組むことを通して，第１の目標に抱える資質・能力を育成することを目指す。

［学校行事］　全校または学年の児童（中学校では全校または学年の生徒，高等学校では全校若しくは学年またはそれらに準ずる集団）で協力し，よりよい学校生活を築くための（ C ）な活動を通して，集団への（ D ）や連帯感を深め，公共の精神を養いながら，第１の目標に掲げる資質・能力を育成することを目指す。

	A	B	C	D
1	自己決定	自主的	体験的	帰属感
2	自己決定	主体的	奉仕的	所属感
3	意思決定	自主的	体験的	所属感
4	意思決定	主体的	奉仕的	帰属感

【徳島県・改】
4

3

教育法規①

1 日本国憲法と教育

傾向&ポイント 日本国憲法は，国の最高法規であり，民主主義・基本的人権の尊重・平和主義を三大原理としています。特に，基本的人権に関する条文は，その内容を十分に理解しておくことが大切です。

頻出度 B

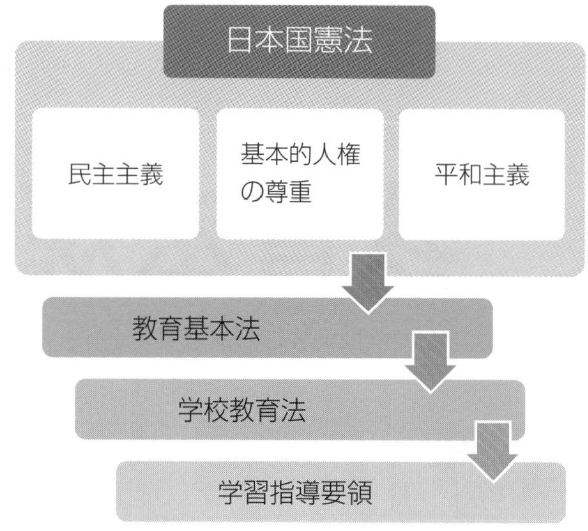

1 義務教育

国民は子どもに教育を受けさせる義務を負っており，これを**義務教育**といいます。

☑ **教育を受ける権利（第 26 条第 1 項）**

すべて国民は，法律の定めるところにより，**その能力に応じて**，ひとしく教育を受ける権利を有する。

☑ **教育を受けさせる義務（第 26 条第 2 項）**

すべて国民は，法律の定めるところにより，その保護する子女に**普通教育**❶を受けさせる義務を負ふ❷。

☑ **義務教育の無償（第 26 条第 2 項）**

すべて義務教育は，これを**無償**とする。

❶「普通教育」
全国民に共通の，一般的・基礎的な，職業的・専門的でない教育。

さらに詳しく

❷学校教育法では，保護者が子どもに**9年**の普通教育を受けさせる義務を負うことを定めています。

2 公務員，政教分離

☑ 全体の奉仕者（第 15 条第 2 項）

すべて公務員は，**全体の奉仕者**であつて，一部の奉仕者ではない。

☑ 政教分離（第 20 条第 3 項）

国及びその機関は，**宗教教育**その他いかなる宗教的活動もしてはならない。

3 基本的人権

日本国憲法では，**基本的人権**が保障されています。具体的な権利である，平等権や自由権については次の項で詳しく説明します。ここでは，基本的人権の本質について理解しましょう。

☑ 基本的人権（第 11 条）

国民は，すべての基本的人権の享有を妨げられない。この憲法が国民に保障する基本的人権は，**侵すことのできない永久の権利**として，現在及び将来の国民に与へられる。

☑ 自由及び権利の保持義務，公共福祉性（第 12 条）

この憲法が国民に保障する**自由**及び権利は，国民の不断の努力によつて，これを保持しなければならない。又，国民は，これを**濫用**してはならないのであつて，常に**公共の福祉**[❸]のためにこれを利用する責任を負ふ。

☑ 個人の尊重と公共の福祉（第 13 条）

すべて国民は，個人として尊重される。生命，自由及び幸福追求に対する国民の権利については，**公共の福祉**に反しない限り，立法その他の国政の上で，最大の尊重を必要とする。

ことば

❸「公共の福祉」
個人と個人の人権が調和をもって尊重されていること。社会全体の利益。

面接対策

あなたが担任する学級で，子どもに公共の福祉について考えさせるとき，どのような例を挙げますか。

日本国憲法

2 平等権・自由権

傾向＆ポイント 基本的人権の具体的な内容をみていきましょう。平等権は，すべての人が差別されず，平等に扱われる権利です。自由権は，誰もが自由に考え，行動することのできる権利です。

頻出度 A

平等権

- すべての人が平等に扱われる権利

自由権

- 自由に考え，行動する権利

精神の自由	身体の自由	経済活動の自由

社会権

- 人間らしい生活を送る権利

生存権	教育を受ける権利
勤労の権利	労働基本権

参政権

- 政治に参加する権利

請求権

- 国に要求する権利

1　平等権

平等権は，すべての人が人種や性別などによって差別されず，平等に扱われる権利です。

☑ **法の下の平等❶（第14条第1項）**

すべて国民は，法の下に平等であつて，人種，信条，**性別**，社会的身分又は門地により，政治的，経済的又は社会的関係において，**差別**されない。

2　自由権

自由権は，自由に物事を考えて発表したり，行動したりすることのできる権利です。（1）**精神の自由**，（2）**身体の自由❷**，（3）**経済活動の自由**に分けられます。

（1）精神の自由

☑ **思想及び良心の自由（第19条）**

思想及び良心の自由は，これを侵してはならない。

☑ **信教の自由（第20条第1項）**

信教の自由は，何人に対してもこれを保障する。

☑ **政教分離（第20条第3項）**

国及びその機関は，**宗教教育**その他いかなる宗教的活動もしてはならない。

☑ **表現の自由（第21条）**

集会，結社及び言論，出版その他一切の**表現の自由**は，これを保障する。

☑ **学問の自由（第23条）**

学問の自由❸は，これを保障する。

（3）経済活動の自由

☑ **職業選択の自由（第22条第1項）**

何人も，公共の福祉に反しない限り，居住，移転及び**職業選択の自由**を有する。

❶「法の下の平等」
国民が国家によって差別されないこと。誰にでも法律が等しく適用されることと，不平等な立法がなされないことを示しています。

❷「身体の自由」
身体の自由には，誰もが奴隷的拘束を受けないことや，法律の定める手続きによらなければ刑罰を課されないことなどが含まれます。

❸単に「学問の自由」などの言葉を覚えているかどうかではなく，それが具体的にどのような行為を保障しているかが問われます。

社会権，基本的人権を守るための権利，国民の義務

傾向＆ポイント 前項に続き，基本的人権の具体的な内容をみていきます。社会権は，人間らしい生活を送ることのできる権利です。また，参政権など，基本的人権を守るための権利も憲法に規定されています。

1 社会権

人は様々な違いをもって生まれ，その困難の程度も異なっています。ですから，自由権と平等権だけでは，人々の間にある格差を取り除くことができません。**社会権**は，国家によってそれらの問題が解消され，国民が**実質的な平等・自由**を保障される権利です。

☑ 生存権（第25条）

〈第１項〉 すべて国民は，**健康で文化的な最低限度の生活**を営む権利を有する。

〈第２項〉 国は，すべての生活部面について，社会福祉，社会保障及び公衆衛生の向上及び増進に努めなければならない。

☑ 教育を受ける権利（第26条）

すべて国民は，法律の定めるところにより，**その能力に応じて**，ひとしく教育を受ける権利を有する。

☑ 勤労の権利と義務（第27条）

〈第１項〉 すべて国民は，**勤労**の権利を有し，義務を負ふ。

☑ 児童❶の酷使の禁止（第27条）

〈第３項〉 児童は，これを**酷使**してはならない。

☑ 労働基本権（第28条）

勤労者の**団結**する権利及び**団体交渉**その他の**団体行動**をする権利は，これを保障する。

❶「児童」
憲法に年齢の規定はありませんが，児童福祉法では，**18歳未満**を「児童」と定め，その酷使が禁止されています。学校教育法における「児童」は小学生ですから，注意しましょう。

2　基本的人権を守るための権利

憲法第 12 条にあるとおり，基本的人権は，私たちの努力によって保持されなければなりません。基本的人権を守るための権利として，**参政権**，請求権，請願権があります。

☑ 参政権（第 15 条）

〈第 1 項〉　公務員を選定し，及びこれを**罷免**することは，国民固有の権利である。

〈第 3 項〉　公務員の選挙については，**成年者**❷による**普通選挙**を保障する。

☑ 賠償請求権（第 17 条）

何人も，公務員の**不法行為**により，損害を受けたときは，法律の定めるところにより，国又は公共団体に，その**賠償**を求めることができる。

☑ 請願権（第 16 条）

何人も，損害の救済，公務員の罷免，法律，命令又は規則の制定，廃止又は改正その他の事項に関し，平穏に請願する権利を有し，何人も，かかる請願をしたためにいかなる差別待遇も受けない。

さらに詳しく

❷公職選挙法の改正により，平成 28 年以降，選挙権は 18 歳以上に引き下げられました。また，民法改正により，令和 4 年から**成年年齢も 18 歳以上**となりました。

3　国民の義務

憲法には，「**教育の義務**」，「**勤労の義務**」，「**納税の義務**」の，3 つの義務が規定されています。これらを合わせて，「**国民の三大義務**」とも呼びます。

☑ 子どもに教育を受けさせる義務（第 26 条）

〈第 2 項〉　すべて国民は，法律の定めるところにより，その保護する子女に**普通教育**を受けさせる義務を負ふ。義務教育は，これを無償❸とする。

☑ 勤労の義務（第 27 条）

〈第 1 項〉　すべて国民は，勤労の**権利**を有し，義務を負ふ。

☑ 納税の義務（第 30 条）

国民は，法律の定めるところにより，**納税**の義務を負ふ。

さらに詳しく

❸無償の範囲は**授業料**であると解釈されています。別に教科書無償措置法によって，在籍している学校が，国立・公立・私立を問わず，義務教育段階では**教科書も無償**となっています。

4 教育の目的・理念

頻出度 A

傾向&ポイント 本項では，教育基本法に規定されている教育の目的や理念について学びましょう。また，本法は平成18年に初めての改正が行われたので，どのように変更されたのかがポイントになります。

1 教育基本法

教育基本法の範囲では，前文や条文の穴埋め問題が頻出です。文章すべてを覚えるのではなく，条文と重要語句とを結び付けられるようにしましょう。

教育基本法は，教育についての基本理念や教育制度に関する基本事項を定めた法律です。1947（昭和22）年に制定され，2006（平成18）年に改正されました。

改正法では，これまでの「個人の尊厳」を継承するとともに，「公共の精神」や，「伝統と文化を尊重し」，「我が国と郷土を愛する」態度を養うことなどが理念に掲げられています。

旧法での「教育の方針」は，「**教育の目標**」として５つの項目に改められ，より具体的な内容となりました。また，「**生涯学習の理念**」，「**大学**」，「**私立学校**」，「**家庭教育**」，「**幼児期の教育**」，「**学校，家庭及び地域住民等の相互の連携協力**」，「**教育振興基本計画**」の８条項が新設されています。

なお前文には教育の理念が，第１条・第２条には，目的と目標を具体化したもので提示されています。

2 前文

我々日本国民は，たゆまぬ努力によって築いてきた民主的で文化的な国家を更に発展させるとともに，世界の平和と人類の福祉の向上に貢献することを願うものである。

我々は，この理想を実現するため，**個人の尊厳**を重んじ，真理と正義を希求し，**公共の精神**を尊び，豊かな人間性と創造性を備えた人間の育成を期するとともに，**伝統**を継承し，新しい文化の創造を目指す教育を推進する。

ここに，我々は，日本国憲法の精神にのっとり，我が国の未来を切り拓く教育の基本を確立し，その振興を図るため，この法律を制定する。

3　教育の目的及び理念

☑ 教育の目的（第１条）

教育は，**人格の完成**❶を目指し，平和で民主的な国家及び社会の形成者として必要な資質を備えた心身ともに健康な国民の育成を期して行われなければならない。

☑ 教育の目標（第２条）❷

教育は，その目的を実現するため，学問の自由を尊重しつつ，次に掲げる目標を達成するよう行われるものとする。

〈第１号〉　幅広い知識と教養を身に付け，真理を求める態度を養い，豊かな情操と**道徳心**を培うとともに，健やかな身体を養うこと。

〈第２号〉　個人の価値を尊重して，その能力を伸ばし，**創造性**を培い，自主及び**自律**の精神を養うとともに，**職業**及び生活との関連を重視し，**勤労**を重んずる態度を養うこと。

〈第３号〉　正義と責任，男女の平等，自他の敬愛と協力を重んずるとともに，**公共の精神**に基づき，主体的に社会の形成に参画し，その発展に寄与する態度を養うこと。

〈第４号〉　生命を尊び，自然を大切にし，環境の保全に寄与する態度を養うこと。

〈第５号〉　**伝統**と**文化**を尊重し，それらをはぐくんできた**我が国と郷土を愛する**とともに，他国を尊重し，国際社会の平和と発展に寄与する態度を養うこと。

❶「人格の完成」
人間がもつあらゆる能力を，できる限り，しかも調和的に発展させること。

❷第１号では教育全体の基礎
第２号では個人に係るもの
第３号では社会との関わり
第４号では自然や環境との関わり
第５号では日本人としての資質及び国際社会との関わりについて述べられています。

5 教育の機会均等と義務教育

頻出度 A

傾向&ポイント 「義務教育」や「学校」などの言葉は，日常的によく使用されますが，教育者として法律上の定義や理念を把握しておきましょう。改正法で規定された義務教育の目的は頻出です。

1 生涯学習

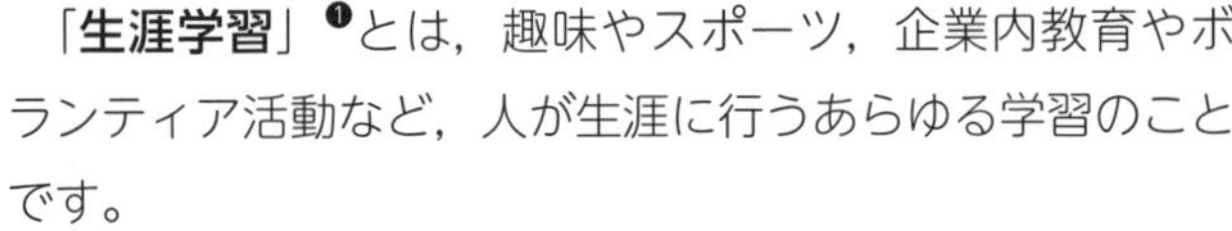

「**生涯学習**」❶とは，趣味やスポーツ，企業内教育やボランティア活動など，人が生涯に行うあらゆる学習のことです。

教育基本法第３条では，人が生涯のあらゆる機会・場所で学び，その成果を生かせる「**生涯学習社会**」の理念を示しています。学校教育には，生涯学習の基礎となる能力や意欲を培うという役割があります。

❶「生涯学習」
⇒ P.60

面接対策

生徒がその生涯にわたって学習を続けられるようにするため，授業においてどのような工夫を行いますか。

☑ **生涯学習の理念（第３条）**

国民一人一人が，自己の人格を磨き，豊かな人生を送ることができるよう，その**生涯**にわたって，あらゆる機会に，あらゆる場所において学習することができ，その**成果**を適切に生かすことのできる社会の実現が図られなければならない。

2 教育の機会均等

「**教育の機会均等**」については，日本国憲法の「法の下の平等」と「教育を受ける権利」を合わせたものととらえると理解しやすいでしょう。格差社会が進行していると言われている現代において，教育の機会均等の規定の重要性は増してきていると考えらえます。

☑ **教育の機会均等（第４条）**

〈第１項〉　すべて国民は，ひとしく，その能力に応じた教育を受ける機会を与えられなければならず，人種，信条，性別，社会的身分，経済的地位又は門地によって，**教育上**差別されない。

〈第２項〉　国及び地方公共団体は，**障害**のある者が，その障害の状態に応じ，十分な教育を受けられるよう，教育上必要な**支援**を講じなければならない。

〈第３項〉　国及び地方公共団体は，能力があるにもかかわらず，経済的理由によって修学が困難な者に対して，**奨学**の措置を講じなければならない。

3　義務教育

新しく，義務教育の目的が規定されました。義務教育の目的については，学校教育法第 21 条でさらに具体的に規定されていますので，そちらもあわせて理解しておきましょう。

また，旧法第４条において，義務教育の年限は教育の基本原則として教育基本法に規定するよりも，時代の変遷に応じて柔軟に対応できるようにするために学校教育法に規定されることになりました。

義務教育（第５条）

〈第１項〉　国民は，その保護する**子**に，別に法律で定めるところにより，**普通教育**❷を受けさせる義務を負う。

〈第２項〉　義務教育として行われる普通教育は，各個人の有する能力を伸ばしつつ社会において**自立的**に生きる基礎を培い，また，国家及び社会の形成者として必要とされる基本的な資質を養うことを目的として行われるものとする。

〈第３項〉　国及び地方公共団体は，義務教育の機会を保障し，その**水準**を確保するため，適切な役割分担及び相互の協力の下，その実施に責任を負う。

〈第４項〉　国又は地方公共団体の設置する学校における義務教育については，**授業料**を徴収しない。

❷「普通教育」
全国民に共通の，一般的・基礎的な，職業的・専門的でない教育。

「義務教育は新たな知見を創造することを目的とする」という文の正誤が問われました。これは大学の理念なので誤りです。

学校教育と家庭教育

頻出度 A

傾向&ポイント 学校教育については，ほかの教育機関と法律に定める学校の性質の違いが問われます。家庭教育では，子どもの教育について保護者が有する責任とは，どのようなものであるかを理解しましょう。

1 学校教育

学校は，学校教育法第１条に規定される公的な学校（通称「**一条校**」）と，そのほかの各種学校とに分けられます。前者は，国公私立に関わらず公の性質をもち，体系的な教育を組織的に行うこと，知識や技能だけでなく**規律や意欲**を重視することが定められています。

☑ **学校教育（第６条）**

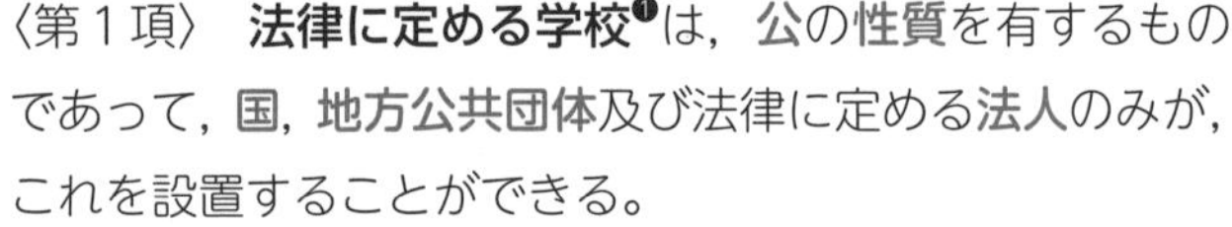

〈第１項〉 **法律に定める学校**❶は，**公の性質**を有するものであって，**国**，**地方公共団体**及び法律に定める**法人**のみが，これを設置することができる。

〈第２項〉 前項の学校においては，教育の目標が達成されるよう，教育を受ける者の心身の発達に応じて，**体系的**な教育が**組織的**に行われなければならない。この場合において，教育を受ける者が，学校生活を営む上で必要な**規律**を重んずるとともに，自ら進んで学習に取り組む**意欲**を高めることを重視して行われなければならない。

❶「法律に定める学校」
学校教育法第１条に定められている学校。幼稚園，小学校，中学校，義務教育学校，高等学校，中等教育学校，特別支援学校，大学および高等専門学校。
⇒ P.172

2 教員

教員には，研究と修養の義務があると同時に，それらの機会の充実が保障されています。なお，これは旧法では第６条第２項に記されていた項目です。この項目が独立したことにより，従来教育公務員にのみ課されていた「研究と修養」の励行が，私立学校を含む全教員に課せられるようになりました。

教育（第９条）

〈第１項〉　法律に定める学校の教員は，自己の**崇高**な**使命**を深く自覚し，絶えず**研究**と**修養**に励み，その**職責**の遂行に努めなければならない。

〈第２項〉　前項の教員については，その使命と職責の重要性にかんがみ，その**身分**は尊重され，待遇の適正が期せられるとともに，**養成**と**研修**の充実が図られなければならない。

3 家庭・幼児期の教育および相互の連携協力

新設された８条項のうちの３つです。保護者が有する責任について，「第一義的責任」という言葉のみでなく，具体的にどのようなことに努めるべきかを理解しましょう。

家庭教育（第 10 条）

〈第１項〉　父母その他の保護者は，子の教育について**第一義的責任**❷を有するものであって，生活のために必要な習慣を身に付けさせるとともに，**自立心**を育成し，心身の調和のとれた発達を図るよう努めるものとする。

〈第２項〉　国及び地方公共団体は，家庭教育の自主性を尊重しつつ，保護者に対する**学習の機会**及び**情報の提供**その他の家庭教育を**支援**するために必要な施策を講ずるよう努めなければならない。

幼児期の教育（第 11 条）

幼児期の教育は，生涯にわたる**人格形成**の**基礎**を培う重要なものであることにかんがみ，国及び地方公共団体は，幼児の健やかな成長に資する良好な環境の整備その他適当な方法によって，その振興に努めなければならない。

学校，家庭及び地域住民等の相互の連携協力（第 13 条）

学校，家庭及び地域住民その他の関係者は，教育におけるそれぞれの役割と責任を自覚するとともに，相互の連携及び協力に努めるものとする。

ここが出た！

教育基本法を理解しておくことで，そのほかの法律について問われたときにも，基本的な方針を間違えることがなくなります。

過去には，「青少年が安全に安心してインターネットを利用できる環境の整備等に関する法律」について，家庭教育において保護者が適切な措置をとるべきかが問われました。

ことば

❷「第一義的責任」
1990 年に発効された「児童の権利に関する条約」にこの言葉があります。国，学校，地域などすべてが子どもの教育に責任をもつこと，そして保護者はその第一の立場であることが読み取れます。

教育の中立性と教育行政

傾向＆ポイント 教育は中立なものでなければなりません。政治や宗教に対する教育の在り方を理解しましょう。また，現在，各地方公共団体が「教育振興基本計画」を策定しており，それに基づいて各学校が教育を行っています。

1 教育の中立性

教育は政治的にも宗教的にも中立なものでなければなりません。政治や宗教への一般的な教養は教育上**尊重**される一方で，特定の政党を支持する教育や，特定の宗教のための宗教教育は禁止されています。ただし，私立の学校における宗教教育はこの限りではありません。

☑ **政治教育（第 14 条）**

〈第１項〉 良識ある**公民**として必要な**政治的教養**は，教育上**尊重**されなければならない。

〈第２項〉 **法律に定める学校**❶は，特定の**政党**を支持し，又はこれに反対するための**政治教育**その他**政治的活動**をしてはならない。

☑ **宗教教育（第 15 条）**

〈第１項〉 宗教に関する**寛容**の態度，宗教に関する一般的な**教養**及び宗教の社会生活における地位は，教育上尊重されなければならない。

〈第２項〉 **国及び地方公共団体が設置する学校**❷は，特定の宗教のための**宗教教育**その他**宗教的活動**をしてはならない。

❶「法律に定める学校」
⇒ P.156

❷「国及び地方公共団体が設置する学校」
国立および公立（都道府県立，市区町村立）の学校。「法律に定める学校」から私立学校を除いた呼称。

2 教育行政

教育の中立性を保つために，教育は特定の勢力による不当な支配を受けてはならないことが規定されています。法律にのっとり，公正かつ適正に行われるものであることをおさえましょう。

☑ 教育行政（第 16 条）

〈第１項〉　教育は，**不当な支配**に服することなく，この法律及び他の法律の定めるところにより行われるべきものであり，教育行政は，**国**と**地方公共団体**との適切な役割分担及び相互の協力の下，**公正**かつ適正に行われなければならない。

〈第２項〉　**国**は，全国的な**教育の機会均等**と教育水準の維持向上を図るため，教育に関する施策を総合的に策定し，実施しなければならない。

〈第３項〉　**地方公共団体**は，その地域における教育の**振興**を図るため，その実情に応じた教育に関する施策を策定し，実施しなければならない。

〈第４項〉　**国及び地方公共団体**は，教育が円滑かつ継続的に実施されるよう，必要な**財政上**の措置を講じなければならない。

3　教育振興基本計画

教育振興基本計画❸は，政府によってつくられます。また，政府が作成した計画を踏まえ，地方公共団体の計画作成も求められています。国や地方が抱える問題や教育の方針が具体的にまとめられているので，地方公共団体と政府それぞれが発表している計画は必ず読んでおきましょう。

さらに詳しく
❸「教育振興基本計画」⇒ P.104

☑ 教育振興基本計画（第 17 条）

〈第１項〉　**政府**は，教育の振興に関する施策の総合的かつ計画的な推進を図るため，教育の振興に関する施策についての基本的な方針及び講ずべき施策その他必要な事項について，基本的な計画を定め，これを国会に報告するとともに，公表しなければならない。

〈第２項〉　**地方公共団体**は，前項の計画を参酌し，その地域の実情に応じ，当該地方公共団体における教育の振興のための施策に関する基本的な計画を定めるよう努めなければならない。

義務教育の目標

傾向＆ポイント 学校教育法に定められた「義務教育の目標」を学びましょう。教育基本法の「教育の目的」の理念を受けて，養うべき知識・技能・態度が規定されています。どのような教育を行うべきとされているかにも注目しましょう。

1 学校教育法

学校教育法は，教育基本法の理念に基づいて，学校制度の基本を定めた法律です。日本国憲法や教育基本法に明示された教育の理念を具現化するための諸基準が示されています。1947（昭和 22）年に教育基本法などとともに制定され，これまで 30 回以上にわたり改正されています。2007（平成 19）年には，前年の教育基本法の改正を受けて大幅な改正が行われました。

2 義務教育の目標

学校教育法第 21 条に，「義務教育の目標」が定められています。社会の形成に参画し，その発展に寄与するなどの態度を養うとともに，国語や数量的な関係を正しく理解する能力などを養うこととされています。

教育基本法第２条「教育の目的」❶との識別がよく問われます。教育基本法第２条では，人格の完成という目的を実現するための目標が示されています。一方，学校教育法第 21 条には，教育基本法第５条で示された目標を達成するために，どのような教育を行うべきかが書かれています。

❶教育基本法の「教育の目的」と，学校教育法の「義務教育の目標」とを識別する問題は頻出です。２つを比較して理解しましょう。⇒ P.153

☑ **義務教育の目標（第 21 条）**

義務教育として行われる普通教育は，教育基本法第５条第２項に規定する目的を実現するため，次に掲げる目標を達成するよう行われるものとする。

〈第１号〉　学校内外における**社会的活動**を促進し，**自主，自律及び協同の精神**，規範意識，公正な判断力並びに**公共の精神**に基づき主体的に社会の形成に参画し，その発展に寄与する態度を養うこと。

〈第２号〉　学校内外における**自然体験**活動を促進し，生命及び自然を尊重する精神並びに**環境**の保全に寄与する態度を養うこと。

〈第３号〉　我が国と郷土の現状と歴史について，正しい理解に導き，**伝統と文化**を**尊重**し，それらをはぐくんできた**我が国**と**郷土**を愛する態度を養うとともに，進んで外国の文化の理解を通じて，他国を尊重し，**国際社会**の平和と発展に寄与する態度を養うこと。

〈第４号〉　**家族**と家庭❷の役割，生活に必要な衣，食，住，情報，産業その他の事項について基礎的な理解と技能を養うこと。

〈第５号〉　**読書**に親しませ，生活に必要な国語を正しく理解し，使用する基礎的な能力を養うこと。

〈第６号〉　生活に必要な数量的な関係を正しく理解し，処理する基礎的な能力を養うこと。

〈第７号〉　生活にかかわる自然現象について，観察及び実験を通じて，科学的に理解し，処理する基礎的な能力を養うこと。

〈第８号〉　健康，安全で幸福な生活のために必要な習慣を養うとともに，運動を通じて体力を養い，**心身**の**調和的発達**を図ること。

〈第９号〉　生活を明るく豊かにする音楽，美術，文芸その他の芸術について基礎的な理解と技能を養うこと。

〈第 10 号〉　**職業**についての基礎的な知識と技能，**勤労を重んずる態度**及び個性に応じて将来の**進路を選択する能力**を養うこと。

さらに詳しく

❷教育基本法第２条に記された「幅広い知識と教養」は，ここで「家庭」や「国語」,「数量」,「自然現象」のように細分化されています。さらにこれを受けて，学習指導要領では各教科が設定されています。

各学校段階の目的・目標

傾向＆ポイント 学校教育法に規定された各学校段階の目的と目標について学びます。前項で学んだ義務教育の目標を見返して，高等学校の目標との違いを理解しましょう。

頻出度 B

1 小学校の目的・目標

小学校の目的のキーワードは「基礎的」です。

また，小学校，中学校，義務教育学校の目標は，第21条に規定された「**義務教育の目標**」の達成です。

☑ 小学校の目的（第29条）

小学校は，**心身の発達**に応じて，**義務教育として行われる普通教育**のうち**基礎的**なものを施すことを目的とする。

☑ 小学校の目標（第30条）

〈第1項〉　小学校における教育は，前条に規定する目的を実現するために必要な程度において第21条各号に掲げる目標を達成するよう行われるものとする。

〈第2項〉　前項の場合においては，**生涯**にわたり学習する基盤が培われるよう，基礎的な知識及び技能を習得させるとともに，これらを活用して課題を解決するために必要な**思考力**，**判断力**，**表現力**その他の能力をはぐくみ，**主体的**に学習に取り組む態度❶を養うことに，特に意を用いなければならない。

さらに詳しく

❶「知識・技能」「思考力・判断力・表現力」「主体的に学習に取り組む態度」は，学校教育において重視すべき3要素とされています。これらは，平成29・30・31年改訂の新学習指導要領に対応した評価の観点になっています。

2 中学校の目的・目標

☑ 中学校の目的（第45条）

中学校は，小学校における教育の基礎の上に，心身の発達に応じて，**義務教育として行われる普通教育**を施すことを目的とする。

3　義務教育学校の目的・目標

☑ **義務教育学校の目的（第49条の2）**

義務教育学校❷は，心身の発達に応じて，義務教育として行われる普通教育を**基礎的なものから一貫**して施すことを目的とする。

❷「義務教育学校」
小学校から中学校までの義務教育を一貫して行うことを趣旨として2016年から制度化された学校。

4　高等学校の目的・目標

高等学校の目的・目標のキーワードは「進路」です。進路を選択するとともに，社会の一員として必要な態度や資質を養います。

☑ **高等学校の目的（第50条）**

高等学校は，中学校における教育の基礎の上に，心身の発達及び**進路**に応じて，**高度**な普通教育及び**専門教育**❸を施すことを目的とする。

さらに詳しく

❸高等学校は，農業，商業，工業などの専門教育を行うことができます。

☑ **高等学校の目標（第51条）**

高等学校における教育は，前条に規定する目的を実現するため，次に掲げる目標を達成するよう行われるものとする。

〈第1項〉　義務教育として行われる普通教育の成果を更に**発展拡充**させて，豊かな**人間性**，創造性及び健やかな身体を養い，国家及び社会の**形成者**として必要な資質を養うこと。

〈第2項〉　社会において果たさなければならない使命の自覚に基づき，個性に応じて将来の**進路**を決定させ，一般的な教養を高め，専門的な知識，技術及び技能を習得させること。

〈第3項〉　**個性**の確立に努めるとともに，社会について，広く深い理解と健全な**批判力**を養い，社会の発展に寄与する態度を養うこと。

10 就学義務

頻出度 B

傾向＆ポイント 学校教育法が定める就学義務期間をおさえましょう。また，児童・生徒が義務教育を受けるにあたり，必要な事務を知りましょう。特に，援助や健康診断などそれぞれの事務を行うのは誰なのかに注意してください。

1 就学義務と期間

日本国憲法および教育基本法によって，保護者は子に「普通教育を受けさせる義務」を負うことが規定されています。これを受けて，学校教育法では「就学させる義務」とその期間を定めています。

就学義務期間は，**満6歳**に達した日の翌日以後における最初の学年の初めから，**満15歳**に達した日の属する学年の終わりまでとなります。この年齢の児童・生徒を**学齢児童・学齢生徒**と呼びます。

☑ **小学校等に就学させる義務（第17条）**

〈第1項〉 保護者は，**子の満6歳に達した日の翌日以後における最初の学年の初め**から，**満12歳に達した日の属する学年の終わり**[1]まで，これを小学校，義務教育学校の前期課程又は特別支援学校の小学部に就学させる義務を負う。

☑ **中学校等に就学させる義務（第17条）**

〈第2項〉 保護者は，子が小学校の課程，義務教育学校の前期課程又は特別支援学校の小学部の課程を**修了した日の翌日以後における最初の学年の初め**から，**満15歳に達した日の属する学年の終わり**まで，これを中学校，義務教育学校の後期課程，中等教育学校の前期課程又は特別支援学校の中学部に就学させる義務を負う。

さらに詳しく

❶満12歳の学年までに課程を修了しないときは，最長で満15歳の学年までとされています。このように，法的には義務教育での原級留置，いわゆる留年も規定されています。

2 就学の猶予・免除❷

☑ **学校教育法第 18 条**

保護者が就学させなければならない子で，**病弱**，発育不完全❸その他やむを得ない事由のため，就学困難と認められる者の保護者に対しては，**市町村の教育委員会**は，文部科学大臣の定めるところにより，第 17 条第 1 項又は第 2 項の義務を**猶予**又は**免除**することができる。

なお，その他やむを得ない事由には，将来外国籍を選択する可能性が高く他で教育を受けているため，一定期間日本語教育を受けているため，児童自立支援施設又は少年院にいるため，などがあります。

3 就学援助

☑ **学校教育法第 19 条**

経済的理由によつて，就学困難と認められる学齢児童又は学齢生徒の保護者に対しては，**市町村**は，必要な**援助**を与えなければならない。

4 就学時の健康診断

☑ **就学時の健康診断（学校保健安全法第 11 条）**

市町村の教育委員会は，学校教育法第 17 条第 1 項の規定により翌学年の初めから同項に規定する学校に就学させるべき者で，当該市町村の区域内に住所を有するものの就学に当たつて，その**健康診断**を行わなければならない。

☑ **健康診断に基づく措置（学校保健安全法第 12 条）**

市町村の教育委員会は，前条の健康診断の結果に基づき，治療を勧告し，保健上必要な助言を行い，及び学校教育法第 17 条第 1 項に規定する義務の**猶予**若しくは**免除**又は**特別支援学校への就学**に関し指導を行う等適切な措置をとらなければならない。

❷「就学の猶予・免除」⇒ P.43

さらに詳しく

❸ここでいう「病弱，発育不完全」とは，特別支援学校の教育に耐えられず，治療・療養に専念する程度とされています。

学校教育法

11 学期や授業開始時刻

頻出度 A

傾向＆ポイント 学年の区切り方には，２学期制や３学期制などがありますが，誰が決定しているのでしょうか。学期，休業日，授業開始時刻などの決定者に関する正誤問題が頻出です。休業日や臨時休業について，その種類を把握しましょう。

1 学齢簿

就学させる学齢児童・生徒の情報を把握するため，市町村の教育委員会は学齢簿を作成します。

☑ 学齢簿の作成者（学校教育法施行令第１条）

市町村の教育委員会は，当該市町村の区域内に住所を有する学齢児童及び学齢生徒について，**学齢簿**を編製しなければならない。

〈第２項〉　前項の規定による学齢簿の編製は，当該市町村の**住民基本台帳**に基づいて行なうものとする。

☑ 学齢簿の作成時期（学校教育法施行令第２条）

市町村の教育委員会は，毎学年の初めから**５月**前までに，文部科学省令で定める日❶現在において，当該市町村に住所を有する者で前学年の初めから終わりまでの間に**満６歳**に達する者について，あらかじめ，前条第１項の学齢簿を作成しなければならない。

さらに詳しく

❶学校教育法施行規則第31条により，10月１日とされています。また，「５月前」とは５ヶ月前のことですから，11月１日までに作成しなくてはなりません。

2 学年

☑ 学年（学校教育法施行規則第59条）

小学校の学年は，４月１日に始まり，翌年３月31日に終わる。（他の学校にも準用）

3 学期

☑ 公立学校の学期（学校教育法施行令第29条）

公立の学校の学期は，市町村又は都道府県の設置する学校にあつては当該**市町村**又は都道府県の**教育委員会**が定める。

☑ **私立学校の学期（学校教育法施行規則第 62 条）**

私立小学校における学期及び休業日は，当該学校の学則で定める。（他の学校にも準用）

4 休業日

☑ **公立学校の休業日（学校教育法施行規則第 61 条）**

公立小学校における休業日は，次のとおりとする。ただし，第３号に掲げる日を除き，当該学校を設置する地方公共団体の**教育委員会が必要と認める場合は，この限りでない**❷。

1　国民の**祝日**に関する法律に規定する日

2　日曜日及び**土曜日**

3　学校教育法施行令第 29 条第１項の規定により**教育委員会**が定める日

5 臨時休業

学級閉鎖，**学年閉鎖**，**休校**の３つを臨時休業といいます。

☑ **非常変災（学校教育法施行規則第 63 条）**

非常変災その他急迫の事情があるときは，**校長**は，臨時に授業を行わないことができる。この場合において，公立小学校についてはこの旨を当該学校を設置する地方公共団体の教育委員会に報告しなければならない。

☑ **感染症（学校保健安全法第 20 条）**

学校の**設置者**❸は，**感染症**の予防上必要があるときは，臨時に，学校の全部又は一部の休業を行うことができる。

6 学業開始時刻

☑ **学業開始時刻（学校教育法施行規則第 60 条）**

授業終始の時刻は，**校長**が定める。

学校教育法

さらに詳しく

❷休業日の種類は３つ。①祝日②土曜日・日曜日③教育委員会が定める日（夏季・冬季休業など）

以前は，本来の休業日に授業などを行うのは，「特別の必要がある場合」とされていました。学校教育法施行令の改正により，土曜授業などがより弾力的に行えるようになりました。

❸「設置者」

学校の設置者には，国，地方公共団体，学校法人の３者があります。

確認テスト

教育法規①

1 「教育基本法」第2条に関して，次の各文の下線部が正しければ○を，正しくなければ×を答えよ。

(1) 幅広い知識と教養を身に付け，主体的に学ぶ態度を養い，豊かな情操と道徳心を培うとともに，健やかな身体を養うこと。

(2) 個人の価値を尊重して，その能力を伸ばし，創造性を培い，自主及び自律の精神を養うとともに，職業及び生活との関連を重視し，勤労を重んずる態度を養うこと。

(3) 正義と責任，男女の平等，自他の敬愛と協力を重んずるとともに，公共の精神に基づき，主体的に社会の形成に参画し，その発展に寄与する態度を養うこと。

(4) 生命を尊び，自然を大切にし，環境の保全に寄与する態度を養うこと。

(5) 伝統と文化を尊重し，それらをはぐくんできた我が国と郷土を愛するとともに，他国を尊重し，国際社会の協調と安全に寄与する態度を養うこと。

【神奈川県・横浜市・川崎市・相模原市・改】

1

(1) ×

(2) ○

(3) ○

(4) ○

(5) ×

2 次の文は,「教育基本法」(平成18年法律第120号)の第4条の条文の一部である。(A)～(C)にあてはまる語句を次から一つずつ選びなさい。

○すべて国民は，ひとしく，その能力に応じた教育を受ける(A)を与えられなければならず,人種,信条,性別，社会的身分，経済的地位または門地によって教育上差別されない。

○国及び地方公共団体は，障害のある者が，その障

【徳島県・改】

2

(A) ア

害の状態に応じ，十分な教育を受けられるよう，教育上必要な（ B ）を講じなければならない。

(B) エ

〇国及び地方公共団体は，能力があるにもかかわらず，経済的理由によって修学が困難な者に対して，（ C ）を講じなければならない。

(C) カ

ア 機会　**イ** 権利　**ウ** 措置　**エ** 支援
オ 入学の支援　**カ** 奨学の措置

3 次は，「教育基本法」第10条である。() に入る正しい言葉の組み合わせを選びなさい。

【長野県】
3
①

第10条　父母その他の（ **ア** ）は，子の教育について第一義的（ **イ** ）を有するものであって，生活のために必要な（ **ウ** ）を身に付けさせるとともに，(**エ** ）を育成し，心身の調和のとれた（ **オ** ）を図るよう努めるものとする。

①**ア** 保護者　**イ** 責任　**ウ** 習慣
　エ 自立心　**オ** 発達
②**ア** 大人　**イ** 監督　**ウ** 生きる力
　エ 学力　**オ** 成長
③**ア** 大人　**イ** 責任　**ウ** 生きる力
　エ 自立心　**オ** 成長
④**ア** 保護者　**イ** 責任　**ウ** 習慣
　エ 学力　**オ** 発達
⑤**ア** 大人　**イ** 監督　**ウ** 生きる力
　エ 学力　**オ** 発達

4 次の文は，「学校教育法」(昭和22年法律第26号) の一部である。文中の（ a ）～（ e ）に当てはまる語を下から1つずつ選べ。

【奈良県・改】
4

学校教育法
第21条　義務教育として行われる普通教育は，教育基本法（平成18年法律第120号）第5条第2項

教育法規①

に規定する目的を実現するため，次に掲げる目標を達成するよう行われるものとする。

一　学校内外における社会的活動を促進し，自主，自律及び協同の精神，（ a ）意識，公正な判断力並びに公共の精神に基づき主体的に社会の形成に参画し，その発展に寄与する態度を養うこと。 (a) ア

二　学校内外における（ b ）活動を促進し，生命及び自然を尊重する精神並びに環境の保全に寄与する態度を養うこと。 (b) エ

三　我が国と郷土の現状と歴史について，正しい理解に導き，（ c ）と文化を尊重し，それらをはぐくんできた我が国と郷土を愛する態度を養うとともに，進んで外国の文化の理解を通じて，他国を尊重し，国際社会の平和と発展に寄与する態度を養うこと。 (c) キ

四　家族と家庭の役割，生活に必要な衣，食，住，（ d ），産業その他の事項について基礎的な理解と技能を養うこと。 (d) サ

五　（ e ）に親しませ，生活に必要な国語を正しく理解し，使用する基礎的な能力を養うこと。 (e) ス

六　生活に必要な数量的な関係を正しく理解し，処理する基礎的な能力を養うこと。

ア　規範　**イ**　道徳　**ウ**　倫理
エ　自然体験　**オ**　地域貢献
カ　ボランティア　**キ**　伝統　**ク**　習慣
ケ　社会　**コ**　農業　**サ**　情報
シ　行政サービス　**ス**　読書　**セ**　活字
ソ　外国語

教育法規②

1 学校の種類・設置者

頻出度 B

傾向&ポイント 「学校」と一言でいっても，法律で認められた正規の「学校」とは何かをしっかりとおさえておきましょう。あわせて学校の設置者や設置義務・管理についてもポイントを整理しておきましょう。

1 一条校

ここが出た！

学校教育法第１条で示されている「学校」の正誤問題が出題されました。

「学校」として正式なものは，**学校教育法第１条**に規定されている学校のみです。これらの学校は，学校教育法第「１条」に規定されていることから，「**一条校**」といわれます。

☑ 学校教育法第１条

この法律で，学校とは，**幼稚園**，**小学校**，**中学校**，**義務教育学校**，**高等学校**，**中等教育学校**，**特別支援学校**，**大学**及び**高等専門学校**とする。

☑ 一条校の種類

①**中等教育学校**：６年間の中高一貫教育を行う学校。中学校に相当する３年の前期課程と，高等学校に相当する３年の後期課程に分かれるが，後期課程での生徒募集が行われないもの。

②**義務教育学校**❶：９年間の小中一貫教育を行う学校。

さらに詳しく

❶義務教育学校は，例えば前期６年，後期３年のような柔軟に学年段階の区切りを設定することも可能です。

☑ 一条校に該当しないもの

①専修学校：職業若しくは実際生活に必要な能力を育成し又は教養の向上を図ることを目的としているもの。

②各種学校：インターナショナルスクール，外国人，フリースクール等

③保育所（保育園）：児童福祉法で規定される福祉施設。管轄は厚生労働省。

④認定こども園：教育・保育を一体的に行う施設で，いわば幼稚園と保育所の両方の良さを併せもっている施設。

⑤防衛大学校，航空大学校，水産大学校，職業訓練大学校

等。省庁などの行政機関が専門の技術・知識の研修などのために設置している施設。

2　学校の設置者

国，地方公共団体，学校法人が，学校を設置することができます。

☑ 公立学校

国，地方公共団体が設置している学校。

☑ 私立学校❷

学校法人が設置している学校。

☑ 例外規定

以下に示すものは，公立学校，私立学校の例外規定となります。

①私立幼稚園は，学校法人以外でも設置できる。

②構造改革特区❸内において，株式会社による学校設置，不登校児童生徒等の教育を行うNPO法人で一定の実績等を有するものの学校設置が認められている。

3　学校の設置義務・管理

☑ 学校の設置義務（学校教育法第38条等）

①**小中学校**の設置義務は，**市町村**にある。

②**特別支援学校**の設置義務は，**都道府県**にある。高等部，幼稚部の設置も可能。

③市町村が単独で小学校・中学校を設置することができない場合，二つの市町村が「学校組合」を組織し，共同して学校を設置・管理することができる。

④教育上有益かつ適切であると認めるときは，**義務教育学校**の設置をすることができる。

☑ 経費の負担（学校教育法第5条）

学校の設置者は，その設置する学校を管理し，法令に特別の定のある場合を除いては，その学校の経費を負担する。

❷「私立学校」
私立学校も「公教育を担う」という点では公の性質をもちます。そのため，文部科学省の方針には従う必要があります。

❸「構造改革特区」
国の規制について，地域を限定して改革することにより，構造改革を進め，地域の活性化を目的として創設されたものです。

面接対策

学校運営のための経費は，誰が負担していますか。またそれは，どのような法律に位置づいていますか。

2 学校の管理運営の基本

頻出度 B

傾向＆ポイント 特に学年，学期，休業日などは，学校運営の基本となる事項です。採用試験対策としてだけでなく，実際に学校で職務を行う際にも，これらの基本を身につけておくことが必要となります。

1 学校の管理

☑ 学校の管理の原則

学校の管理は，**設置者**が行うことが原則です。国，地方公共団体，学校法人が管理機関となります（学校教育法第5条）。大学を除く**公立学校**は，その学校を設置した**地方公共団体**の**教育委員会**が管理することになっています。（地方教育行政の組織及び運営に関する法律第21条）

2 学校の経費

☑ 教職員給与

市町村立小中学校などの教職員（**県費負担教職員**）❶の給与は**都道府県**が支給します（市町村立学校職員給与負担法）。

国は都道府県に対してその実支給額の3分の1を負担します（義務教育費国庫負担法）。

☑ 教科用図書

義務教育諸学校使用に関わる**教科用図書**❷は，**国**が義務教育諸学校の設置者に**無償**で給付します。

3 学年・学期

☑ 学年

4月1日に始まり，翌年**3月31日**に終わります（学校教育法施行規則第59条）。ただし，高等学校の通信制・単位制高等学校などには例外があります。

❶「県費負担教職員」
市町村立小中学校などの教職員は市町村の職員ですが，設置者負担の原則の例外として，給与については都道府県の負担となっています。

❷「教科用図書」
教科書は，正式には「教科用図書」といいます。

☑ 学期

学年を区分した一定期間のことをいいます。その学校を設置した都道府県・市町村の**教育委員会**が定めます（学校教育法施行令第 29 条）。

4　休業日，授業日など

公立学校の学期，休業日などの記述に関する正誤問題が出題されました。

☑ 休業日

授業を行わない日のことをいいます（学校教育法施行規則第 4 条）。

☑ 通常の休業日

学校教育法施行規則第 61 条において**公立学校の休業日**❸は以下のように示されています。

①**国民の祝日**　②**日曜日**および**土曜日**

③**教育委員会が定める日**

さらに詳しく

❸教育委員会が必要と認める場合は，振り替え授業日とすることができます。その場合は，別の日を休業日とするのが通例です。

☑ 臨時の休業日

非常変災その他急迫の事情があるとき（学校教育法施行規則第 63 条）**校長**は臨時に休業することができます。

また，**感染症予防上必要があるとき**（学校保健安全法第 20 条）**学校の設置者**は臨時に休業することができます。

☑ 授業日

学習指導要領において，授業日について**年間 35 週以上**（小学校 1 学年は 34 週以上）と規定されています。

☑ 授業時数

校種・科目ごとに，**学校教育法施行規則の別表**で定められています。

☑ 1 単位時間

授業における，いわゆる「1 時間」は必ずしも「1 時間＝ 60 分」というわけではありません。学校教育法施行規則では，**小学校は 45 分**，**中学校では 50 分**と定めています。

☑ 学業開始時刻

校長が定めることになっています（学校教育法施行規則第 60 条）。

面接対策

授業日は，年間でどのくらいありますか。また，それはどこに示されていますか。

3 学校の施設・設備・機関

頻出度 A

傾向&ポイント 学校の設備・施設・機関は，学校を陰で支える存在だといえます。これらも一つ一つが法律や規則によって定められており，厳格に実行されていることを理解しておくとよいでしょう。

1 学校の施設・設備

☑ 設けるべき施設・設備

学校には，その学校の目的を実現するために必要な校地，**校舎**，**校具**，**運動場**，**図書館**（**図書室**），**保健室**❶，その他の設備を設けなければならないと規定されています（学校教育法施行規則第１条）。

また，それぞれの学校の設置基準では，以下の教室などの設置が定められています。

①教室（普通教室，特別教室❷等）
②図書室，保健室
③職員室

☑ 学校図書館（図書室）

学校の図書館（図書室）については，**学校図書館法**によって，学校教育に欠くことのできない基礎的な設備であること，その健全な発達を図ること，学校教育を充実させることが求められています。運営にあたっては，以下の点に留意することが必要です。

①児童生徒，教員の利用に供すること
②図書館資料の適切な分類排列，目録の整備
③読書会，研究会，鑑賞会，映写会，資料展示会等の開催
④図書館資料の利用や学校図書館の利用に関する指導
⑤他の学校の学校図書館，図書館，博物館，公民館等と連絡や協力

さらに詳しく
❶学校保健安全法第７条において，「学校には，健康診断，健康相談，保健指導，救急処置その他の保健に関する措置を行うため，保健室を設けるものとする」としており，保健室にはこれらに応じた設備が必要です。

❷「特別教室」
例えば，理科室，音楽室，視聴覚教室などが特別教室にあたります。

2 学校に置く機関

☑ 職員会議

学校では，設置者の定めるところにより，**校長**の職務の円滑な執行に資するため，職員会議を置くことができると規定されています。職員会議は，**校長**が主宰することになっています（学校教育法施行規則第 48 条）。

☑ 学校評議員

学校評議員は，**設置者**❸の判断により，学校に置くことができると規定されています。**校長**の求めに応じ，校長が行う学校経営に関し，意見を述べることができます。

学校評議員には，当該学校の職員以外で，教育に関する理解と識見のある者から委嘱することになります（学校教育法施行規則第 49 条）。

☑ コミュニティ・スクール（学校運営協議会制度）

コミュニティ・スクール（学校運営協議会制度）は，学校と**保護者**や**地域**がともに知恵を出し合い，学校運営に意見を反映させることで，協働しながら子どもの豊かな成長を支え，「地域とともにある学校づくり」を進めるために法律（地方教育行政の組織及び運営に関する法律第 47 条の5）に基づく仕組みです。

コミュニティ・スクール（学校運営協議会制度）では，学校運営に地域の声を積極的に活かし，地域と一体となって**特色ある学校づくり**を進めていくことができます。

学校運営協議会の主な役割としては，以下の点が挙げられます。

①**校長**が作成する学校運営の基本方針を承認する。

②**学校運営に関する意見**を教育委員会または校長に述べることができる。

③**教員や職員の任用**に関して，教育委員会規則に定める事項について，教育委員会に意見を述べることができる。

❸「設置者」
設置者とは，公立学校の場合，当該学校を設置している自治体の教育委員会を指します。

コミュニティ・スクールに関する説明の正誤問題が出題されています。

面接対策

コミュニティ・スクールの特徴について述べてください。

学校評価

傾向&ポイント 「評価」という言葉には，子どもの学習に対する「評価」のことだけではなく，「学校そのもの」を評価する「学校評価」というものもあります。学校評価の目的や種類をおさえておきましょう。

1　学校評価の実施

学校評価の実施

学校は，文部科学大臣の定めるところにより，当該学校の教育活動や，その他の学校運営の状況について「評価」を行うことが規定されています。

学校は，その「評価」の結果に基づいて，学校運営の改善を図るため必要な措置を講ずる❶ことにより，**学校の教育水準の向上**に努めなければなりません（学校教育法第42条）。

学校評価の目的

「**学校評価ガイドライン**」（2016（平成28）年文部科学省）では，以下の３点が示されています。

①**各学校**が，自らの教育活動その他の学校運営について，目指すべき目標を設定し，その達成状況や達成に向けた取組の適切さ等について**評価**することにより，学校として組織的・継続的な改善を図ること。

②**各学校**が，**自己評価**及び**保護者など学校関係者等による評価**の実施とその結果の公表・説明により，適切に**説明責任**❷を果たすとともに，保護者，地域住民等から理解と参画を得て，学校・家庭・地域の連携協力による学校づくりを進めること。

③**各学校の設置者**などが，学校評価の結果に応じて，学校に対する支援や条件整備等の改善措置を講じることにより，**一定水準の教育の質を保証**し，その向上を図ること。

さらに詳しく

❶「評価」を行うためには「目標」が必要です。目標設定から評価，改善策の策定の繰り返しをPDCAサイクルで回していくことが重要です。

❷「説明責任」
アカウンタビリティともいいます。学校評価において重要なキーワードとなります。

2 学校評価の種類

☑ 自己評価

自己評価は，学校評価の最も基本となるものです。**校長のリーダーシップ**のもと，当該学校の全教職員が参加し，設定した目標や具体的計画などに照らして，その達成状況や取り組みの適切さなどについて評価を行うものです。

☑ 学校関係者評価

学校関係者評価は，保護者，学校評議員，地域住民，青少年健全育成関係団体の関係者，接続する学校（小学校に接続する中学校など）の教職員，そのほかの学校関係者などにより構成された委員会などが，その学校の教育活動の**観察**や**意見交換**など❸を通じて，**自己評価の結果について評価する**ことを基本として行うものです。

教職員による自己評価と保護者などによる学校関係者評価は，学校運営の改善を図るうえで不可欠のものとして，有機的・一体的に位置づけるべきものとなっています。

☑ 第三者評価

第三者評価は，学校とその設置者が実施者となり，学校運営に関する外部の専門家を中心とした評価者により，自己評価や学校関係者評価の実施状況も踏まえつつ，教育活動そのほかの学校運営の状況について，専門的視点から評価を行うものです。法令上，実施義務や実施の努力義務を課すものではありません。

3 学校評価の公表

☑ 学校評価の公表・報告

学校評価は以下のように**公表**や**報告**することが学校教育法施行規則にて規定されています。

- **自己評価**の結果を公表すること：第 66 条
- **関係者評価**の結果を公表するよう努めること：第 67 条
- **評価結果**の設置者に報告すること：第 68 条

ここが出た！

学校評価について説明された文章の正誤問題が出題されました。

さらに詳しく

❸つまり，外部アンケートなどの実施のみで学校関係者評価に代えることは適切ではないということです。

面接対策

学校評価にはどのような種類がありますか。

5 指導要録と出席管理

頻出度 B

傾向＆ポイント 学校に備えつけておくべき書類や記録などについて知っておくことが大切です。特に，指導要録の保存期間については正誤問題でも出題されやすいので，チェックしておくとよいでしょう。

1 指導要録

指導要録とは，**児童等の学習や健康の状況**を記録した書類の原本のことです。

☑ 指導要録の作成

校長は，その学校に在学する児童等の指導要録を作成しなければならないと規定されています（学校教育法施行規則第 24 条）。

☑ 進学・転学の場合の処理

進学・転学の際にも，以下の規定があります。

- **校長**は，児童等が**進学**した場合においては，その作成に係る当該児童等の指導要録の**抄本**又は**写し**❶を作成し，これを進学先の**校長**に送付しなければならない（学校教育法施行規則第 24 条第２項）。
- **校長**は，児童等が**転学**した場合においては，その作成に係る当該児童等の指導要録の写しを作成し，その写し及び前項の**抄本**又は**写し**を転学先の**校長**に送付しなければならない（学校教育法施行規則第 24 条第３項）。

❶「抄本又は写し」
「抄本」とは一部を写した書類のこと。「写し」とは，簡単にいえば「コピー」です。つまり，指導要録の「原本」は送付しないということです。

☑ 指導要録の保存期間

指導要録の保存期間は，以下の通り規定されています（学校教育法施行規則第 28 条第２項）

- **表簿**は，**５年間**。
- 指導要録及びその写しのうち入学，卒業等の**学籍に関する記録**❷については，**20 年間**。

❷「学籍に関する記録」
児童生徒の氏名・性別・生年月日・保護者の氏名・現住所などが記載されています。

2 出席管理

☑ 出席状況

校長は，常に，その学校に在学する児童生徒の出席状況を明らかにしておかなければならないと規定されています(学校教育法施行令第19条)。

また，在学する児童生徒が，休業日を除き引き続き**7日間出席せず**，その他その出席状況が良好でない場合において，その出席させないことについて保護者に正当な事由がないと認められるときは，速やかに，その旨を当該児童生徒の住所の存する市町村の教育委員会に通知しなければならないと決められています（学校教育法施行令第20条)。

☑ 出席簿の作成

校長は，在学する児童等について**出席簿**を作成しなければならないと規定されています（学校教育法施行規則第25条)。

学校表簿について，法令に照らした正誤問題が出題されています。

3 備付表簿（学校表簿)

学校において備えておかなければならない書類や記録などを，**備付表簿（学校表簿)**❸といいます。学校教育法施行規則第28条において以下のものが定められています。

①学校に関係のある法令

②学則，日課表，教科用図書配当表，学校医執務記録簿，学校歯科医執務記録簿，学校薬剤師執務記録簿，学校日誌

③職員の名簿，履歴書，出勤簿，担任学級，担任の教科・科目，時間表

④指導要録，指導要録の写し，抄本，出席簿，健康診断に関する表簿

⑤入学者の選抜・成績考査に関する表簿

⑥資産原簿，出納簿，経費の予算決算についての帳簿，図書機械器具，標本，模型等の教具の目録　など

さらに詳しく

❸「通知表」は学校表簿に入っていません。つまり，通知表は法的な位置づけのあるものではないということです。

面接対策

学校に備えておかなければならない書類や記録には，どのようなものがありますか。

学校保健・安全

傾向&ポイント 学校保健や安全に関する制度は，児童生徒が健康的で安全な生活を送るうえで基盤となるものです。特に健康診断と，感染症予防に関する出題は頻出ですので，チェックしておきましょう。

1 学校保健

☑ 学校保健安全法の目的

この法律は，学校における**児童生徒等及び職員**の**健康の保持増進**を図るため，学校における保健管理に関し必要な事項を定めるとともに，学校における教育活動が安全な環境において実施され，**児童生徒等の安全の確保**が図られるよう，学校における**安全管理**に関し必要な事項を定め，もつて学校教育の円滑な実施とその成果の確保に資することを目的とするとされています（学校保健法第１条）。

☑ 健康相談

学校においては，児童生徒等の心身の健康に関し，**健康相談**❶を行うものとされています（学校保健法第８条）。

ことば

❶「健康相談」
学校における健康相談の目的は，児童生徒の心身の健康に関する問題について，児童生徒や保護者などに対して，関係者が連携し相談などを通して問題の解決を図り，学校生活によりよく適応していけるように支援していくことです。

2 健康診断

☑ 健康診断

学校においては，別に法律で定めるところにより，幼児，児童，生徒及び学生並びに職員の健康の保持増進を図るため，健康診断を行い，その他その保健に必要な措置を講じなければならないとされています（学校教育法第 12 条）。

☑ 就学時健康診断

学校保健安全法第 11 条，第 12 条において，就学時の健康診断を行わなければならないと規定されています（⇒ P.165 ）。

児童生徒の健康診断

学校においては，毎学年定期に，**児童生徒の健康診断**❷を行わなければならないと規定されています（学校保健安全法第13条）。

実施期間としては，毎学年，**6月30日まで**に行うものとされています（学校保健安全法施行規則第5条）。

職員の健康診断

学校の設置者は，毎学年定期に，学校の職員の健康診断を行わなければならないと規定されています（学校保健安全法第15条第1項）。

さらに詳しく

❷児童生徒の健康診断票は，5年間保存しなければなりません。

ここが出た！

健康診断の内容についての正誤問題が出題されました。

3　感染症の予防

出席停止

校長は，**感染症**にかかっている，かかっている疑いがある，かかるおそれのある児童生徒がいるときは，**出席を停止**させることができるとされています（学校保健安全法第19条）。

臨時休業

学校の設置者は，感染症の予防上必要があるときは，臨時に，学校の全部または一部の**休業**を行うことができるとされています（学校保健安全法第20条）。

4　学校安全

学校安全計画の策定

学校においては，学校における**安全に関する事項について計画**❸を策定し，これを実施しなければならないと規定されています（学校保健安全法第27条）。

危険等発生時対処要領の作成等

学校においては，当該学校の実情に応じて，危険等発生時において当該学校の職員がとるべき措置の具体的内容及び手順を定めた対処要領（**危険等発生時対処要領**）を作成するものと規定されています（学校保健安全法第29条）。

さらに詳しく

❸安全点検は，毎学期1回以上行うことになっています。

面接対策

子どもの健康や安全に関する学校の取り組みには，どのようなものがありますか。

学校給食

傾向&ポイント 学校教育に関する総合的な設問の中に，学校給食に関する事項が含まれることがあります。学校給食の目的や経費の負担などについて，法令や規則ではどのように決まっているのかをおさえておきましょう。

1　学校給食の意義・目標

☑ 学校給食の意義

学校給食は，児童生徒の心身の健全な発達に資するものであり，かつ，児童生徒の**食に関する正しい理解**と適切な判断力を養う上で重要な役割を果たすものとされています(学校給食法第１条)。

☑ 学校給食の目標

学校給食を実施するに当たっては，義務教育諸学校における教育の目的を実現するために，次に掲げる目標が達成されるよう努めなければならないと規定されています（学校給食法第２条)。

①**適切な栄養の摂取**による**健康の保持増進**を図ること❶。

②日常生活における**食事について正しい理解**を深め，**健全な食生活**を営むことができる判断力を培い，及び**望ましい食習慣**を養うこと。

③学校生活を豊かにし，**明るい社交性**及び**協同の精神**を養うこと。

④食生活が**自然の恩恵**の上に成り立つものであることについての理解を深め，**生命及び自然を尊重する精神**並びに**環境の保全**に寄与する態度を養うこと。

⑤食生活が食にかかわる人々の様々な活動に支えられていることについての理解を深め，**勤労を重んずる態度**を養うこと。

⑥我が国や各地域の優れた**伝統的な食文化**についての理解

さらに詳しく
❶栄養教諭は，児童生徒の「栄養の指導及び管理をつかさどる者」です。

を深めること。
⑦**食料の生産**，**流通及び消費**について，正しい理解に導くこと。

2　学校給食の実施

☑ 学校設置者の任務

義務教育諸学校の設置者は，当該義務教育諸学校において学校給食❷が実施されるように努めなければならないと規定されています（学校給食法第４条）。「努めなければならない」ということは，学校給食を実施することは「義務ではない」ということです。

☑ 経費の負担

学校給食の実施に必要な施設・設備に要する経費，学校給食の運営に要する経費のうち，政令で定めるもの❸は，義務教育諸学校の**設置者**の負担とするとされています。

一方，経費以外の学校給食に要する経費（学校給食費）は，学校給食を受ける児童生徒の**保護者**の負担とするとされています（学校給食法第 11 条）。

3　食育基本法

☑ 食育基本法

食育について，以下の基本理念が示されています。
①国民の心身の健康の増進と豊かな人間形成
②食に関する感謝の念と理解
③食育推進運動の展開
④子どもの食育における保護者，教育関係者等の役割
⑤食に関する体験活動と食育推進活動の実践
⑥伝統的な食文化，環境と調和した生産等への配慮及び農山漁村の活性化と食料自給率の向上への貢献
⑦食品の安全性の確保等における食育の役割

❷「学校給食」
学校給食では，児童生徒が食べる前に，責任者（主に校長）が検食を行っています。

さらに詳しく

❸「政令で定めるもの」とは，①学校給食に従事する県費負担教職員を除く職員の人件費②学校給食の実施に必要な施設・設備の修繕費のことを指します。

食育の観点を踏まえた学校給食についての正誤問題が出題されました。

面接対策

学校給食では，どのようなことを子どもに指導しますか。

教科書と著作権

頻出度 A

傾向&ポイント 教科書と著作権は頻出の分野です。著作権については，具体的な事例をもとにした出題もみられます。法令をもとにして，具体的にイメージしながら学んでいくとよいでしょう。

1 教科書と補助教材

教科書の定義

教育課程の構成に応じて組織排列された教科の主たる教材として，教授の用に供せられる児童生徒用図書❶のことです。そして，**文部科学大臣の検定を経たもの，文部科学省が著作の名義を有するもの**という条件がつくことが定められています❷（教科書の発行に関する臨時措置法第２条第１項）。

❶「児童生徒用図書」
教科書は，正式には「教科用図書」といいます。

さらに詳しく

❷特別支援学校や特別支援学級では，ほかの適切な一般図書を教科書として使用することができます。

教科書の使用義務

学校においては，教科書を使用しなければならないことが定められています（学校教育法第 34 条）。

デジタル教科書

紙の教科書の内容すべてをそのまま記録した，電磁的記録である教材のことをいいます。教科書に代えてデジタル教科書を使用することができる規定があります（学校教育法第 34 条）。

デジタル教材

動画・音声やアニメーションなどのコンテンツは，学習者用デジタル教科書ではありません。学校教育法第 34 条第４項に規定される教材（**補助教材**）です。

教科書の給与

義務教育諸学校の教科用図書は，**無償**となっています（義務教育諸学校の教科用図書の無償に関する法律第１条）。

教科書の採択

区市町村立の公立学校の場合は，その**設置者**の教育委員会が採択することになっています（地方教育行政の組織及び運営に関する法律 21 条）。

補助教材

教科書以外の教材のことをいいます。あらかじめ**教育委員会に届け出る**ことが定められています（地方教育行政の組織及び運営に関する法律 33 条）。

2 著作権

著作物を**複製（コピー）**するときには原則として**著作権者の了解（許諾）**を得る必要があります。ただし学校では，その公共性から例外的に著作権者の了解（許諾）を得ることなく**一定の範囲で自由に利用すること**ができます❸。

授業における複製の使用

必要と認められる限度において，公表された著作物を複製することができます（著作権法第 35 条）。ただし，以下の点に留意が必要です。

①授業を担当する教員やその授業を受ける児童生徒がコピーすること。
②本人（教員または児童生徒）の授業で使用すること。
③コピーは，授業で必要な限度内の部数であること。
④既に公表された著作物であること。
⑤その著作物の種類や用途などから判断して，著作権者の利益を不当に害しないこと。
⑥原則として著作物の題名，著作者名などの「出所の明示」をすること。

学校行事等において他人の作品を上演，演奏，上映・口述（朗読等）する場合

営利を目的とせず，かつ，**聴衆や観衆から料金を受けない場合**には，公に上演し，演奏し，上映し，または口述することができるとされています（著作権法第 38 条）。

さらに詳しく

❸具体的な事例については「学校における教育活動と著作権」（文化庁長官官房著作権課）を参照してください。

ここが出た！

著作権法第 35 条の規定に関する正誤問題や穴埋め問題が出題されています。

面接対策

アニメのキャラクターを授業で使用することについて，著作権の観点から是非を述べてください。

学校教育の情報化

傾向&ポイント 学校教育の情報化の推進に関する法律は，まだ新しい法律のため過去問ではあまりみられませんが，今後出題される可能性が高いと考えられます。法律のポイントをおさえておきましょう。

1 学校教育の情報化の推進に関する法律の概要

☑ 学校教育の情報化の推進に関する法律

2019（令和元）年に公布，施行された法律です。**学校教育の情報化**を進めることによって，すべての児童生徒がICTによる効果的な教育を受けられるようにする環境整備について定められています。

学校教育の情報化の推進に関する法律第３条の穴埋め問題が出題されました。

☑ 学校教育の情報化とは（第２条）

学校教育の情報化について，以下の点が示されています。

①**学校の各教科等の指導等**における**情報通信技術の活用**

②学校における**情報教育の充実**

③**学校事務**における**情報通信技術の活用**

☑ 学校教育の情報化の推進（第３条）

学校教育の情報化の推進について，以下の点が示されています。

①各教科等の指導等において，情報や情報手段を主体的に選択し，情報を活用する能力の体系的な育成，その他の知識及び技能の習得等が効果的に図られるよう行われなければならない。

②**デジタル教科書**❶や**デジタル教材**を活用した学習，その他の情報通信技術を活用した学習と**デジタル教材以外の教材を活用した学習，体験学習等**とを**適切に組み合わせる**こと等により，多様な方法による学習が推進されるよう行われなければならない。

③全ての児童生徒が，その家庭の経済的な状況，居住する

❶「デジタル教科書」
学習者用デジタル教科書は，紙の教科書と異なり，その使用が義務づけられるものではありません。

地域，障害の有無等にかかわらず，等しく，学校教育の情報化の恵沢を享受し，もって**教育の機会均等**が図られるよう行われなければならない❷。

④情報通信技術を活用した**学校事務の効率化**❸により，学校の教職員の負担が軽減され，児童生徒に対する教育の充実が図られるよう行われなければならない。

⑤児童生徒による情報通信技術の利用が児童生徒の**健康，生活等に及ぼす影響**に十分配慮して行われなければならない。

さらに詳しく
❷例えば，へき地や入院中の子どもに教育の機会を開くことが考えられます。

さらに詳しく
❸例えば，家庭との連絡や提出物のやりとりなどをインターネット経由にすることで，校務の負担は大幅に軽減されます。

2 学校教育情報化推進計画

☑ 学校教育情報化推進計画（第８条）

学校教育情報化推進計画は，次に掲げる事項について定めるものとされています。

一　学校教育の情報化の推進に関する基本的な方針
二　学校教育情報化推進計画の期間
三　学校教育情報化推進計画の目標
四　学校教育の情報化の推進に関する施策に関し総合的かつ計画的に講ずべき施策
五　前各号に掲げるもののほか，学校教育の情報化の推進に関する施策を総合的かつ計画的に推進するために必要な事項

☑ 都道府県学校教育情報化推進計画等（第９条）

①都道府県は，学校教育情報化推進計画を基本として，その都道府県の区域における学校教育の情報化の推進に関する施策についての計画(都道府県学校教育情報化推進計画)を定めるよう努めなければならない。

②市町村は，学校教育情報化推進計画や都道府県学校教育情報化推進計画を基本として，その市町村の区域における学校教育の情報化の推進に関する施策についての計画（市町村学校教育情報化推進計画）を定めるよう努めなければならない。

面接対策
学校教育の情報化にあたり，どのようなことが必要だと考えますか。

10 いじめ防止対策推進法

頻出度 A

傾向＆ポイント いじめ防止対策推進法の条文は頻出です。自治体によっては，論述や面接でも取り上げられることが多くあります。採用試験では，持論は求められていません。法律に基づいた公的な見解を有しているかが問われます。

1 いじめ防止対策推進法の目的

社会総がかりで**いじめ**に対峙していくための基本的な理念や体制を整備する法律の制定の必要性から，2013（平成25）年に公布・施行されました。

☑ 目的（第1条）

この法律は，いじめが，**いじめを受けた児童等の教育を受ける権利を著しく侵害**し，その**心身の健全な成長及び人格の形成に重大な影響を与える**のみならず，その**生命**又は**身体に重大な危険を生じさせるおそれがある**ものであることに鑑み，児童等の**尊厳**を保持するため，**いじめの防止**等のための対策に関し，基本理念を定め，国及び地方公共団体等の責務を明らかにし，並びに**いじめの防止**等のための対策に関する基本的な方針の策定について定めるとともに，**いじめの防止**等のための対策の基本となる事項を定めることにより，**いじめの防止**等のための対策を総合的かつ効果的に推進することを目的とする。

いじめ防止対策推進法第1条は，正誤問題や穴埋め問題で特に出題されています。

☑ いじめの定義（第2条）

この法律において「**いじめ**」とは，児童等に対して，当該児童等が在籍する学校に在籍している等当該児童等と一定の人的関係にある他の児童等が行う**心理的又は物理的な影響を与える行為**（インターネットを通じて行われるものを含む。）であって，当該行為の対象となった児童等が**心身の苦痛**❶を感じているものをいう。

❶「心身の苦痛」
何かしらの行為によって「苦痛を感じる」ことがある場合は「いじめ」となります。つまり「いじめられた側」が心身の苦痛を感じているかどうかがポイントとなります。

2　いじめ防止対策推進法の内容

☑ いじめ防止基本方針等

国，地方公共団体，学校はそれぞれいじめ防止基本方針等を定めることが規定されています。

- **文部科学大臣**：いじめ防止基本方針（第 11 条）。
- **地方公共団体**：地方いじめ防止基本方針（第 12 条）。
- **学校**：学校いじめ防止基本方針（第 13 条）

☑ いじめの早期発見のための措置（第 16 条）

学校の設置者，学校は，いじめを早期に発見するため，在籍する児童生徒に対して，**定期的な調査**や**相談体制の整備**を行うことが規定されています。

☑ いじめに対する措置（第 23 条）

特に，学校においては以下の点が規定されている点に留意が必要です。

- **児童生徒がいじめを受けていると思われるとき**…**いじめの事実の有無の確認を行うための措置**❷を講ずる。その結果を当該学校の設置者に報告する。
- **いじめの再発の防止のため**…学校の複数の教職員❸によって，心理，福祉等に関する専門的な知識を有する者の協力を得つつ，児童やその保護者に対する支援・指導・助言を行う。
- **いじめを行った側の児童生徒への措置**…いじめを受けた児童生徒が**安心して教育を受けられるようにするために必要な措置**を講ずる。
- **保護者間での争いごとの防止**…いじめの事案に係る情報をこれらの保護者と共有するための措置を講ずる。
- **いじめが犯罪行為として取り扱われるべきものであると認めるとき**…所轄警察署と連携してこれに対処するものとし，当該学校に在籍する児童等の生命，身体または財産に重大な被害が生じるおそれがあるときはただちに所轄警察署に通報し，適切に，援助を求める。

さらに詳しく

❷いじめを受けた児童生徒を守り通すということを教職員が言葉や態度で示すことが重要です。

さらに詳しく

❸学級担任等，一人の教員が抱えることがないようにするということでもあります。「学校におけるいじめの防止等の対策のための組織」については第 22 条に記載があります。

面接対策

いじめをなくすためにどのような取り組みが必要ですか。

11 教育機会の確保

頻出度 B

傾向&ポイント 不登校児童生徒への対応に関する問題と関連して出題されることがあります。学校での不登校児童生徒への対応の基本となる法律ですので，面接や論文でも，この法律をもとに論ずることが必要です。

1 教育機会確保法の目的

2016（平成 28）年，「**義務教育の段階における普通教育に相当する教育の機会の確保等に関する法律**」が制定されました。通称「**教育機会確保法**」❶と呼ばれます。

個々の不登校児童生徒の状況に応じた必要な支援などに関する内容を定めた法律ですが，不登校児童生徒だけではなく，夜間などにおいて授業を行う学校（夜間中学校など）における**就学機会の提供**などについても扱われています。

さらに詳しく

❶この法律を受けて，2019（令和元）年に文部科学省より「不登校児童生徒への支援の在り方について（通知）」が出されています。こちらもチェックしておきましょう。

☑ 教育機会確保法の目的（第1条）

この法律は，教育基本法及び児童の権利に関する条約等の教育に関する条約の趣旨にのっとり，教育機会の確保等に関する施策に関し，基本理念を定め，並びに国及び地方公共団体の責務を明らかにするとともに，基本指針の策定その他の必要な事項を定めることにより，教育機会の確保等に関する施策を総合的に推進することを目的とする。

2 不登校児童生徒・教育機会の確保等の定義

不登校児童生徒への支援に対する基本的な考え方として，この法律に基づく内容の正誤問題が出題されました。

☑ 不登校児童生徒の定義

「**相当の期間学校を欠席する児童生徒**であって，学校における集団の生活に関する心理的な負担その他の事由のために就学が困難である状況として文部科学大臣が定める状況にあると認められるもの」とされています（第2条）。

☑ 教育機会の確保等の定義

「不登校児童生徒に対する教育の機会の確保，夜間その他特別な時間において授業を行う学校における就学の機会の提供その他の義務教育の段階における普通教育に相当する**教育の機会の確保**及び当該教育を十分に受けていない者に対する支援をいう」とされています（第2条）。

3 不登校児童生徒に関する教育の機会

☑ 学校以外の場における学習活動

「国及び地方公共団体は，不登校児童生徒が**学校以外の場**❷において行う学習活動の状況，不登校児童生徒の心身の状況その他の不登校児童生徒の状況を継続的に把握するために必要な措置を講ずるもの」とされています（第12条）。

❷「学校以外の場」
例えば，教育支援センター，不登校特例校，フリースクールなどが考えられます。

☑ 学校以外の場における学習活動等を行う不登校児童生徒に対する支援

「国及び地方公共団体は，不登校児童生徒が学校以外の場において行う**多様で適切な学習活動の重要性**に鑑み，個々の不登校児童生徒の**休養の必要性**❸を踏まえ，当該不登校児童生徒の状況に応じた学習活動が行われることとなるよう，当該不登校児童生徒及びその保護者に対する必要な**情報の提供**，**助言その他の支援**を行うために必要な措置を講ずるもの」とするとされています（第13条）。

❸「休養の必要性」
児童生徒によっては，不登校の時期が休養や自分を見つめ直すなど，積極的な意味をもつことがあると考えられます。

4 その他の学校における就学の機会

☑ 就学の機会の提供等

「地方公共団体は，学齢期を経過した者であって学校における就学の機会が提供されなかったもののうちにその機会の提供を希望する者が多く存在することを踏まえ，**夜間その他特別な時間において授業を行う学校**における就学の機会の提供その他の必要な措置を講ずるもの」とするとされています（第14条）。

面接対策

あなたの学級に不登校児童・生徒が在籍していたら，どのような対応をすべきだと思いますか。

12 虐待の防止

頻出度 B

傾向&ポイント 児童虐待が社会問題化している現状において，教員にもその知識が求められています。特に児童虐待の早期発見や通告に関することは，学校において大きく求められるところなのでチェックしておきましょう。

1 児童福祉法

1947（昭和 22）年に制定されました。

総則（第１条，第２条）

- 全て**児童**❶は，児童の権利に関する条約の精神にのっとり，適切に養育されること，その生活を保障されること，愛され，保護されること，その心身の健やかな成長及び発達並びにその自立が図られることその他の福祉を等しく保障される権利を有する（第１条）
- 全て**国民**は，児童が良好な環境において生まれ，かつ，社会のあらゆる分野において，児童の年齢及び発達の程度に応じて，その意見が尊重され，その最善の利益が優先して考慮され，心身ともに健やかに育成されるよう努めなければならない（第２条）

❶「児童」
ここでいう「児童」とは，18 歳に満たない者をいいます。

2 児童虐待防止法

2000（平成 12）年に制定されました。正式名称は「**児童虐待の防止等に関する法律**」です。

児童虐待の定義（第２条）

「**児童虐待**」とは，保護者がその監護する児童について行う次に掲げる行為のことと定義されています。

①児童の身体に外傷が生じ，または生じるおそれのある**暴行**を加えること。→身体的虐待

②児童に**わいせつ**な行為をすること，または児童をしてわいせつな行為をさせること。→性的虐待

③児童の心身の正常な発達を妨げるような著しい減食，または長時間の放置，その他の保護者としての**監護を著しく怠ること**[2]。→ネグレクト

④児童に対する著しい**暴言**，または著しく**拒絶的な対応**，児童が同居する家庭における配偶者に対する暴力，その他の児童に著しい**心理的外傷を与える言動**を行うこと。→心理的虐待

☑ 児童虐待の早期発見（第５条）

学校は，児童虐待を発見しやすい立場にあることを自覚し，**児童虐待の早期発見**に努めなければならないとされています。

☑ 児童虐待の通告義務（第６条）

児童虐待を受けたと思われる児童を発見した者は，速やかに，これを市町村，都道府県の設置する**福祉事務所**もしくは**児童相談所**[3]または児童委員を介して市町村，都道府県の設置する福祉事務所もしくは児童相談所に通告しなければならないとされています。

3 学校・教育委員会向け虐待対応の手引き

文部科学省より発行されています。2020（令和２）年改訂版では，以下の点が示されています。

①学校等及びその設置者においては，保護者から情報元に関する開示の求めがあった場合には，情報元を保護者に伝えないこととするとともに，**児童相談所**等と連携しながら対応すること。

②保護者から，学校等及びその設置者に対して威圧的な要求や暴力の行使等が予測される場合には,速やかに市町村・児童相談所・警察等の関係機関や弁護士等の専門家と情報共有することとし，**関係機関**が連携し対応すること。

③要保護児童等が休業日を除き，引き続き**７日以上欠席**した場合には，理由の如何にかかわらず速やかに市町村又は児童相談所に情報提供すること。

さらに詳しく

❷「ネグレクト」といわれます。「病気をしても病院に連れていかない」「ひどく不潔のままにする」といったことも含まれます。

❸「児童相談所」

児童相談所では，虐待などにより児童を緊急に保護する必要がある場合，一時保護を行うことがあります。

児童虐待の対応について説明した文章の正誤問題が出題されています。

面接対策

児童虐待が疑われる児童生徒を発見したときに，どのように対応しますか。

13 障害者の権利

傾向&ポイント 特別支援教育に関する説明と関連して，「障害者の権利に関する条約」「障害を理由とする差別の解消に関する法律」「発達障害者支援法」などの法令が出題されることがあります。これらの法令についても理解しておきましょう。

頻出度 B

1 障害者の権利に関する条約

日本では，2007（平成 19）年にこの条約に署名し，2014（平成 26）年より効力が発生しました。

合理的配慮（第２条）

障害者が他の者との平等を基礎として全ての人権及び基本的自由を享有し，又は行使することを確保するための**必要かつ適当な変更及び調整**❶であって，特定の場合において必要とされるものであり，かつ，**均衡を失した又は過度の負担を課さないもの。**

❶「必要かつ適当な変更及び調整」
例えば，「視力の弱い子どもの座席を教室の前方にする」といった配慮は，「合理的配慮」にあたります。

2 障害を理由とする差別の解消の推進に関する法律

通称「**障害者差別解消法**」といわれます。2016（平成 28）年から施行されました。

障害者の定義（第２条）

身体障害，知的障害，精神障害（発達障害を含む。）その他の心身の機能の障害がある者であって，**障害**及び**社会的障壁**により継続的に**日常生活又は社会生活に相当な制限を受ける状態にあるもの**をいう。

障害者差別解消法に関する説明についての正誤問題が出題されました。

行政機関等における合理的配慮（第７条）

行政機関等は，その事務又は事業を行うに当たり，障害者から現に社会的障壁の除去を必要としている旨の意思の表明があった場合において，その実施に伴う負担が過重でないときは，障害者の権利利益を侵害することとならないよう，当該障害者の性別，年齢及び障害の状態に応じて，

社会的障壁の除去の実施について必要かつ**合理的な配慮**をしなければならない。

3 発達障害者支援法

2005（平成17）年に制定されました。

☑ 基本理念

この法律は，**発達障害者**[2]の心理機能の適正な発達及び円滑な社会生活の促進のために発達障害の症状の発現後できるだけ早期に発達支援を行うとともに，切れ目なく発達障害者の支援を行うことが特に重要であることに鑑み，障害者基本法の基本的な理念にのっとり，発達障害者が基本的人権を享有する個人としての尊厳にふさわしい日常生活又は社会生活を営むことができるよう，発達障害を早期に発見し，発達支援を行うことに関する国及び地方公共団体の責務を明らかにするとともに，**学校教育における発達障害者への支援**，発達障害者の就労の支援，発達障害者支援センターの指定等について定めることにより，発達障害者の自立及び社会参加のためのその生活全般にわたる支援を図り，もって全ての国民が，障害の有無によって分け隔てられることなく，**相互に人格と個性を尊重し合いながら共生する社会の実現**に資することを目的とする。

☑ 発達障害の教育について（第8条）

国及び地方公共団体は，発達障害児が，その年齢及び能力に応じ，かつ，その**特性**を踏まえた十分な教育を受けられるようにするため，**可能な限り発達障害児が発達障害児でない児童と共に教育を受けられるよう配慮**しつつ，**適切な教育的支援**を行うこと，**個別の教育支援計画**[3]の作成及び**個別の指導に関する計画**の作成の推進，いじめの防止等のための対策の推進その他の支援体制の整備を行うことその他必要な措置を講じるものとする。

さらに詳しく

❷ 2022年の文部科学省の全国調査では，公立の小・中学校のうち発達障害の可能性のある児童生徒が8.8%いると報告されています。

面接対策

障害のある児童生徒に対して，どのような配慮や支援が考えられますか。

さらに詳しく

❸通級による指導を受けている児童生徒や，特別支援学級・特別支援学校に在籍する児童生徒については，「個別の教育支援計画」を作成する義務があります。

14 子どもの貧困

頻出度 C

傾向&ポイント 子どもを取り巻く環境の中で，「子どもの貧困」もまた社会問題化しているものの一つです。子どもを理解し，支援していくために，子どもの貧困を防ぐための法令などについて理解を図りましょう。

1 子どもの貧困対策の推進に関する法律

ここが出た！

「子どもの貧困対策の推進に関する法律」の穴埋め問題が出題されました。

2013（平成25）年に制定され，2019（令和元）年に改正されました。

目的（第1条）

この法律は，子どもの現在及び将来がその生まれ育った環境によって左右されることのないよう，全ての子どもが心身ともに健やかに育成され，及びその教育の機会均等が保障され，子ども一人一人が夢や希望を持つことができるようにするため，子どもの貧困の解消に向けて，**児童の権利に関する条約**❶の精神にのっとり，**子どもの貧困対策**に関し，基本理念を定め，国等の責務を明らかにし，及び子どもの貧困対策の基本となる事項を定めることにより，子どもの貧困対策を総合的に推進することを目的とする。

ことば

❶「児童の権利に関する条約」
1989（平成元）年に国連総会において採択され，日本は，1990（平成2）年にこの条約に署名し，1994（平成6）年に批准を行いました。

基本理念（第2条）

子どもの貧困対策は，社会のあらゆる分野において，子どもの年齢及び発達の程度に応じて，その意見が尊重され，その最善の利益が優先して考慮され，**子どもが心身ともに健やかに育成されること**を旨として，推進されなければならない。

子どもの貧困対策は，子ども等に対する**教育の支援**，**生活の安定に資するための支援**，**職業生活の安定と向上に資するための就労の支援**，**経済的支援**等の施策を，子どもの現在及び将来がその生まれ育った環境によって左右されることのない社会を実現することを旨として，子ども等の生活及び取り巻く環境の状況に応じて包括的かつ早期に講ずることにより，推進されなければならない。

2　子供の貧困対策に関する大綱

2019（令和元）年に，子どもの貧困対策を総合的に推進するため，政府が新たに策定しました。

☑ **地域に開かれた子どもの貧困対策のプラットフォームとしての学校指導・運営体制の構築**

- スクールソーシャルワーカー[2]や**スクールカウンセラー**が機能する体制の構築等
- 学校教育による**学力保障**

☑ **高等学校等における修学継続のための支援**

- 高校中退の予防のための取組
- 高校中退後の支援

☑ **大学等進学に対する教育機会の提供**

- 高等教育の修学支援

☑ **特に配慮を要する子どもへの支援**

- **児童養護施設**等[3]の子どもへの学習・進学支援
- 特別支援教育に関する支援の充実

☑ **教育費負担の軽減**

- 義務教育段階の**就学支援**の充実
- 高校生等への修学支援等による経済的負担の軽減
- 生活困窮世帯等への進学費用等の負担軽減
- ひとり親家庭への進学費用等の負担軽減

☑ **地域における学習支援等**

- 地域学校協働活動における学習支援等
- 生活困窮世帯等への学習支援

☑ **その他の教育支援**

- 学生支援ネットワークの構築
- 夜間中学の設置促進・充実
- 学校給食を通じた子どもの食事・栄養状態の確保
- 多様な体験活動の機会の提供

❷「スクールソーシャルワーカー（SSW）」学校における「福祉」の専門家です。

さらに詳しく

❸児童福祉法に定められた児童福祉施設のひとつです。児童養護施設は予期できない災害や事故，親の離婚や病気，また不適切な養育を受けているなど様々な事情により，家族による養育が困難な子どもにとっての，家庭に代わる子どもの家です。

面接対策

「子どもの貧困」に関する取り組みにはどのようなものがありますか。

15 児童生徒に対する懲戒

頻出度 A

傾向&ポイント 児童生徒に対して教育上の観点から懲戒を講じることがあります。しかし，認められる懲戒と，認められない懲戒があります。それは法令に基づいて判断されるということを理解しておきましょう。

1 学校における懲戒

公立学校における出席停止や懲戒に関する記述の正誤問題が出題されました。

学校における懲戒とは，**児童生徒の教育上必要**があると認められるときに，児童生徒を叱責したり，処罰したりすることです。

また，**学校の秩序の維持のため**に行われる場合もあります。懲戒は，制裁としての性質がありますが，学校における教育目的を達成するために行われるものであり，**教育的配慮**のもとに行われるべきものです。

☑ 事実行為としての懲戒

児童生徒を叱責したり，起立や居残りを命じたり，宿題や清掃を課すことや訓告❶を行うことなどについては，懲戒として一定の効果を期待できますが，これらは児童生徒の教育を受ける地位や権利に変動をもたらすような法的な効果を伴わないので，**事実行為としての懲戒**❷と呼ばれています。

❶「訓告」
厳しく戒め諭すこと。

さらに詳しく

❷殴る，蹴るなどの身体に対する侵害は，事実行為としての懲戒でも「行き過ぎたもの」として「体罰」にあたります。

☑ 法的効果を伴う懲戒

児童生徒の教育を受ける地位や権利に変動をもたらす懲戒として，退学と停学があります。**退学**は，児童生徒の教育を受ける権利を奪うものであり，**停学**はその権利を一定期間停止するものです。

☑ 懲戒に対する根本規定（学校教育法第 11 条）

校長及び教員は，教育上必要があると認めるときは，文部科学大臣の定めるところにより，児童，生徒及び学生に懲戒を加えることができる。ただし，体罰を加えることはできない。

☑ **懲戒を加えるに当たっての配慮等（学校教育法施行規則第26条）**

校長及び教員が児童等に懲戒を加えるに当つては，児童等の心身の発達に応ずる等教育上必要な配慮をしなければならない。

懲戒のうち，退学，停学及び訓告の処分は，校長が行う。

☑ **懲戒の手続**

懲戒の手続について法令上の規定はありませんが，懲戒を争う訴訟や損害賠償請求訴訟が提起される場合もありえます。児童生徒への懲戒に関する基準について，あらかじめ明確化し，児童生徒や保護者に周知し，家庭等の理解と協力を得るように努めることが重要です。

2　退学

退学処分を行えるのは国立・私立の小学校・中学校，高等学校，高等専門学校，大学です。**公立の義務教育を行う学校では行うことができません。**

学校教育法施行規則第26条第3項では，退学処分を行える場合として，以下を例示しています。

①**性行不良**❸で改善の見込がないと認められる者
②学力劣等で成業の見込がないと認められる者
③正当の理由がなくて出席常でない者
④学校の秩序を乱し，その他学生または生徒としての本分に反した者

3　停学

義務教育段階では行うことはできません。停学と「性行不良による出席停止」は混同されやすいですが，それぞれ目的が異なります。「停学」はあくまでも「**懲戒のため**」です。「性行不良による出席停止」は，「**他の児童生徒の教育を受ける権利を保障するため**」という目的になります。

さらに詳しく

❸「性行不良」とは具体的には学校教育法35条に示されている以下の行為のことを指します。①他の児童に傷害，心身の苦痛又は財産上の損失を与える行為②職員に傷害又は心身の苦痛を与える行為③施設又は設備を損壊する行為④授業その他の教育活動の実施を妨げる行為

面接対策

児童生徒に懲戒を行う場合には，どのような点に留意することが必要ですか。

16 体罰

頻出度 B

傾向＆ポイント　体罰は禁止されている事項だということは，多く人の知るところです。しかし，教師のとった行為が体罰にあたるかどうかを具体的に判断するためには，一定の基準について理解しておく必要があります。

1　懲戒と体罰

文部科学省が 2013（平成 25）年に通知した「**体罰の禁止及び児童生徒理解に基づく指導の徹底について（通知）**」が参考となります。

☑ 体罰の禁止及び懲戒

体罰は，**学校教育法第 11 条**において**禁止**されています。教員等は，児童生徒への指導に当たり，いかなる場合も体罰を行ってはなりません。体罰は，**違法行為**であるのみならず，**児童生徒の心身に深刻な悪影響**❶を与え，**教員等及び学校への信頼を失墜させる行為**❷であるとされています。

☑ 懲戒と体罰の区別

諸条件を客観的に考慮して判断すべきとされています。その懲戒の内容が**身体的性質**のもの，すなわち，**身体に対する侵害**を内容とするもの（殴る，蹴る等），児童生徒に**肉体的苦痛**を与えるようなものは，体罰に該当します。

☑ 正当防衛及び正当行為について

児童生徒から教員等に対する暴力行為に対して，教員等が**防衛**のためにやむを得ずした有形力の行使は，**体罰には該当しない**とされています。

他の児童生徒に被害を及ぼすような暴力行為に対して，これを**制止**したり，目前の**危険を回避**したりするためにやむを得ずした有形力の行使についても，同様に体罰にあたらないとされています。これらの行為については，正当防衛または正当行為となります。

さらに詳しく

❶精神的な暴力は，人の記憶に一生残り，心の傷となることがあります。

❷「教員等及び学校への信頼を失墜させる行為」
その職の信用を傷つけ，職員全体の不名誉となる行為のため「信用失墜行為」と呼ばれます。

児童生徒への懲戒とあわせて，体罰に関する記述の正誤問題が出題されました。

2　懲戒・体罰に関わる参考事例

身体に対する侵害を内容とするもの[3]

- 体育の授業中，危険な行為をした児童の背中を足で踏みつける。
- 帰りの会で足をぶらぶらさせて座り，前の席の児童に足をあてた児童を，突き飛ばして転倒させる。
- 授業態度について指導したが，反抗的な言動をした複数の生徒らの頬を平手打ちする。
- 立ち歩きの多い生徒を叱ったが聞かず，席につかないため，頬をつねって席につかせる。
- 生徒指導に応じず，下校しようとしている生徒の腕を引いたところ，生徒が腕を振り払ったため，当該生徒の頭を平手で叩く。
- 給食の時間，ふざけていた生徒に対し，口頭で注意したが聞かなかったため，ペンを投げつけ，生徒にあてる。

肉体的苦痛を与えるようなもの

- 放課後に児童を教室に残留させ，児童がトイレに行きたいと訴えたが，一切，室外に出ることを許さない。
- 別室指導のため，給食の時間を含めて生徒を長く別室に留め置き，一切，室外に出ることを許さない。

認められる懲戒

- 放課後などに教室に残留させる。授業中，教室内に起立させる。学習課題や清掃活動を課す。学校当番を多く割り当てる。
- 立ち歩きの多い児童生徒を叱って席につかせる。

正当な行為

- 児童が教員の指導に反抗して教員の足を蹴ったため，児童の背後に回り，体をきつく押さえる。
- 休み時間に廊下で，他の児童を押さえつけて殴るという行為におよんだ児童がいたため，この児童の両肩をつかんで引き離す。

さらに詳しく

❸どの点が体罰にあたるのか，１つずつ事例を分析していくことで傾向をつかむことができます。

面接対策

体罰を防止するために，どのようなことに気をつけますか。

17 出席停止

頻出度 B

傾向＆ポイント 出席停止には「性行不良によるもの」と「感染症予防によるもの」の２種類があります。子どもの教育を受ける権利とも関わってきますので，それぞれのポイントを整理しておきましょう。

1　性行不良による出席停止

☑ **出席停止の要件（学校教育法第 35 条）**

市区町村の教育委員会は，次に掲げる行為を繰り返し行う等性行不良であって，**他の児童の教育に妨げ**があると認める児童生徒があるときは，その保護者に対して❶児童生徒の出席停止を命ずることができると規定されています。

①他の児童に傷害，心身の苦痛または財産上の損失を与える行為

②職員に傷害または心身の苦痛を与える行為

③施設または設備を損壊する行為

④授業その他の教育活動の実施を妨げる行為

☑ **保護者への意見聴取（学校教育法第 35 条）**

市区町村の教育委員会は，**出席停止**を命ずる場合には，あらかじめ**保護者**の意見を聴取するとともに，理由および期間を記載した文書を交付しなければならないとされています。

☑ **教育上の措置（学校教育法第 35 条）**

市区町村の教育委員会は，**出席停止**の命令に係る児童の出席停止の期間における学習に対する支援，その他の**教育上必要な措置を講ずる**ものとされています。

さらに詳しく

❶「保護者に対して」の措置というところが「性行不良による出席停止」のポイントです。したがって，懲戒としての「停学」とは異なります。

面接対策

２種類の出席停止について説明してください。

2　感染症予防による出席停止

☑ **出席停止の要件（学校保健安全法第 19 条）**

校長は，感染症にかかっており，かかっている疑いがあ

り，またはかかるおそれのある児童生徒等があるときは，政令で定めるところにより，**出席を停止**させる❷ことができると規定されています。

感染症の種類（学校保健安全法施行規則第18条）

学校において予防すべき感染症の種類は，次のようになっています。

①第一種 ● エボラ出血熱，クリミア・コンゴ出血熱，痘そう，南米出血熱，ペスト，マールブルグ病，ラッサ熱，急性灰白髄炎，ジフテリア，重症急性呼吸器症候群（病原体がベータコロナウイルス属SARSコロナウイルスであるものに限る。），中東呼吸器症候群（病原体がベータコロナウイルス属MERSコロナウイルスであるものに限る。），特定鳥インフルエンザ ● 新型インフルエンザ等感染症，指定感染症及び新感染症は，第一種の感染症とみなす。
②第二種 ● インフルエンザ（特定鳥インフルエンザを除く），百日咳，麻しん，流行性耳下腺炎，風しん，水痘，咽頭結膜熱，新型コロナウイルス感染症（病原体がベータコロナウイルス属のコロナウイルスであるものに限る。），結核，髄膜炎菌性髄膜炎
③第三種 ● コレラ，細菌性赤痢，腸管出血性大腸菌感染症，腸チフス，パラチフス，流行性角結膜炎，急性出血性結膜炎，その他の感染症

感染症による出席停止期間（学校保健安全法施行規則第19条）

①インフルエンザ…発症した後5日❸を経過し，かつ，解熱した後2日（幼児にあつては，3日）を経過するまで②麻しん…解熱した後3日を経過するまで③風しん…発しんが消失するまで④水痘…すべての発しんが痂皮化するまで⑤新型コロナウイルス…発症した後5日経過し，かつ，症状が軽快した後1日を経過するまで

❷指導要録上は「欠席」ではなく，「出席停止・忌引等の日数」として記録します。

学校保健に関する設問とあわせて，「感染症予防による出席停止」の説明の正誤問題が出題されました。

ことば

❸「発症した後5日」発熱の翌日を「1日目」としてカウントするという意味です。

児童・生徒に関する法規

確認テスト

教育法規②

1 学校において備えなければならない表簿に関して，法令に照らして適切なものを次から選びなさい。

ア　校長は，児童等の出席の状況を記録した出席簿を作成しなければならないが，保存する義務はない。

イ　校長は，児童等が転学した場合においては，当該児童等の指導要領の写しを保存し，原本を転学先の校長に送付しなければならない。

ウ　校長は児童等の指導要録を作成し，指導に関す記録については5年間，入学，卒業等の学籍にする記録については20年間保存しなければならない。

エ　校長は，児童等の学習状況について保護者に対して伝えるために，通知表を作成するとともに，当該通知表の写しを作成し，5年間保存しなければならない。

オ　高等学校及び中等教育学校の校長は，入学者の選抜及び成績考査に関する表簿を作成し，1年間保存しなければならない。

【東京都】
1
ウ

2 次の条文は，「学校教育法」と「学校教育法施行規則」の一部である。条文の（ａ）～（ｃ）にあてはまる語句として，最も適当なものを選びなさい。

【学校教育法】

第11条　校長及び教員は，教育上必要があると認めるときは，（ａ）の定めるところにより，児童，生徒及び学生に懲戒を加えることができる。ただし，（ｂ）を加えることはできない。

【千葉県・千葉市・改】
2

(a)　コ
(b)　オ

【学校教育法施行規則】

第26条　校長及び教員が児童等に懲戒を加えるに当つては，児童の（ｃ）に応ずる等教育的な配慮をしなければならない。

ア　首長　**イ**　精神的苦痛　**ウ**　実態
エ　教育委員会　**オ**　体罰　**カ**　精神の状態
キ　首長　**ク**　身体的苦痛　**ケ**　心身の発達
コ　文部科学大臣

(c)　ケ

3　次の文は，児童虐待の防止等に関する法律（平成12年法律第82号）の一部である。空欄1，空欄2に当てはまる適切な語句の組み合わせを選びなさい。

第2条　この法律において，「児童虐待」とは，保護者（親権を行う者，未成年後見人その他の者で，児童を現に監護するものをいう。以下同じ。）がその監護する児童（18歳に満たない者をいう。以下同じ。）について行う次に掲げる行為をいう。

一　児童の（１）が生じ，又は生じるおそれのある暴行を加えること。

二　児童にわいせつな行為をすること又は児童をしてわいせつな行為をさせること。

三　児童の心身の正常な発達を妨げるような著しい（２），保護者以外の同居人による前二号又は次号に掲げる行為と同様の行為の放置その他の保護者としての看護を著しく怠ること。

四　児童に対する著しい暴言又は著しく拒絶的な対応，児童が同居する家庭における配偶者に対する暴力（配偶者（婚姻の届出をしていないが，事実上婚姻関係と同様の事情にある者を含む。）の身体に対する不法な攻撃であっても生命又は身体に危害を及

【北海道・札幌市・改】
3

ウ

教育法規②

ぼすもの及びこれに準ずる心身に有害な影響を及ぼす言動をいう。）その他の児童に著しい心理的外を与える言動を行うこと。

ア　1－財産に被害　2－減食又は長時間の放置

イ　1－財産に被害　2－叱責又は有形力の行使

ウ　1－身体に外傷　2－減食又は長時間の放置

エ　1－身体に外傷　2－叱責又は有形力の行使

オ　1－身体に外傷　2－処罰又は肉体的苦痛を与える懲戒

4 次の「学校保健安全法」の条文のうち，（　）に当てはまる語句を下から選びなさい。

【奈良県・改】
4

第19条　校長は，感染症にかかつており，かかつている疑いがあり，又はかかるおそれのある児童生徒等があるときは，政令で定めるところにより，（　1　）させることができる。

第20条　（　2　）は，感染症の予防上必要があるときは，臨時に，学校の全部又は一部の休業を行うことができる。

第29条　学校においては，児童生徒等の安全の確保を図るため，当該学校の実情に応じて，危険等発生時において当該学校の職員がとるべき措置の（　3　）内容及び手順を定めた対処要領（次項において「危険等発生時対処要領」という。）を作成するものとする。

ア　自宅療養　**イ**　出席を停止　**ウ**　自宅待機

エ　校長　**オ**　学校の設置者　**カ**　養護教諭

キ　学校給食　**ク**　通学　**ケ**　放課後

コ　具体的　**サ**　一般的　**シ**　理論的

(1)　イ
(2)　オ
(3)　コ

教育法規③

1 教員や職員の種類と配置

頻出度 B

傾向&ポイント 学校ではどのような職員が働いているのでしょうか。また，どのような規定に基づき配置されているのでしょうか。受験する校種については，職名と配置状況の組み合わせをおさえておきましょう。

1 教員とは

教育を直接に担当する「教員」と，事務などの教育関係の仕事に従事する職員をまとめて「教職員」ということがあります。学校教育法および学校教育法施行規則などにおいて，学校には**校長**，**副校長**，**教頭**，**主幹教諭**，**指導教諭**，**教諭**，**養護教諭**，**栄養教諭**，**助教諭**，**養護助教諭**，**講師**，**事務職員**などが配置されています。

2 教員の配置❶

☑ 一条校の種類

学校教育法では，各学校に配置しなければならない教員を次のように規定しています（中学校・義務教育学校，特別支援学校に準用，高等学校・中等教育学校には一部準用）。

☑ 小学校への教員の配置（学校教育法第 37 条）

<第１項>小学校には，**校長**，**教頭**，**教諭**，**養護教諭及び事務職員**を置かなければならない。

<第２項>小学校には，前項に規定するもののほか，**副校長**，**主幹教諭**，**指導教諭**，**栄養教諭**その他必要な職員を置くことができる。

<第３項>第１項の規定にかかわらず，副校長を置くときその他特別の事情のあるときは教頭を，養護をつかさどる主幹教諭を置くときは養護教諭を，特別の事情のあるときは事務職員を，それぞれ置かないことができる。

さらに詳しく

❶教員の配置としては，学校教育法第７条「学校には，校長及び相当数の教員を置かなければならない」が基本となります。

☑ 高等学校への教員の配置（学校教育法第 60 条）

<第１項>高等学校には，**校長，教頭，教諭及び事務職員**を置かなければならない。

<第２項>高等学校には，前項に規定するもののほか，**副校長，主幹教諭，指導教諭，養護教諭，栄養教諭，養護助教諭，実習助手，技術職員**その他必要な職員を置くことができる。

<第３項>第１項の規定にかかわらず，副校長を置くときは，教頭を置かないことができる。

<第４項>実習助手は，実験又は実習について，教諭の職務を助ける。

<第５項>特別の事情のあるときは，第一項の規定にかかわらず，教諭に代えて助教諭又は講師を置くことができる。

<第６項>技術職員は，技術に従事する。

3　教員の種類と配置に関する規定❷

職名	配置
校長	必置
副校長	任意設置
教頭	原則必置（副校長を置くときは置かなくてもよい）
主幹教諭	任意設置
指導教諭	任意設置
教諭	必置
養護教諭	小・中・中等：原則必置（養護をつかさどる主幹教諭を置くとき）　高：任意設置
栄養教諭	任意設置
事務職員	小・中：原則必置　中等・高：必置（特例の事務があるとき）
助教諭	任意設置
講師	任意設置
実習助手	任意設置（高・中等）
技術職員	任意設置（高・中等）
学校栄養職員	任意設置（小・中・中等前・特別小中）
学校用務員	任意設置

❷「必置」＝置かなければならない。
「任意設置」＝置くことができる。
「原則必置」＝置かないことができる。

2 教員や職員の職務

頻出度 B

傾向&ポイント 教員や職員の職務は，学校教育法などに規定されています。これを“職務規定”といいます。前ページで扱った「教員や職員の種類と配置」と組み合わせておさえておきましょう。

1 教員や職員の職務

教員や職員の職務は学校教育法などに規定されています。

☑ 主な職と職務規定

職名	職務規定	学校教育法
校長	**校務をつかさどり**，所属職員を監督する。	学教法 37 条第 4 項
副校長	**校長を助け**，命を受けて**校務**をつかさどる。	学教法 37 条第 5 項
教頭	**校長（校長及び副校長）を助け**，**校務**を整理し，及び必要に応じ児童の**教育**をつかさどる。	学教法 37 条第 7 項
主幹教諭	**校長（校長及び副校長）及び教頭を助け**，命を受けて**校務**の一部を整理し，並びに児童の**教育**をつかさどる。	学教法 37 条第 9 項
指導教諭	児童の**教育**をつかさどり，並びに教諭その他の職員に対して，教育指導の改善及び充実のために必要な指導及び助言を行う。	学教法 37 条第 10 項
教諭	児童の**教育**をつかさどる。	学教法 37 条第 11 項
養護教諭	児童の養護をつかさどる。	学教法 37 条第 12 項
栄養教諭	児童の栄養の指導及び管理をつかさどる。	学教法 37 条第 13 項
事務職員	事務に従事する。	学教法 37 条第 14 項
助教諭	教諭の職務を助ける。	学教法 37 条第 15 項
講師	教諭又は助教諭に準ずる職務に従事する。	学教法 37 条第 16 項
実習助手	実験又は実習について，教諭の職務を助ける。	学教法 60 条第 4 項
技術職員	技術に従事する。	学教法 60 条第 6 項
学校栄養職員	学校給食法第 7 条に規定する職員のうち栄養の指導及び管理をつかさどる主幹教諭並びに栄養教諭以外の者をいう。	※❶

授業時数

学校教育法第37条には，**校長の職務代理**について次のように規定されています。

【副校長】校長に事故があるときはその職務を代理し，校長が欠けたときはその職務を行います。副校長が2人以上の場合は，あらかじめ校長が定めた順序で職務を代理し，行います。

【教頭】校長（副校長を置く小学校では，校長及び副校長）に事故があるときは校長の職務を代理し，校長（副校長を置く小学校では，校長及び副校長）が欠けたときは校長の職務を行います。教頭が2人以上あるときは，あらかじめ校長が定めた順序で，校長の職務を代理し，行います。

さらに詳しく

❶学校栄養職員は公立義務教育諸学校の学級編成及び教職員定数の標準に関する法律第2条にて規定されています。

2 専門人材，地域人材

学校教育には様々な専門家や地域人材が携わっています。

【理科支援員】観察・実験等の支援や教材開発支援，授業の進め方に関する提案・助言を行います。

【特別支援教育支援員】小中学校において障害のある児童生徒の介助や学習活動のサポートを行います。

【外国人児童生徒支援員】日本語指導や教科指導補助，保護者の教育相談，教材等の翻訳作業にあたります。

【部活動指導員】スポーツ，文化などの専門的知識・技能により部活動の専門的技術指導を行います。

【学校司書】学校図書館を活用した教育活動への協力・参加等を行います。

【ICT支援員】授業や研修，校務において，機器やソフトウェアの設定や操作，効果的な活用のアドバイスなどの業務を行います。

【スクールガードリーダー】警察官OBが学校等を巡回し，学校安全に関して警備上のポイントや不審者への対応などについて専門的指導を行います。

面接対策

学校の教育活動は多様な人材に支えられていますが，あなたが知っている専門家そのほかの人材について説明してください。また，その人たちとどのように連携していきますか。

教諭をもって充てる職

傾向＆ポイント 学年主任, 教務主任といった「○○主任」や, 司書教諭などは, 校内の教諭などをもって充てる職（充て職, 充当職）とされています。校長の監督を受けて, 各教育活動において連絡, 調整, 指導, 助言を行います。

1 教諭をもって充てる職とは

学校には, **教諭などをもって充てる職（充て職）**があり, **学校教育法施行規則**に規定されています❶。

主な充て職と職務

<小学校・中学校・高等学校に置くもの>

- **教務主任**❷ 校長の監督を受け, 教育計画の立案そのほかの教務に関する事項について連絡調整および指導・助言にあたる職です。小学校・中学校・高等学校・中等教育学校・特別支援学校に原則として置かれ, 東京都では主幹を置くこととしています。
- **学年主任** 校長の監督を受け, 個別の学年の教育活動に関する事項について連絡調整・指導・助言にあたる職です。
- **保健主事（保健主任）** 校長の監督を受け, 学校における保健に関する事項の管理にあたる職です。教諭または養護教諭をもって充てられます。

<中学校・高等学校に置くもの>

- **生徒指導主事（生徒指導主任）** 校長の監督を受け, 生徒指導に関する事項をつかさどり, 当該事項について連絡調整・指導・助言にあたる職です。
- **進路指導主事（進路指導主任）** 校長の監督を受け, 生徒の職業選択の指導そのほかの進路の指導に関する事項をつかさどり, 当該事項について連絡調整・指導・助言にあたる職です。

さらに詳しく
❶充て職と関連して, 校内の職務分担（校務分掌）についても確認しておきましょう。
⇒P.212

さらに詳しく
❷主任制度は, 学校の機能拡大や組織の複雑化が進んできたことを受けて, 1975年に創設されました。なお, 管理職ではないため, 職務命令の権限はもっていません。

＜高等学校に置くもの＞

- **学科主任**　校長の監督を受け，当該学科の教育活動に関する事項について連絡調整および指導，助言にあたる職です。※２学科以上の学科を置く高等学校のみに適用
- **農場長**　農業に関する実習地および実習施設の運営に関する事項をつかさどる職です。※農場を置く高等学校のみに適用
- **事務長**　校長の監督を受け，事務職員そのほかの職員が行う事務を総括し，そのほか事務をつかさどる職です。

2　司書教諭

司書教諭は必置の職ですが，**司書教諭の講習を修了した主幹教諭，指導教諭，教諭をもって充てる**こととされています。なお，学校の学級数が11以下の場合は配置しなくてもよいとされています。

☑ 司書教諭を置く義務（学校図書館法第５条）

＜第１項＞学校には，学校図書館の専門的職務を掌（つかさど）らせるため，司書教諭を置かなければならない。

＜第２項＞前項の司書教諭は，主幹教諭（養護又は栄養の指導及び管理をつかさどる主幹教諭を除く。），指導教諭又は教諭（以下この項において「主幹教諭等」という。）をもつて充てる。この場合において，当該主幹教諭等は，司書教諭の講習を修了した者でなければならない。

☑ 設置について

12学級以上の学校には必ず置かなければならず，**11学級**以下の学校については当分の間，設置が猶予されます。

☑ 業務

学校図書館の専門的職務を掌ります。

☑ 職種

主幹教諭，指導教諭又は教諭をもって充てることとし，司書教諭のための特別の定数措置はありません（司書教諭は教諭等の定数内で配置されます）。

4 免許状の種類と特徴

頻出度 B

傾向＆ポイント 免許状の種類や特徴についてはやや複雑ですが，専門職として必要な知識です。教員免許更新制の廃止については，これまでの制度，廃止の背景，今後の動きの３点をおさえておくとよいでしょう。

1 教育職員免許状

教育職員免許状（教職免許状）には，普通免許状，特別免許状，臨時免許状の３種類があります。多くの教員がもっているのが普通免許状です。

☑ 免許状の種類

普通免許状には，一種免許状（４年制・学士），二種免許状（２年制・準学士），専修免許状（大学院・修士）があります。有効期間はこれまで 10 年で更新制とされてきました❶。このほかに，文部科学省が実施する「教員資格認定試験」に合格すると，二種または一種免許状が取得できる制度もあります（幼・小・高・特支自立活動）。

特別免許状と**臨時免許状**は，都道府県教育委員会が実施する「教育職員検定」により取得することができます。効力はどちらも授与権者の当該都道府県のみで，有効期間は，特別免許状は 10 年・更新制で教諭資格，臨時免許状は３年で助教諭資格となります。

☑ 校種や職種に応じて必要となる免許状

教諭（助教諭）は，幼稚園，小学校，中学校，高等学校，特別支援学校の各校種の教諭の免許状が必要です。

養護教諭（養護助教諭），栄養教諭，司書教諭は，職種の免許状（校種を問わない）が必要です。

中等教育学校および義務教育学校の教諭（助教諭）は，中学校と高等学校両校種の免許状を，義務教育学校の教員は，小学校と中学校両校種の免許状を，原則として有しな

さらに詳しく

❶ 2022（令和４）年に教員免許更新制は廃止，2023 年度からは新たな研修制度がスタートします（「教員免許更新に関する規定の廃止」を参照）。

ければならないことになっています。

2　授与権者

教育職員免許法第５条に，「免許状は，都道府県の教育委員会（以下「**授与権者**」という。）が授与する」と規定されています。授与権者とは，**免許状を発行する都道府県教育委員会**を指します。

3　免許管理者

免許管理者は，**勤務地の都道府県教育委員会**（例外として**住所地の都道府県教育委員会**）と規定されています（教育職員免許法第２条）。

4　教員免許更新制に関する規定の廃止

☑ これまでの制度

2007（平成 19）年の教育職員免許法の改正により，普通免許状と特別免許状に 10 年の有効期限が設定され，更新には２年間で 30 時間の免許状更新講習を受講することが規定されました。

☑ 制度の廃止

2022 年２月，政府は **10 年ごとに教員免許の更新が必要な「教員免許更新制」を廃止**するとともに，**新たな研修制度を設け，教育委員会に対し，教員ごとの研修記録の作成を義務づける**法律の改正案を決定しました❷。これによって 10 年の有効期間と更新時の講習の受講を義務づける本制度は 2022 年７月，廃止されました。

☑ 今後の動き

2023 年度から「新たな教師の学びの姿」の実現に向けて教育委員会が教員ごとに研修記録を作成し，状況に応じた指導助言をする仕組みを設けることとなります。なお，2022 年７月１日時点で有効な教員免許状（休眠状態のものを含む）は手続なく，有効期限のない免許状となります。

さらに詳しく

❷国は教員免許更新制の廃止の理由について，社会の変化に伴う非連続化やオンライン研修の拡大，2016 年の教育公務員特例法の改正による研修の体系化の進展など，教師の研修を取り巻く環境が大きく変化していることを挙げています。また，個別最適な学びや「現場の経験」を重視した学びなどを進める必要性がある中，本制度は，10 年に１度講習の受講を求めるものであるため，教師が常に最新の知識技能を学び続けていくことと整合的ではないこと，さらに，講習は共通に求められる内容を中心としているため，個別最適な学びなどといった今後求められる学びの姿とは方向性が異なっていることが挙げられます。

地方公務員の服務

頻出度 A

傾向&ポイント 教員や職員が守らなければならないことを，「服務」といいます。公立学校の教員は，教育公務員である以前に地方公務員であるため，地方公務員法の適用を受けることになります。

1 教育公務員であり地方公務員でもある

教員は教育公務員であると同時に地方公務員であるため，地方公務員の服務規程が課されます。

☑ 全体の奉仕者（日本国憲法第15条）

すべて公務員は，**全体の奉仕者**であって，一部の奉仕者ではない。

☑ 服務の根本規準（地方公務員法第30条）

すべて職員は，**全体の奉仕者**として公共の利益のために勤務し，且つ，職務の遂行に当つては，全力を挙げてこれに**専念**しなければならない。

2 地方公務員の服務

教員を含む地方公務員の服務には，**職務上の義務**と**身分上の義務**とがあります。職務上の義務とは主として勤務時間内に職務を遂行するうえで守るべき義務であり，身分上の義務とは公務員の身分を有する限り勤務時間外にも守るべき義務のことを指します。

☑ 職務上の義務

勤務時間内において，職務遂行にあたって守るべき一定の義務のことであり，地方公務員法に規定されています。

- **服務の宣誓**（地方公務員法第31条）
- **法令及び上司の職務上の命令に従う義務**（地方公務員法第32条）
- **職務に専念する義務**（地方公務員法第35条）

※兼職及び他の事業等の従事❶（教育公務員特例法第17条）
※職務専念の義務の免除
法律に基づく免除：休職，停職，兼職・兼業に従事する場合，研修を行う場合，大学院就学休業
労働基準法に基づく免除：休憩，休日，年次有給休暇，産前産後休暇，育児時間，生理休暇，育児休業，介護休業
都道府県知事の従事・協力命令により災害救助に従事する場合
<条例に基づく免除>
　修学部分休業，高齢者部分休業，自己啓発等部分休業，配偶者同行休業，研修，厚生計画への参加，職員団体の専従者，人事委員会の定める場合

☑ 身分上の義務

　勤務時間の内外を問わず，1年365日，1日24時間，職務遂行に関係なく職員としての身分を有する限り，当然守らなければならない一定の義務のことであり，一部の義務については，身分を失っても（退職しても）守らなくてはならない規定のことです。

- **信用失墜行為の禁止**（地方公務員法第33条）
  ※信用失墜行為とは，交通事故，飲酒運転などの道路交通法違反，窃盗，万引き，わいせつ行為，体罰，情報漏洩，不正経理，公金横領，リベート収受，贈収賄，地位を利用した不正行為，ハラスメント行為などのことであり，地方公務員としての信用を著しく失墜する行為のことを指します。
- **秘密を守る義務**（地方公務員法第34条）
- **政治的行為の制限**（地方公務員法第36条，教育公務員特例法第18条）
- **争議行為等の禁止**（地方公務員法第37条）
- **営利企業への従事等の制限**（地方公務員法第38条，教育公務員特例法第17条）

さらに詳しく
❶教育公務員は，教育に関する他の職を兼ね，又は教育に関する他の事業若しくは事務に従事することが本務の遂行に支障がないと任命権者において認める場合には，給与を受け，又は受けないで，その職を兼ね，又はその事業若しくは事務に従事することができます。
⇒P.221

面接対策
教員の服務事故で多発しているものは何でしょうか。

教育公務員に対する特例

傾向&ポイント 教育公務員は，地方公務員の規定に教育公務員ならではの特例が加わります。一般の地方公務員と比べてより厳しい制限が課される内容と，制限が緩やかな内容とがあります。それぞれについて，内容をおさえておきましょう。

1 教育公務員に対する特例

公立学校の教員は，地方公務員の規定に加えて，**教育公務員特例法**❶が**優先的に適用**されます。

教育公務員は一般の地方公務員と比べて，政治的行為などに関してはより厳しい制限が課され，営利企業などへの従事（兼業）などに関してはより緩やかな制限が課されます。

さらに詳しく
❶教育公務員特例法には，“特例”法という名のとおり，教育公務員に関する特例規定があります。規定は厳しくなる場合と緩やかになる場合とがあります。

2 政治的行為の制限

☑ 教育公務員特例法第 18 条

公立学校の教育公務員の政治的行為の制限については，当分の間，地方公務員法第 36 条の規定にかかわらず，国家公務員の例による。

- 国家公務員法第 102 条

  <第１項>職員は，政党又は政治的目的のために，寄附金その他の利益を求め，若しくは受領し，又は何らの方法を以てするを問わず，これらの行為に関与し，あるいは選挙権の行使を除く外，人事院規則で定める政治的行為をしてはならない。

  <第２項>職員は，公選による公職の候補者となることができない。

  <第３項>職員は，政党その他の政治的団体の役員，政治的顧問，その他これらと同様な役割をもつ構成員となることができない。

- 人事院規則 14 − 7

  禁止事項：投票の依頼，政党等の役員や顧問になること，集会等で公に政治的目的を有する意見を述べること，腕章等の着用など

- 教育者の地位利用の選挙運動の禁止（公職選挙法第 137 条）

  教育者は，学校の児童，生徒及び学生に対する教育上の地位を利用して選挙運動をすることができない。

3 兼職及び他の事業等の従事

☑ 兼職及び他の事業等の従事（教育公務員特例法第 17 条）

教育公務員は，教育に関する他の職を兼ね，又は教育に関する他の事業若しくは事務に従事することが本務の遂行に支障がないと**任命権者において認める場合**には，給与を受け，又は受けないで，その職を兼ね，又はその事業若しくは事務に従事することができる❷。

4 その他の特例

☑ 職務専念の義務の免除（教育公務員特例法第 22 条）

教員は，授業に支障のない限り，本属長の承認を受けて，勤務場所を離れて研修を行うことができる。

☑ 条件付任用（教育公務員特例法第 12 条）

教諭等に係る地方公務員法第二十二条に規定する採用については，同条中「六月」とあるのは「**一年**」として同条の規定を適用する。

- 地方公務員法第 22 条

  職員の採用は，全て**条件付**のものとし，当該職員がその職において 6 月を勤務し，その間その職務を良好な成績で遂行したときに正式採用になるものとする❸。

さらに詳しく

❷ポイントは，地方公務員法が，「従事してはならない」と兼業禁止を前提としているのに対して，教育公務員特例法は「従事することができる」と兼業肯定を前提としている点です。教員は，「教育に関する職」や「教育に関する事業」である場合，原則として兼業ならびに兼業先から給与を得ることが可能です。

さらに詳しく

❸地方公務員の条件付採用の期間は 6 か月ですが，教員の条件付任用の期間は 1 年です。

教員の勤務規則

頻出度 B

傾向＆ポイント 教員の勤務規則については，働き方と関連して給与や勤務時間について，また給与の制度である県費負担教職員制度について，目的も含めて丁寧におさえておくことが大切です。

1 教員の給与・勤務時間

教育公務員であっても，労働者としての給与や勤務時間等の基本は，**労働基準法**の規定によります。さらに，地方公務員，そして教育公務員としての規定が加わります。

☑ 勤務条件の定め（地方公務員法第 24 条）

<第４項>職員の勤務時間その他職員の給与以外の勤務条件を定めるに当つては，国及び他の地方公共団体の職員との間に権衡を失しないように適当な考慮が払われなければならない。

<第５項>職員の給与，勤務時間その他の勤務条件は，**条例で定める。**

☑ 給与などの特例

- 人材確保法❶：給与を一般の公務員より優遇することで教員に優れた人材を確保し，義務教育水準の維持向上を図ることを目的としている。
- 教職給与特別法❷：「**給特法**」ともいわれる。教育職員には，**給与月額の 100 分の４に相当する額**を基準とし，条例で定めるところにより，**教職調整額**を支給しなければならない。教育職員については，**時間外勤務手当および休日勤務手当は支給しない。**

さらに詳しく
❶正式名称は「学校教育の水準の維持向上のための義務教育諸学校の教育職員の人材確保に関する特別措置法」です。

さらに詳しく
❷正式名称は「公立の義務教育諸学校等の教育職員の給与等に関する特別措置法」です。

2 人事評価制度

2016（平成 28）年，新しい人事評価制度が導入されました。

☑ 地方公務員法第 23 条の2

職員の執務については，その**任命権者は，定期的に人事評価を行わなければならない。**

☑ 地方教育行政の組織及び運営に関する法律第 44 条

県費負担教職員の人事評価は，都道府県委員会の計画の下に，市町村委員会が行うものとする。

3 県費負担教職員制度

☑ 市町村立学校職員給与負担法

市町村立の小学校，中学校，義務教育学校，中等教育学校の前期課程および特別支援学校の校長，教職員，定時制高校の専任校長，副校長，その他教職員の給与は，**都道府県の負担**と規定しています。

これを，**県費負担教職員制度**といいます。

☑ 県費負担教職員制度の意義

第一に，**教育格差をなくす**ためです。具体的には，市町村間の財政格差から給与に差が生じ，教員の質の格差，教育の質の格差が生じることを防ぐためです。

第二に，都道府県内での**教職員の異動を容易にするため**です。A市からB市に異動する場合は，「A市の県費負担教職員を免じてB市の県費負担教職員に任ずる」という形式をとるため，採用試験を受け直す必要はありません。

☑ 義務教育費国庫負担法

一般的に，各都道府県の教育費の約８割を，人件費が占めているといわれます。国は，都道府県の教職員の給与に関わる支出を補助するために，その実支給額❸の３分の１を負担することとしています。これは，文部科学省の予算の約３割を占めています。教職員の給与については，総額裁量制によって，都道府県は自主的に決定できます。

❸「実支給額」
給料や諸手当の総額です。

教員や職員の服務

8 教員や職員の処分

頻出度 A

傾向&ポイント 教員や職員が非違行為を行ったり，職務を十分に果たせなかったりする場合は，行政処分を受けることになります。行政処分には，分限処分と懲戒処分があり，地方公務員法で規定されています。

1 教員や職員の処分

教育公務員が非違行為❶などにより**服務規律に違反した**場合は，**懲戒処分**の対象となります。何らかの理由により**職務を適切に遂行できず，勤務効率を阻害する**などの場合は，**分限処分**の対象となります。懲戒処分と分限処分をあわせて**行政処分**といいます。

☑ **分限❷（地方公務員法第 28 条：免職・降任，休職，降級）**

職員が次に掲げる場合のいずれかに該当するとき，その意に反してこれを**降任**，又は**免職**することができる。

①人事評価又は勤務の状況に照らし，勤務実績が悪い場合
②心身の故障により職務の遂行に支障，又は堪えない場合
③前二号に規定する場合のほか，必要な適格性を欠く場合
④職制若しくは定数の改廃又は予算の減少により廃職又は過員を生じた場合

☑ **懲戒（地方公務員法第 29 条：戒告，減給，停職，免職）**

職員が次の各号に該当する場合，これに対し**懲戒処分**として**戒告**，**減給**，**停職**又は**免職**の処分が行える❸。

①法律・条例，地方公共団体の規則若しくは地方公共団体の機関の定める規程に違反した場合
②職務上の義務に違反し，又は職務を怠った場合
③全体の奉仕者たるにふさわしくない非行のあつた場合

❶「非違行為」
法律に違反した行為を指します。

さらに詳しく
❷分限処分は，教職員が職務を十分に果たし得ないとき，あるいは果たすべき職務が存在しなくなったとき，本人の責に帰すべき事由があるかどうかに関わらず公務の能率的運営を確保するために行われます。例）病気休職が続き復帰の見込みが立たない。

さらに詳しく
❸懲戒処分は重い順に，免職，停職，減給，戒告の４段階です。

2 指導力不足教員への対応

児童生徒などに対する指導が不適切であり，研修など必

要な措置を講じても指導を適切に行うことができない場合，**免職**し，**都道府県の常勤勤務を要する職に採用**することが，都道府県教育委員会の権限として認められています。

3　わいせつ教員への対応

「教育職員等による児童生徒性暴力等の防止等に関する法律」が成立し，2021年6月4日に公布されました。

☑ 目的

児童生徒等の尊厳を保持するため，教育職員等による児童生徒性暴力等の防止等に関する施策を推進し，児童生徒等の権利利益の擁護に資する。

☑ 定義

「児童生徒性暴力等」に該当する行為として，児童生徒等に対するわいせつ行為等として懲戒免職処分の対象[4]となり得る行為が列挙されています。

☑ 禁止事項

教育職員等は，児童生徒性暴力等をしてはならない。

☑ 理念，責務

- 基本理念：施策の推進に当たっての基本的認識，児童生徒等の安心の確保，被害児童生徒等の保護，適正かつ厳格な懲戒処分等。
- 国・地方公共団体・任命権者等・設置者・学校・教育職員等の責務

☑ 防止に関する措置

①教育職員等に対する啓発　②児童生徒等に対する啓発　③データベースの整備等　④児童生徒性暴力等対策連絡協議会

☑ 早期発見対処に関する措置

①早期発見のための措置　②学校への通報，警察署への通報等　③専門家の協力を得て行う調査　④児童生徒等の保護支援等　⑤教育職員等以外の学校で働く者の児童生徒性暴力等への対処

さらに詳しく

❹「児童生徒性暴力等」を行ったことにより，免許状が失効などした者については，その後の事情から再免許を授与するのが適当である場合に限り，厳しいルールに基づく判断のうえ，再免許を授与することができるとしています。

研修の義務と機会

頻出度 A

傾向&ポイント 教員にはその職責の重要性から絶えず研修が求められます。職務専念義務の免除や研修の承認などの研修の機会や，法定研修における特例など，細かい点についても，しっかりおさえておきましょう。

1 研修の義務と研修の機会

教育基本法第９条には，「法律に定める学校の教員は，**自己の崇高な使命**を深く自覚し，絶えず**研究**と**修養**に励み，その**職責**の遂行に努めなければならない」と規定されています。

☑ **研修の義務（教育公務員特例法第 21 条）**

教育公務員は，その**職責**を遂行するために，絶えず**研究修養**に努めなければならない。

☑ **研修の機会（教育公務員特例法第 22 条）**

- 教育公務員には**研修を受ける機会**が与えられなければならない。
- 教員は**授業**に支障のない限り，**本属長の承認を受けて勤務場所を離れて**研修を行うことができる❶。
- 教育公務員は**任命権者**の定めるところにより，**現職**のままで，長期にわたる研修を受けることができる。

さらに詳しく

❶本属長とは，学校の場合は校長を指します。また，“勤務場所を離れて”とは，職務専念義務の免除を指します。

2 法定研修

法定研修とは，各種法令に基づき原則として全教員が受講対象となる研修です。法定研修ではないものとしては，**経験年数に応じた研修，職能に応じた研修，長期派遣研修，専門的な知識・技能に関する研修**があります。

☑ **初任者研修（教育公務員特例法第 23 条）**

- 公立の小学校等の教諭等の任命権者は，**採用の日から一年間，教諭の職務の遂行に必要な事項に関する実践的な**

研修（初任者研修）を実施しなければならない❷。

- 指導助言者は，初任者の所属する学校の副校長，教頭，主幹教諭，指導教諭，教諭，主幹教諭，指導教諭，主幹保育教諭，指導保育教諭，保育教諭又は講師のうちから**指導教員**を命じる❸。
- 指導教員は，初任者に対して**指導及び助言**を行う。

☑ **中堅教諭等資質向上研修❹（教育公務員特例第 24 条）**

- 公立の小学校等教諭等の研修実施者は，個々の能力，適性等に応じて，公立の小学校等における**教育に関し相当の経験を有し，教育活動や学校運営において中核的な役割を果たすことが期待される中堅教諭等として必要とされる資質の向上を図るために必要な事項に関する研修（中堅教諭等資質向上研修）**を実施しなければならない。
- 指導助言者は，中堅教諭等資質向上研修を実施するに当たり，研修を受ける者の能力，適性等について評価を行い，その結果に基づき，**中堅教諭等資質向上研修に関する計画書を作成**しなければならない。

☑ **指導改善研修（教育公務員特例法第 25 条）**

- 公立の小学校等の教諭等の任命権者は，児童等に対する指導が不適切であると認定した教諭等に対し，その能力，適性等に応じ，**指導の改善を図るために必要な事項に関する研修（指導改善研修）**を実施しなければならない。
- 指導改善研修の期間は一年を超えてはならない。ただし，特に必要があると認めるときは，任命権者は，指導改善研修を開始した日から引き続き二年を超えない範囲内で延長することができる。
- 任命権者は指導改善研修を実施するに当たり，指導改善研修を受ける者の能力，適性等に応じ，その者ごとに指導改善研修に関する計画書を作成しなければならない。
- 任命権者は，指導改善研修の終了時において，指導改善研修を受けた者の児童等に対する指導の改善の程度に関する認定を行わなければならない。（後略）

さらに詳しく

❷臨時的任用の者，常勤講師以上で国公私立学校において１年以上勤務したことのある者，特別免許状保有者，期限付き任用の者を除きます。

さらに詳しく

❸校長は，初任者研修の指導教員にはなれません。

さらに詳しく

❹「中堅教諭等資質向上研修」は，従来の「10年経験者研修」が改められ，平成 29（2017）年度より新たにスタートした研修です。

10 教員育成指標，大学院修学休業

頻出度 A

傾向&ポイント 研修に関する内容に加えて，教員育成指標はすべての自治体で策定しているため，出題の可能性は十分あります。教員の学びの在り方が多様化する中で，大学院修学休業についてもおさえておくとよいでしょう。

1 教員育成指標（教育公務員特例法第 22 条）

☑ 教育公務員特例法の改正

2016（平成 28）年 11 月に教育公務員特例法が改正され，これまでの 10 年経験研修を「中堅教諭等資質向上研修」に改めるとともに，**校長および教員の資質の向上に関する指標**の整備に関する条文を新設しました。

- 中堅教諭等資質向上研修
- 校長及び教員の資質の向上に関する指標の策定に関する**指針**
- 校長及び教員としての資質の向上に関する**指標**
- 校長及び教員としての資質の向上に関して必要な事項についての協議を行うための**協議会**

☑ 教員育成指標❶

公立の小学校などの校長および教員の任命権者は，策定に関する指針を参酌し，その地域の実情に応じ，当該校長および教員の職責，経験および適性に応じて向上を図るべき**校長および教員としての資質に関する指標**（以下「指標」という。）を定めます。

さらに詳しく

❶指標の策定にあたっては，【指針】を踏まえること，【協議会】での検討を経ること，策定した指標を踏まえて【教員研修計画】が策定されることの3点をおさえておきましょう。

☑ 教員研修計画

公立学校の任命権者は，指標を踏まえ，校長および教員の研修の計画について，体系的・効果的に実施するための計画（**教員研修計画**）を定めます。

☑ 協議会

指標の策定に関する協議ならびに指標に基づく校長およ

び教員の資質向上に関して必要な事項についての協議を行うための協議会を組織します。**協議会は，任命権者，教員の研修に協力する大学などで構成されます。**

2 大学院修学休業

教育公務員は，任命権者の定めるところにより，**現職のままで長期にわたる研修を受けることができます**❷（教育公務員特例法第22条第3項）。これを，**大学院修学休業**といい，**専修免許状**の取得を目指して，3年を超えない範囲内で，1年単位で定める期間（教育公務員特例法第26条）で在学し，課程を履修するための休業を指します。

資格者は，教頭，副校長を除く教員であり，**1種または特別免許状を所持し，その免許状に関わる勤務経験が3年以上**であることが必要です。

勤務に服することなく，その間の身分は保証されますが，給与は支給されません（教育公務員特例法第27条）。

また，大学院修学休業の許可は，当該大学院修学休業をしている教員などが停職の処分を受けた場合には，その効力を失います。

さらに詳しく
❷大学院などにおける長期にわたる研修は，「長期派遣研修」に分類されます。

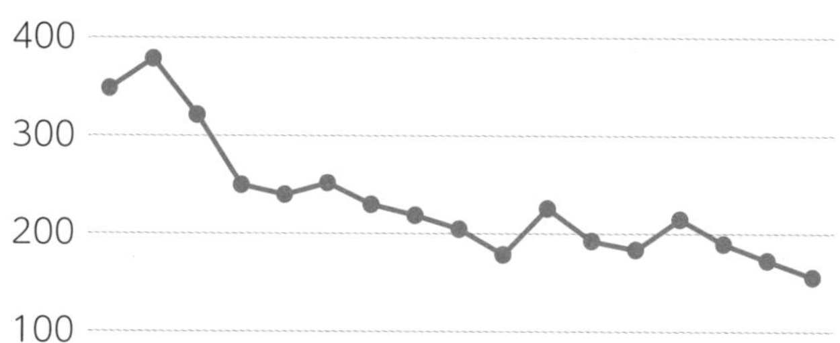

教員の研修

11 教育行政の原則・文部科学省

頻出度 A

傾向&ポイント 教育行政の基本原則については，教育基本法第 16 条をしっかりと読み込んでおきましょう。文部科学省については，主に中央教育審議会の仕組みについて理解しておく必要があります。

1 教育行政の原則

☑ 教育行政（教育基本法第 16 条）❶

教育を受ける権利（憲法第 26 条）の実現にふさわしい理念に基づく教育の実施の要件として，①**不当な支配に屈しないこと**②**教育基本法その他の法律の定めに従って行われること**を掲げ，その実現のための教育行政の在り方として，国と地方公共団体の「**役割分担・相互の協力**」のもと，「**公正かつ適正**」に行われる必要性を規定しています。

また，国や地方公共団体における教育への責務を定めるとともに，その一環として教育行政に関する必要な義務を定めています。

さらに詳しく
❶教育基本法第 16 条
⇒ P.159

☑ 基本理念（地方教育行政の組織及び運営に関する法律第１条の２）

地方公共団体における教育行政は，教育基本法（平成十八年法律第百二十号）の趣旨にのつとり，教育の機会均等，教育水準の維持向上及び地域の実情に応じた教育の振興が図られるよう，国との適切な役割分担及び相互の協力の下，公正かつ適正に行われなければならない❷。

さらに詳しく
❷教育基本法を受けて，地方公共団体における教育行政の理念を規定しています。

2 文部科学省

☑ 文部科学省の任務（文部科学省設置法第３条）

旧文部省は，一貫して教育行政事務を総合的に遂行する責任を担う中央教育行政機関として存在してきましたが，戦後以降は教育に関する民主的な指導，専門的技術・調査機関として変わりました。2001（平成 13）年，科学技術庁と統合して**文部科学省**となりました。

<第１項>文部科学省は，教育の振興及び生涯学習の推進を中核とした豊かな人間性を備えた創造的な人材の育成，学術の振興，科学技術の総合的な振興並びにスポーツ及び文化に関する施策の総合的な推進を図るとともに，宗教に関する行政事務を適切に行うことを任務とする。

<第２項>前項に定めるもののほか，文部科学省は，同項の任務に関連する特定の内閣の重要政策に関する内閣の事務を助けることを任務とする。

<第３項>文部科学省は，前項の任務を遂行するに当たり，内閣官房を助けるものとする。

☑ 所掌事務（文部科学省設置法第４条）

文部科学省の所掌事務は，①**人材育成のための教育改革**に関すること，②**生涯学習**に係る教育改革，③**地方教育行政**に関する制度の企画・立案，組織及び一般的運営に関する指導・助言及び勧告に関することなど，95 項目です。

☑ 諮問機関

中央教育審議会は，文部科学省内に置かれる文部科学大臣の**諮問機関**の一つで，**大臣の諮問に応じて，教育などに関する重要施策について調査・審議を行い，文部科学大臣に答申します。**委員は文部科学大臣が任命する 30 人以内・任期２年の非常勤の学識経験者で組織，必要に応じて臨時委員，専門委員を置くことができます。

☑ 教育委員会との関係（地方教育行政の組織及び運営に関する法律第 50 条）

文部科学省と教育委員会の関係は，**教育の地方分権の原則**により，指導・助言に止まります。しかし，教育委員会の法令違反や，緊急の必要性がある場合は，是正し改めるよう指示することができます❸。

さらに詳しく

❸文部科学省による教育委員会への指示は，平成 19 年の法改正によって可能になりました。

教育行政

12 教育委員会

頻出度 C

傾向&ポイント 教育委員会制度に関する出題は，教育委員会に関する事がらが中心となります。「地方教育行政の組織及び運営に関する法律」の改正後の組織，首長との関係性を通して，立場や役割をおさえておきましょう。

1 教育委員会の組織と職務

教育委員会については，主に「**地方教育行政の組織及び運営に関する法律**」に規定されています。

☑ 教育委員会❶の組織

地方教育行政の組織および運営に関する法律の改正を経て，教育委員会の組織は**教育長および4人の教育委員**を基本とし，

- 都道府県ならびに市は**教育長および5人以上の委員**
- 町村は**教育長および2人以上の委員**

にできることになりました。

☑ 教育長及び教育委員の任命（地教行法第4条）

＜教育長＞

当該地方公共団体の長の被選挙権を有し，人格が高潔で教育行政に識見を有する者の中から，地方公共団体の長が議会の同意を得て任命します。

＜委員＞

当該地方公共団体の長の被選挙権を有し，人格高潔で教育，学術及び文化に識見を有する者の中から，地方公共団体の長が，議会の同意を得て任命します。※保護者である者が含まれるようにしなければなりません❷。

☑ 教育長及び教育委員の任期（地教行法第5条）

教育長は3年，委員は4年です。補欠の教育長及び委員の任期は前任者の残任期間となります。また，教育長及び委員は，再任されることができます。

さらに詳しく

❶一般的に「教育委員会」として認識されているのは，教育委員会の“事務局”といわれる組織です。“教育委員会”と“教育委員会事務局”を区別できるようにしておきましょう。

さらに詳しく

❷ほかにも，破産者で復権を得ない者，禁固以上の刑に処された者は委員になれない，また年齢・性別・職業などに著しい偏りがあってはいけない，委員の過半数が同一政党に属してはならない，ほかの公職とは兼職禁止であるなどの決まりがあります。

☑ 会議の招集（地教行法第 14 条）

教育委員会の会議は，教育長が招集します。

2　首長と教育委員会

教育委員会は行政委員会の一つであり，首長から相対的に独立してきました。しかし，2014（平成 26）年の地方教育行政の組織及び運営に関する法律の改正では，**首長が主催する教育委員会の会議である「総合教育会議」**の設置が義務づけられ，**大綱**を策定することとしました。

☑ 大綱の策定（地教行法第１条の３）

地方公共団体の長は，教育振興基本計画を参酌し，地域の実情に応じた，教育，学術および文化の振興に関する総合的な施策の**大綱**を定めるものとし，**その策定や変更については総合教育会議において協議する**ものとしています。

☑ 総合教育会議（地教行法第１条の４）

地方公共団体の長は，大綱の策定に関する協議その他（教育に関する重点的な施策，児童生徒の生命・身体に被害が生じた／生じるおそれがあると見込まれる場合の措置）についての協議等を行うため，**総合教育会議**を設けるものとしています。

- 構成員：地方公共団体の長，教育委員会
- 招集：地方公共団体の長によって行われます。なお，教育委員会はその権限に属する事務に関して協議する必要があると思料するときは，地方公共団体の長に対し，協議すべき具体的事項を示して，総合教育会議の招集を求めることができます。
- 協議内容：教育を行うための諸条件の整備その他の地域の実情に応じた教育や，学術および文化の振興を図るため重点的に講じるべき施策について協議します。
- 意見聴取：必要に応じて，関係者や学識経験者から協議事項に関する意見を聴取することができます。

確認テスト

教育法規③

1 次の「教育公務員特例法」，「地方公務員法」の条文のうち，（）に当てはまる語句を下から選べ。

教育公務員特例法

第１条　この法律は，教育を通じて国民全体に奉仕する教育公務員の職務とその責任の（　1　）に基づき，教育公務員の任免，人事評価，給与，分限，懲戒，服務及び研修等について規定する。

第21条　教育公務員は，その職責を遂行するために，絶えず（　2　）と修養に努めなければならない。

地方公務員法

第30条　すべて職員は，全体の奉仕者として（　3　）の利益のために勤務し，且つ，職務の遂行に当つては，全力を挙げてこれに専念しなければならない。

第31条　職員は，条例の定めるところにより，（　4　）の宣誓をしなければならない。

第37条　職員は，地方公共団体の機関が代表する使用者としての住民に対して同盟罷業，怠業その他の（　5　）をし，又は地方公共団体の機関の活動能率を低下させる怠業的行為をしてはならない。又，何人も，このような違法な行為を企て，又はその遂行を共謀し，そそのかし，若しくはあおつてはならない。

第38条　職員は，（　6　）の許可を受けなければ，商業，工業又は金融業その他営利を目的とす

【奈良県・改】

1

(1) イ

(2) エ

(3) キ

(4) コ

(5) セ

(6) チ

る私企業を営むことを目的とする会社その他の団体の役員その他人事委員会規則（人事委員会を置かない地方公共団体においては，地方公共団体の規則）で定める地位を兼ね，若しくは自ら営利企業を営み，又は報酬を得ていかなる事業若しくは事務にも従事してはならない。

ア　専門性　**イ**　特殊性　**ウ**　重要性
エ　研究　**オ**　研修　**カ**　学習
キ　公共　**ク**　国民　**ケ**　児童生徒
コ　服務　**サ**　着任　**シ**　服務
ス　団結行為　**セ**　争議行為　**ソ**　団体行為
タ　職務上の上司　**チ**　任命権者　**ツ**　校長

【さいたま市・改】

2

2　次の文章の（　）に当てはまる語句を答えよ。

地方公務員法第 29 条　職員が次の各号の一に該当する場合においては，これに対し懲戒処分として戒告，（ 1 ），（ 2 ）又は免職の処分をすることができる。

(1)　減給
(2)　停職

【東京都・改】

3

3　次の各問いに答えよ。

(1)　教育公務員の研修に関する記述として，法令に照らして適切なものを次から選べ。

ア　教育公務員には，研修を受ける機会が与えられなければならず，教員は，授業に支障のない夏季，冬季，春季休業日に限り，本属長の承認を受けて，勤務場所を離れて研修を行うことができる。

イ　公立の小学校等の教諭等の任命権者は，児童等に対する指導が不適切であると認定した教諭等に対して，その能力，適性等に応じて，当該指導の改善を図るために必要な事項に関する研修を実施

(1)　イ

しなければならない。

ウ　公立の小学校等の教諭等の任命権者は，教諭等に対して，その採用の日から６か月間，教諭等の職務の遂行に必要な事項に関する実践的な研修を実施しなければならず，臨時的に任用された者に対しては，その採用期間に応じて同様の研修を実施しなければならない。

エ　公立の小学校等の教諭等の任命権者は，初任者研修を受ける者の所属する学校の副校長，教頭，主幹教諭，指導教諭又は教諭のうちから，指導教員を命じるものとするが，講師に指導教員を命じることはできない。

⑵　公立学校の教員の服務に関する記述として，法令に照らして適切なものを次から選べ。

【東京都・改】

ア　教員は，その職務を遂行するに当たって，上司の職務上の命令に忠実に従わなければならないが，その命令は文書，口頭いずれの方法でも有効である。

イ　教員は，他の事業若しくは事務に従事することが本務の遂行に支障がない場合，任命権者の許可がなくても，教育に関する事業若しくは事務であれば従事することができる。

ウ　教員は，職務上知り得た秘密を漏らしてはならないが，その職を退いた後であれば，この限りではない。

エ　教員は，当該教員の属する地方公共団体の区域外であれば，政党その他の政治的団体の構成員となるように，勧誘運動をすることができる。

⑵　ア

教育心理①

心理学の歴史

頻出度 C

傾向&ポイント もとは哲学をルーツとする心理学は，どのような発展を遂げてきたのでしょうか。ここでは，心理学の歴史をたどりつつ，教育活動において特に主要となりうる各心理学説のポイントをおさえていきます。

1 心理学の起源

ギリシア哲学

心理学の起源は古代ギリシアまで遡ります。プラトンやアリストテレスをはじめとする古代ギリシアの哲学者により，心についての議論が活発に行われ，学問的に組織されていきました。

デカルト

17 世紀，近世哲学の祖であるフランスの哲学者**デカルト**が物心二元論を提唱しました。デカルトは，身体に対する心の独立的な存在を示し❶，のちの心理学に多大な影響を与えます。

さらに詳しく
❶デカルトは，「我思う，ゆえに我あり」という言葉により，身体とは別に存在する心の存在について主張しました。

2 構成主義心理学

ヴント

1879 年，ドイツの**ヴント**がライプチヒ大学内に世界で初となる**心理学の実験室**を設置しました。ヴントは，人が何かを経験するときの意識に注目し，その後**構成主義心理学**を提唱しました。

3 行動主義心理学

ワトソン

心理学の対象を意識とすることに異を唱えたのがアメリカのワトソンです。ワトソンは，心理学の対象を客観的で測定可能な行動であるとする，**行動主義心理学**を唱えました。しかし，あまりに厳格な主義であったため，その後，ハルらによる新行動主義心理学へと移り変わりました。

4　ゲシュタルト心理学

ウェルトハイマー

ウェルトハイマーは，コフカやケーラーと共同で**ゲシュタルト**[❷]**心理学**を創始しました。これは，要素や一部分の集合体ではなく，全体性や構造に重きを置いて捉えるべきという考え方です。主に知覚の領域において，ゲシュタルト法則を提唱しました。

❷「ゲシュタルト」
要素に分割できない全体性をもった「まとまり」や「形態」という意味を表します。

5　精神分析学

フロイト

フロイトは**精神分析学**の創始者として知られています。人の心は**意識**・**前意識**・**無意識**の３層で構成されているとする，局所論を主張しました。彼は中でも無意識の存在に注目し，さらに，人格の構造において**イド**・**自我**・**超自我**の概念を打ち立て，意識との関連を示しました。

フロイト以後の動き

フロイトの弟子である**ユング**は，**リビドー**[❸]および無意識の概念について研究を進め，分析心理学を創始しました。**アドラー**もフロイトの影響を受け，人の劣等感に注目した**個人心理学**を提唱しました。

さらに詳しく

❸リビドーとは，性的欲求のエネルギーのことであり，フロイトは「人間が行動を起こす精神的な原動力の発達とともに，リビドーの快感充足部位も変化する」と主張しました。フロイトが提示した発達段階説は広く知られています。

6　人間性心理学

マズロー

行動主義と精神分析が主流だった1960年代，心理学の第三勢力として登場したのが，**マズロー**によって提唱された**人間性心理学**です。マズローは人間の健康な側面を重視する立場に立ち，人間には，自ら成長したい・成し遂げたいという動機をもち，自己実現に向かっていくための段階的な欲求があるという**欲求階層説**を示しました。

学習理論

傾向&ポイント 採用試験でもよく問われる分野である学習理論。まずは連合説と認知説の違いをおさえましょう。各理論と提唱者，そして実験内容など，概要を確実に答えられるように整理することが大切です。

頻出度 A

1 学習とは

同一，もしくは似た経験による比較的永続性のある行動の変容を学習といいます。学習の理論には，主に**連合説**と**認知説**❶の２つがあります。

❶「連合説，認知説」
連合説を「刺激(Stimulus)－反応(Response)理論＝S－R理論」，認知説を「記号(Sign)－意味(Significate)理論＝S－S理論」ともいいます。

2 連合説

ある刺激と，人や動物の特定の反応の間の連合・結び付きによって学習が形成されるという考え方です。**古典的条件づけ**，**オペラント条件づけ**，**試行錯誤説**が挙げられます。

☑ 古典的条件づけ

パブロフは犬に音を聞かせた（**条件刺激**）後に餌を与える（**無条件刺激**）ことを繰り返す実験を行いました❷。最初は餌を出されることでのみ発生した唾液反応が，やがて音だけで分泌するようになりました。これは，音という刺激と唾液反応とが結び付いたためであると考えられます。これにより**古典的条件づけ**（レスポンデント条件づけ）が唱えられました。

❷「条件刺激」「無条件刺激」
「条件刺激」は，本来は反応を誘発する力をもたないが，条件づけを経ることによって，それができるようになる刺激のこと，「無条件刺激」は，もとから唾液の分泌など，反応を誘発する力をもつ刺激のことです。

☑ オペラント条件づけ

スキナーは，レバーを押すと餌が出る仕掛け箱にネズミを入れて観察しました。入れられたネズミは，最初は偶然レバーに触れることで餌を獲得しますが，この経験を繰り返すうちに，自発的にレバーを押すようになります。このように，ネズミがレバーを押すという行動と，餌の獲得とを結び付けた事態を**オペラント条件づけ**と呼びます。

☑ 試行錯誤説

ソーンダイクは，複雑な仕掛けのある装置内にネコを入れ脱出するまでを観察しました。ネコが経験を重ねるにつれ，脱出までの時間が短縮されたため❸，**試行錯誤説**が唱えられました。

3 認知説

事態の認知構造や見通しによって，つまり刺激の受け止め方や意味づけが変わることによって学習が起こるという考え方です。**洞察説**，**サイン・ゲシュタルト説**，**モデリング学習**に代表されます。

☑ 洞察説

ケーラーは，檻の中にいるチンパンジーがどのように檻の外の餌をとるかを観察する実験を行いました。当初，チンパンジーは手足を使って獲得しようとしていたものの，やがて檻の中の道具を使って餌を引き寄せるようになりました。この結果から，手段と目的の見通しを得ることで問題を解決できる**洞察説**が唱えられました。

☑ サイン・ゲシュタルト説

トールマンは，ネズミを迷路に入れ，学習させる実験を行いました。ネズミは，自由に動き回るうちに迷路の構造を潜在的に学び，認知地図を形成。その後，ゴール地点に餌を置くと，その認知地図を読みながらゴール地点に素早くたどり着くことを発見しました。この結果から，学習とは刺激と記号（サイン）の関連を認知することだという考え（**サイン・ゲシュタルト説**）が提唱されました。

☑ モデリング

バンデューラは，他者の動作や行動などを基本（モデル）として見て，自身も似た動作や行動を行うことで学習が成立するモデリング学習を提唱しました。これにより，直接の強化を必要としない**社会的学習理論**が築かれました。

さらに詳しく

❸脱出までの時間が短くなった理由は，繰り返し経験することで次第に行動が洗練されたからとみなすことができます。脱出という満足のいく効果が得られる行動は繰り返され，不満足な効果であれば反応が弱まることを，ソーンダイクは**効果の法則**と名づけました。

学習のメカニズム

傾向＆ポイント ここでは学習の仕組みについて学びます。刺激と反応の結合によって成立する学習では，反応を強化したり，反応の与え方や内容を定めたりすることが重要です。プラトーは，採用試験で問われやすいので理解しておきましょう。

頻出度 B

1 強化と消去

強化

反応が起こる頻度を高めるために行う手続きのことを，総じて**強化**❶といいます。強化には，報酬などの好ましい結果を与えることによって反応をさせる**正の強化**と，罰などの好ましくない結果を与えることによって，それを避けるような反応をさせる**負の強化**とがあります。

消去

無条件刺激を与えずに条件刺激だけを繰り返し与えていると❷，やがて条件反応が起こらなくなります。与えられていた強化が得られなくなることで反応が起こらなくなる事態を**消去**といいます。

さらに詳しく
❶強化の与え方を設定したものを強化スケジュールといいます。定率スケジュール，変率スケジュールなど様々な方法があり，スケジュール方法によって行動に与える影響は変わってきます。

❷「条件刺激」「無条件刺激」
⇒P.240

2 準備性の形成

レディネス

学習の成立には，学習に必要な知的・身体的な準備が整っているかどうかが非常に重要となります。学習の成立のための準備性を**レディネス**❸といい，レディネスは成熟的な要素と経験の要素とによって形成されます。

さらに詳しく
❸本を読む場合には，まず文字が，書き言葉を学ぶ場合には，まず話し言葉を習得していることが望ましいとされています。この「文字の習得」や「話し言葉の習得」がレディネスにあたります。

発達の最近接領域

発達の水準には，与えられた課題を自分自身の力のみで解決することのできる領域と，先生など，外からの適切な助言やヒントを用いることで解決できる領域とがあります。**ヴィゴツキー**は，前者と後者との間の領域を**発達の最**

近接領域と呼びました。

3　市民革命期の教育学習曲線

学習曲線とは

学習することで得られた成果（学習到達度）が，学習回数や時間によってどのように変化するのかを図示したものが**学習曲線**❹です。学習到達度を縦軸，学習や鍛錬の回数・時間を横軸に設定します。

プラトー

ある適度な難度の学習に取り組んだ場合の学習曲線をみると，最初は一定の成果がみられるものの，途中で成果が一時的に停滞する時期があります。これを**プラトー**❺と呼びます。一般的にはプラトーの時期を抜けると，成果は再び上昇するといわれています。

学習曲線とプラトー

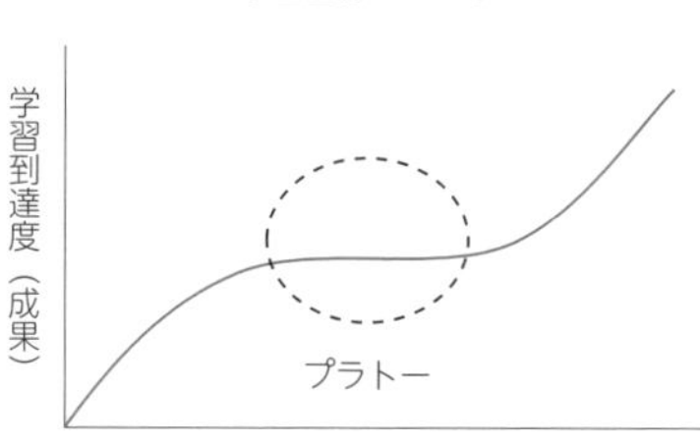

4　学習の転移

すでに学習したことがのちの学習に影響することを**学習の転移**といいます。

正の転移

事前に学習・訓練したことがのちの学習を促すケースを**正の転移**といいます。サッカー経験者がフットサルを練習しはじめると比較的上達が早くみられることなどが例に挙げられます。

負の転移

逆に事前に習得していることが本来学習することを妨害してしまうことを**負の転移**といいます。バドミントンを先に習得していたために，その後のテニスの上達が遅れがちになるといったことなどが例に挙げられます。

さらに詳しく

❹最初に急上昇し，その後緩やかに上昇する曲線を**負の加速曲線**，最初は緩やかに，その後急上昇する曲線を**正の加速曲線**，両者の折衷型を**S字型曲線**といいます。

❺「プラトー」
別名，高原現象といいます。プラトーに似た現象でスランプがありますが，プラトーは成長が停滞すると感じる状態であるのに対し，スランプはこれまでできていたことができなくなってしまう状態を指します。

動機づけ

傾向&ポイント 意欲や関心など，教育現場において重視される「やる気」。やる気を生起させる基本的な方法として，動機づけの理論を知ることは大切です。動機づけにまつわる重要語を軸に，おさえておきたいポイントを解説します。

1 動機づけとは

☑ 動機づけの概念

ある行動を起こすときに，それを方向づけて持続させ，目標達成へと促す力を**動機づけ**といいます。主に以下の2つが知られています。

☑ 外発的動機づけ

何か望ましい成果が出たら報酬を与えるなど，外部からの働きかけによって行動を起こさせようとすることを**外発的動機づけ**といいます。賞罰を与える，ほかと競争させる，人と協同して作業をするなどがこれにあたります。

☑ 内発的動機づけ

課題や行動そのものに興味・知的好奇心を抱き，それに取り組むこと自体が目標・報酬となるようなことを**内発的動機づけ**といいます。これを構成する基本的欲求の1つに**コンピテンス**[1]が挙げられます。

ことば

❶「コンピテンス」
自らの能力や機能を発達させ，周囲の環境に働きかけることで，自身の有能さを追求しようとする潜在的な力のことです。一般的な能力に対しての自分の自信であり，年齢が上がるにつれてコンピテンス全般が低下していく傾向がみられます。

2 動機づけの効果作用

☑ 機能的自律

機能的自律とは，はじめは外発的動機づけであったことが，持続するうちにそれ自体が目標に転化することをいいます。お菓子をもらうためにブロック遊びをしていた子どもが，次第にブロック自体の面白さに目覚め，お菓子を与えられなくてもブロックで遊ぶなどのケースです。

☑ アンダーマイニング現象

アンダーマイニング現象❷とは，内発的動機づけで行動していたことが報酬などを与えられたことで，行動を持続する力が外発的動機づけに変化する現象をいいます。自発的に絵を描いていたら褒美を与えられ，褒美の方が魅力的に感じられると，やがて褒美をもらうために絵を描くようになるケースなどを指します。

❷アンダーマイニング現象は試験でたびたび問われる用語です。現象の内容，機能的自律との違いなどをしっかり覚えておきましょう。

3 動機の種類

☑ 達成動機

達成動機とは，学習課題を可能な限り卓越した水準で早く成し遂げたいとする欲求のことです。問題を克服し，さらなる成果を求め努力しようとする動機も含まれます。

☑ 親和動機

親和動機とは，社会で生活していくうえで，他者に関心を抱き，進んで友好的な関係で人に接しようとする欲求を指します。達成動機も親和動機も，社会生活の中で獲得されていく社会的動機づけに分類されます。

4 原因帰属

☑ 原因帰属

自身が行った行為が成功あるいは失敗に終わったとき，その原因は何に帰するのかを推測することを**原因帰属**といいます。これは動機づけを規定する認知的要因として重視されています。

☑ ワイナーの理論

ワイナーは原因帰属の要因が下表のような３次元に基づいて行われるという考え❸を提案しました。

	内的		外的	
	安定	不安定	安定	不安定
制御可能	日頃の努力	一時的な努力	教師の熱心さ	家族などの助け
制御不可能	気分・体調	気分・体調	課題の困難度	運

さらに詳しく

❸例えば，達成動機の高い人は，成功の要因を能力や努力に帰する傾向があります。能力や努力は個人の内的要因であり，これらによる成功と捉えることで次の課題への期待も高まります。また，失敗してもそれを努力不足に帰属させる傾向にあるため，努力により次の課題を成功させる可能性を見い出し，努力を続けることができます。

学習

記憶の種類

頻出度 B

傾向&ポイント 何かを学ぶ際，過去の経験や記憶が大きく関わってきます。脳内に情報が保持される時間によって，あるいは内容によって区分される記憶。その区分と定義を詳しくみていきましょう。

ここが出た！

それぞれの記憶の名前と内容の組み合わせを選ぶ問題など，問われやすい分野です。長期記憶の区分も含め，きちんと整理しておきましょう。

さらに詳しく

❶記憶する情報の容量は，簡略化したその意味のまとまりで数えることができ，その単位をチャンクと呼びます。例えば「うさぎ」という語を動物のウサギと理解できれば，1チャンク，ウサギを知らなければ3文字の仮名，つまり3チャンクとなります。このように，情報は情報を記憶するときの意味的なかたまりによって数えられます。

1 記憶のプロセス

記憶は，学習が成立するために重要な役割を果たします。記憶には，入力された情報を覚える**記銘**，記銘された情報を忘却せず保ち続ける**保持**，保持した情報を思い出し再現する**想起**という３つの過程があるといわれています。

2 記憶の種類

保持時間からみた記憶の種類は，以下のとおりです。

☑ **感覚記憶**

外的環境が発した刺激（情報）は五感を通じて脳に伝わります。その情報のすべてからなるのが**感覚記憶**で，特に視覚的な記憶を**アイコニックメモリ**といいます。感覚記憶の保持時間は短く，一瞬にして消失しますが，量は膨大です。

☑ **短期記憶**

膨大な感覚記憶の中で注意が向けられた情報のうち，数秒から数分間，保持される記憶を**短期記憶**といいます。短期記憶の容量❶は７±２個とされ，**マジカルナンバー7**ともいいます。

☑ **長期記憶**

短期記憶の情報の中で，普段は意識しないものの，忘却されずに半永久的に残る記憶を**長期記憶**といいます。数分以上保持され，記憶の量は無制限です。

3　ワーキングメモリ

ワーキングメモリとは，情報を短時間保持すると同時に処理する心的作業を指します。入ってきた情報を一時的に記憶し，その内容をどの情報に対応させるかを整理し，不要な情報は削除していくなどの処理作業です。**作業記憶**あるいは**作動記憶**とも呼ばれ，日常生活や学習を支える重要な能力です。

4　長期記憶の区分

タルヴィングは，長期記憶は保持内容によって区分できると提唱し，長期記憶を言語化できるかどうかで分類したのち，さらに言語化できる記憶を２つに分類しました。

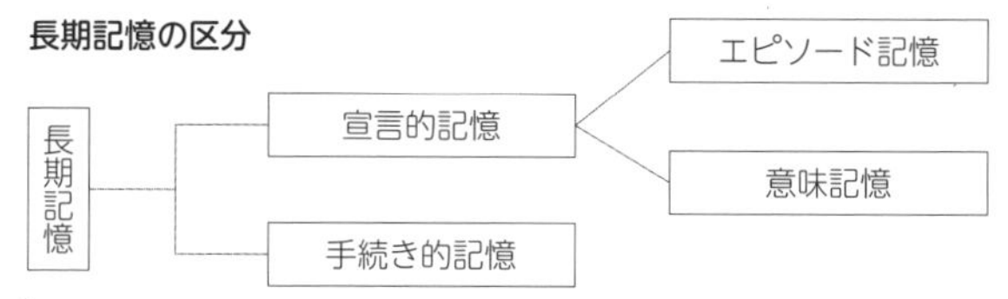

☑ 宣言的記憶（陳述的記憶）と手続き的記憶

例えば，自宅から郵便局までの道のりを話すとき，実際の光景を思い浮かべながら，家の前の道をまっすぐ，次の角を左に，などと説明しますが，そのような言語化できる記憶を**宣言的記憶**といいます。それに対し，言語に置き換えられない記憶を**手続き的記憶**❷といいます。

☑ エピソード記憶

過去の思い出など，宣言的記憶の中でも個人的な経験に関する記憶を**エピソード記憶**といいます。運動会のリレーで優勝したなど，特定の日時や場所などの記憶です。アルツハイマー病で最も損ないやすい記憶といわれています。

☑ 意味記憶

意味記憶は，言語や概念など誰もが知っているような，いわゆる一般的知識に相当する普遍的な知識の記憶を指します。

❷「手続き的記憶」
非陳述的記憶ともいいます。自転車の乗り方など，一度身についた感覚的な記憶は，体が覚えていますが，そのときのバランスのとり方や体の運び方などを他者に説明するのは難しいと感じるはずです。そのような特徴をもつ記憶を指します。

6 記憶の実験

頻出度 B

傾向&ポイント 記憶とセットになってくるのが，時間経過とともに衰退し，再生されなくなる「忘却」です。ここでは，試験にもよく問われる忘却曲線や系列位置曲線を中心に，記憶にまつわる諸概念を学んでいきます。

1 忘却曲線

エビングハウスの実験

ドイツの心理学者である**エビングハウス**は，アルファベット３文字からなる無意味な音節リストを作成し，それらを被験者に様々なタイミングで再学習させ，基準をクリアするのにどの程度の回数が必要かを調べました。学習した記憶が時間経過とともにどのように**忘却**❶していくかを示したグラフを**忘却曲線**といいます。忘却曲線は，縦軸に記憶の保持の程度（**節約率**❷），横軸に時間経過をとり，右肩下がりの曲線になります。

図１　忘却曲線

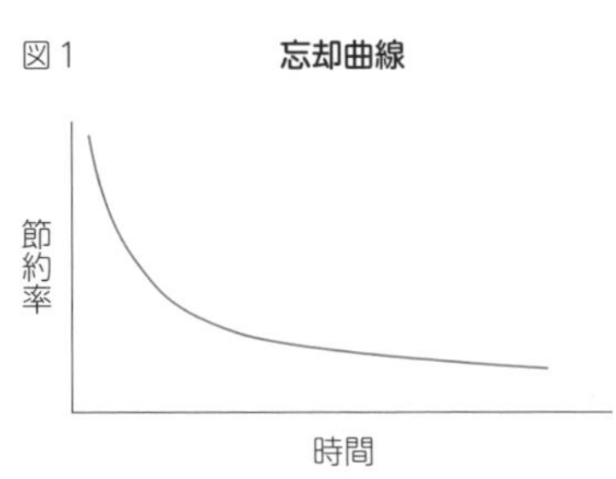

レミニセンス

「記憶」は一般的には忘却曲線のような経過をたどるのですが，記銘直後にテストするよりも時間が少し経過してからのほうがよく思い出されるケースもあり，この現象を**レミニセンス**といいます。集中学習のときなどにみられます。

2 系列位置曲線

縦軸に再生率，横軸に学んだことを記銘した順序（系列位置）をとるグラフを**系列位置曲線**といいます。曲線は図２❸のようにU字型を描き，最初のほうに記銘したことはよく

さらに詳しく

❶忘却が生じる主な原因として「減衰説」と「干渉説」があります。さらに干渉説には，先の記憶が後の記憶の妨げとなる「順向干渉」と後の記憶が先の記憶に影響を及ぼす「逆向干渉」があります。

❷「節約率」
再学習する際，最初に記憶したときよりもどれくらい少ない時間や回数で覚えられたか，どれくらい時間（回数）を節約できたかを算出した割合を指します。

思い出せるものの，途中で再生率が下がり，また最後の方で記銘したこともよく思い出せることを表しています。

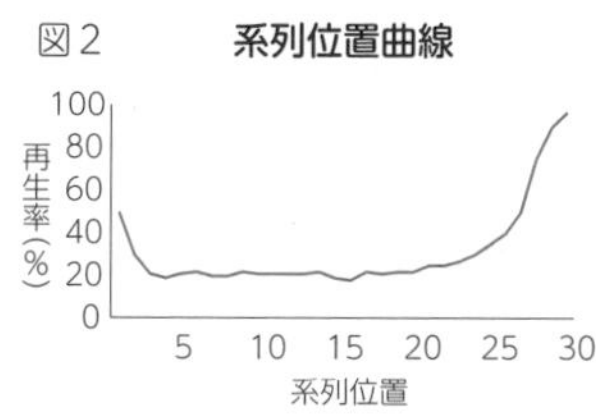

さらに詳しく

❸図２の曲線のうち，最初の再生率がよい現象を初頭効果，最後の再生率がよい現象を新近性効果と呼びます。

3　日常の記憶

様々な日常の記憶についてまとめておきましょう。

☑ 閃光記憶（フラッシュバルブ記憶）

自分の感情を強く動かされた，劇的で印象的な出来事についての記憶で，かなりの時間が経過してもそのときの状況を鮮明かつ詳細に想起・再生できる記憶のことです。

☑ 自伝的記憶

人生を振り返ったときに思い出す，節目，節目の重大なエピソードを**自伝的記憶**といいます。エピソード記憶❹と似ていますが，自身にとって重要な意味をもつかどうかという点で異なります。

❹「エピソード記憶」⇒ P.247

☑ 回想的記憶

過去の経験や学んだことの記憶を**回想的記憶**といいます。

☑ 展望的記憶

回想的記憶に対し，これから起きる予定などの記憶を**展望的記憶**といいます。

4　記憶の障害

☑ 見当識障害（失見当）

時間や季節，今いる場所などがわからなかったりすることをいいます。認知症の中核症状の一つに数えられます。

☑ 順向性健忘と逆向性健忘

事故などにより，それ以後の新しい事がらを記憶できない状態を**順向性健忘**，それ以前の過去の記憶が思い出せない状態を**逆向性健忘**といいます。

頻出度 B

発達とは

傾向＆ポイント 人間は，身体の変化だけではなく，知的能力や社会性など，様々な変化・発達を繰り返す存在です。ここでは，人間の発達に関する基本的な学説について学びます。諸説の内容を提唱者とあわせて理解していくことが大切です。

1 人間の発達

発達とは

人間は，受胎から死に至るまで心身ともに様々な変化を繰り返します。この変化の過程を**発達**といい，発達過程を理解するには，遺伝や気質などの生物学的要因のほか，育児経験や近親者との関係など環境要因の考察も必要です。

生涯発達

人間の一生の変化過程には上昇的なものだけでなく下降的なものもあります。すべての変化の過程を発達として捉える考え方を**生涯発達**[1]といい，近年の主流の見方です。

成長・成熟

成長とは，身体面で量的かつ不可逆的に増大するものを指します。それに対し，質的な面で遺伝的に備えている形質が時間に従い，進行していくことを**成熟**といいます。

❶「生涯発達」「Lifelong Development」の訳語として 1970 年代以来，日本でも，盛んに用いられています。

2 人間の特異性

生理的早産と子宮外胎児期

誕生から 1 年あるいは 1 年半の期間を乳児期といいます。人間は生まれてすぐは歩けないなど，ほかの高等な哺乳動物に比べ，他者の援助が必要な未熟な状態で生まれてきます。このような人間の特異性を**ポルトマン**は**生理的早産**と呼びました。また，生後 1 年間は本来，母体で成長するべき時期とみなし，**子宮外胎児期**とも呼びました。

3　遺伝と環境

遺伝説（成熟説）と環境説❷

ゲゼルは，遺伝の重要性を指摘した**遺伝説（成熟説）**を提唱しました。発達を規定するのは遺伝（成熟）であるというものです。一方，環境や経験によって発達は決まると主張したのが**ワトソン**です。彼は，行動主義の立場から，人は環境や経験による働きかけにより形成されるという**環境説**を提唱しました。環境説を裏づけるものとして，**野生児**の研究が挙げられます。野生児とは，何らかの理由で生後間もない頃から動物によって育てられた子どもを指し，人間として生まれても，与えられた環境によっては人間らしく発達できないことを示しているといえます。

輻輳説

シュテルンは，発達には遺伝と環境の両方の要因が重要とする，**輻輳説**（ふくそうせつ）を唱えました。遺伝と環境はそれぞれ独立したものであり，両方の要因が相互に加算されながら作用した結果，発達となって現れると考えました。

図1

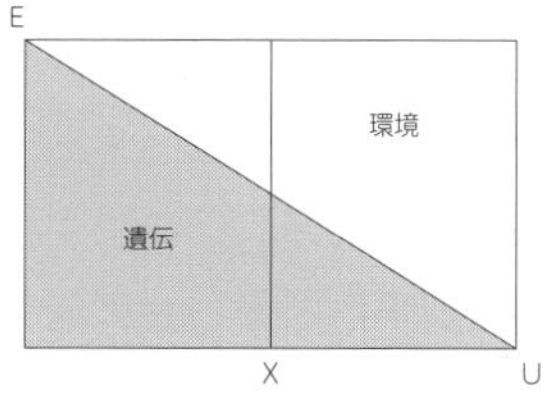

E

環境

遺伝

X　U

E：遺伝要因　U：環境要因　X：特性

環境閾値説

ジェンセンは，身長や知能など，人間の様々な特性を発現させるのに必要な環境的要因の水準（閾値（いきち））は，それぞれ異なるとする**環境閾値説**❸を提唱しました。例えば，図2の特性Aは身長や発語などの特性を示していますが，これは環境要因が小さくても（不適であっても）発現しています。対して，絶対音感や外国語音韻などを示す特性Dは閾値が高く，最適な環境要因が必要となってきます。

図2

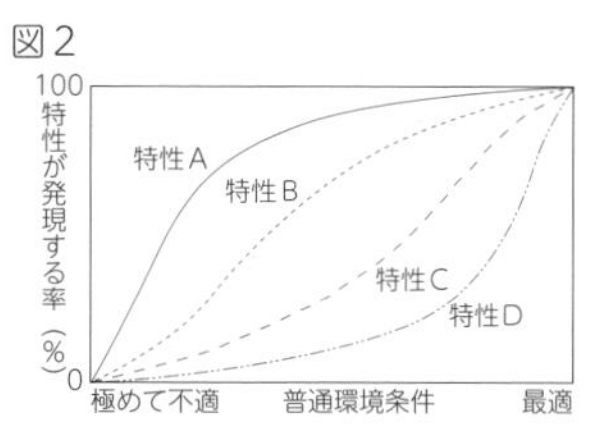

ここが出た！

❷それぞれの説の内容と提唱者を結び付ける問題が多くみられます。内容と提唱者をセットで答えられるようにしましょう。

面接対策

子どもの才能の開花を目指すにあたり，輻輳説の立場からあなたはどのような学級経営を行いたいと考えますか。

さらに詳しく

❸図2の特性Bは知能などが例に挙げられ，不適な環境のもとでも遺伝的な要因による素質は開花するとされています。特性Cは学業成績などが例として挙げられ，適した環境条件でなければ素質開花に影響を及ぼす場合があるとされています。

乳児期の発達

傾向＆ポイント 生誕と同時に母親の胎内から外の世界へと出るこの時期は，赤ちゃんにとってその大きな環境の変化に適応していくための大切な期間となります。特に感覚面で目覚ましい発達を遂げる，人間の乳児期の特徴を学んでいきましょう。

頻出度 C

1 新生児期の特徴

誕生から約１か月の赤ちゃんを新生児と呼び，この時期を中心にみられる生得的な反射を**原始反射**[1]といいます。これらの反射は成長とともに約４～５か月で消失しますが，これは赤ちゃんの脳や中枢神経の発達・成熟に伴うからであり，反射の生起と消去は健康な発達がなされているか否かの目安になるといえます。

ことば

[1]「原始反射」
新生児反射ともいいます。例で挙げた以外にも，探索反射や自動歩行反射，緊張性頸反射などがあります。

☑ バビンスキー反射

足裏の外側をかかとから指先に向かって軽くこすると，足の親指は足の甲の方に反り返る反射です。ほかの４本の指は扇状に広がります。

☑ モロー反射

突然音の衝撃を受けたり，落下などで体のバランスを失ったりしたとき，両手両足を外側に大きく伸ばした後，自分を抱きしめるような反応をみせる反射です。約４か月で消去します。

☑ 把握反射

赤ちゃんの手のひらを大人の指や棒のようなもので押すと，それをぎゅっと握りしめる反射です。

☑ 吸い付き反射

赤ちゃんの口元（唇）に小指などをもっていくと吸い付く反射をいいます。

2　乳児期の特徴

生後１か月から，歩行できるようになる１歳半頃までの期間を乳児期といいます。新生児期の反射が消え，片言の発語も出てきます。養育者への**アタッチメント**❷や見知らぬ人に対する**人見知り**がみられるようになります。

3　感覚器官や運動機能の発達

☑ 視覚の発達

新生児の視力は 0.01 ～ 0.02 程度といわれています。これは 30 ～ 40cm 先のものに焦点が合っている状況で，授乳時に母親の顔をじっと見つめることができます。生後３～４か月で 0.03 ～ 0.08 となり，黒や赤・青・黄など，はっきりとした原色のほうが見やすい傾向にあります。

☑ 選好注視法

乳児の視覚行動を調べる方法として，**選好注視法**❸があります。これによると，乳児は平面よりは立体を，無色よりは有色を，単純な図形よりは人間の顔などのような複雑な図形を好む傾向があるということがわかっています。

☑ 聴覚の発達

新生児には，特定の音などをより好む**聴覚的選好性**が見受けられます。また，音に対する反応は，まばたきや心拍数の変化などによって示され，生後１～２週の赤ちゃんでも大きな音と小さな音，高音と低音などを聞き分けていることがわかっています。

☑ 運動機能の発達

個人差はあるものの，生後３～４か月で首がすわってくると，５か月くらいからひとりで座れるようになります。７か月くらいでつかまり立ちを覚え，11 か月あたりからひとり歩きを始めます。２歳くらいで歩行運動はほぼ完了し，その後，両足で飛んだり跳ねたり，活発な動きをみせるようになります。

ことば

❷「アタッチメント」
人が特定の対象に対してみせる強い情緒的な結び付きのことをいい，愛着ともいいます。乳児は，多くの場合，養育者である母親がアタッチメントを感じる対象となります。
⇒ P.265

さらに詳しく

❸選好注視法とは，乳児に様々な形態のパターンを提示し，どのパターンをどれくらいの時間見ていたか，その注視時間を計測することで，乳児の興味や関心について調べる実験方法です。ファンツらによって提唱されました。

身体発達

傾向&ポイント 誕生から成人に至るまで，人間の身体は目覚ましい発達を遂げています。身体発達の原理や特徴をおさえましょう。特にスキャモンの発達曲線は出題率が高く，各曲線の型と解説の組み合わせが問われやすい傾向にあります。

1 発達の原理

☑ 方向性

ウェルナーは，身体における発達には，頭部から足の方へ，身体の中枢部から末梢部方向へ，粗大から微細な方向へなど，**方向性**があると指摘しました。

☑ 反復性

身体の発達過程において，特に身長が伸びる時期があり，5～7歳を**第一伸長期**，11～15歳を**第二伸長期**といいます。同様に性的機能が充実する時期も，生まれてすぐにみられる**第一次性徴**と思春期頃にみられる**第二次性徴**❶があり，このように発達には繰り返し現れる**反復性**❷があるとされています。

☑ 個人差

身体の発達における速度は多様化を示し，時期も成熟度にも**個人差**がみられます。発育が進むほど個人差は大きくなっていきます。

2 スキャモンの発達曲線

身体の各部位が成人までにどのような発達の機軸をたどるかを示したのが，**スキャモンの発達曲線**です。スキャモンは，生後から20年までの発育のパターンを**リンパ型**，**神経型**，**一般型**，**生殖腺型**の4種類に分類し，図のような模式図を示しました。右図は，縦軸に20歳時の発育増加量を100としたときの発育量の比率を，横軸に年齢をとっ

ことば

❶「第二次性徴」
性的機能が急速な発達・充実をみせることを第二次性徴といいます。声変わり，初潮や射精の開始など，子どもから大人へと移り変わる過渡期とみなすことができます。

さらに詳しく

❷反復性は，体重や胸囲など身体の幅に関する発達が盛んな時期を指す充実期にもみられます。第一次充実期は1～4歳まで，第二次充実期は8～10歳とされています。

ています。

リンパ型

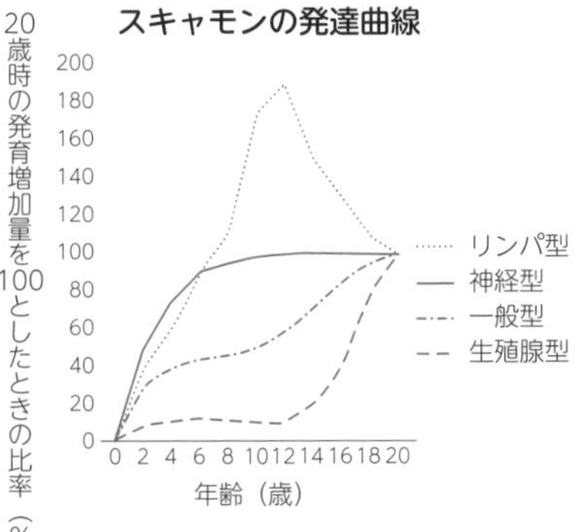

胸腺やリンパ節など免疫機能に関わる組織の発達曲線です。10代前半にピークが訪れ，やがて成人の水準に戻ります。10代前半は成人時の2倍近くもの数値になるという，やや特異な曲線を描きます。

神経型

脳や脊髄，感覚器官などの発達曲線です。生後は急激に成長し，それ以後は成人の値までゆっくりと発達します。

一般型

骨や筋肉，内臓などの発達曲線です。第一次性徴と第二次性徴の時期に目覚ましい発達をみせます。

生殖腺型

睾丸や卵巣などの生殖器官の発達曲線です。思春期までは非常にゆっくり発達し，思春期を迎える頃に急上昇で発達します。

3　身体発達に影響する要因

発達加速現象

現代社会の子どもの体格や性的成熟などの速度は，昔の子どもより早まっているといわれています。これは，以前に比べ，食生活が改善されたことによる栄養状態の向上や都市化，欧米化など生活環境の変化などに起因します。このように，時代が新しくなるにつれて身体発達が早まることを**発達加速現象**といいます。発達加速現象には，**成長加速現象**と**成熟前傾現象**[3]の2つの側面があります。

❸「成長加速現象」，「成熟前傾現象」
成長加速現象は身長や体重などの成長が昔の時代より早いことをいい，成熟前傾現象は歯の生え変わる時期や初潮の開始時期などが低年齢化することをいいます。

10 認知発達

傾向&ポイント ピアジェが唱えた認知発達理論は，採用試験でも最頻出の内容です。彼は認知発達，特に人間の思考の発達段階について，大きく４つに区分しました。ここではそのうちの感覚運動期を中心にみていきます。

頻出度 A

1 認知発達理論

認知とは，見る，聞く，考えるなど，知的な働きを通じて周囲に起こった事がらを理解し，受け止めていくことをいいます。スイスの心理学者**ピアジェ**は，認知の視点から子どもの発達を包括的に捉えた**認知発達理論**を唱えました。認知発達理論の基本概念として４つの機能をおさえておきましょう。

☑ シェマ

人間が周囲の環境を理解・適応するための認知の枠組みをシェマといいます。シェマは経験によって形成されます。

☑ 同化

新たな情報や経験など，外界の対象を自己の既存のシェマに統合し，取り入れる作業を**同化**❶といいます。

☑ 調節

既存のシェマを新しい事がらに適応させるためにシェマを変更していくことを**調節**❶といいます。経験とともにシェマを変容していく過程こそが発達だとピアジェは考え，同化と調節を繰り返すことで自分のもつシェマがより高度なものに作り替えられるとしました。

☑ 均衡化

同化と調節がバランスをとりながら認知的構造の均衡を保ち，さらに安定したものに発達させる働きを**均衡化**といいます。

さらに詳しく

❶昆虫のシェマ（羽があって飛ぶ，小さなもの）を既にもっていれば，新たにチョウやトンボを見たとき，シェマを使ってそれらを昆虫だと理解します。これが同化です。しかし，羽はあるが飛べないバッタや，羽そのものをもたないアリは，既存の昆虫のシェマでは対応できないため，シェマを変化させていきます。これが調節です。

2 思考発達の４段階説（認知発達理論）

ピアジェは，実際の子どもの観察をもとに，認知発達，特に思考の発達は質的に異なる４段階で構成される❷としました。すなわち，生後２歳頃までの**感覚運動期**，２～７歳頃までの**前操作期**，７～12歳頃までの**具体的操作期**，12歳以降の**形式的操作期**という区分です。ここでいう**操作**とは，心の中で思考し，外界の事がらを自己でうまく処理できるようになっていくことを指します。

❷ピアジェの認知発達理論はよく問われる部分です。発達過程でみられるそれぞれの現象は，４つの認知発達段階のどこに当てはまるのか，しっかりとまとめておきましょう。

3 感覚運動期

感覚運動期は，言語の発達が不十分のため，吸う，つかむ，触るなど運動的活動や感覚を通じて外界と関わり，新しい環境に適応していくという特徴がみられます。対象を把握するための探索活動が盛んな時期でもあります。

☑ 物の永続性

物の永続性とは，すべての対象は独立して存在し，見かけが変わっても存在自体に変わりがないことがわかる能力です。例えば，ある対象を布で覆ったり，ある場所から別の場所へ移したりなどをして，目の前から見えなくなっても存在することが理解できることで，対象の永続性ともいいます。感覚運動期の中頃までに獲得されます。

☑ 循環反応

新生児期の特徴として原始反射❸を挙げましたが，この時期は，単に反射をするだけでなく，感覚運動的な行動を繰り返す**循環反応**がみられるようになります。指しゃぶりなど自分の身体に関係した反復運動を行う第一次循環反応，音の鳴るおもちゃのひもを引っ張るなど外界の対象物に興味をもち始め，繰り返し働きかける第二次循環反応，そして，目的を達成するために周囲のものに積極的に活動を行う第三次循環反応です。これらを連続していくうちに，自己の動作と結果の相互関係を習得していきます。

❸「原始反射」
⇒ P.252

11 操作期

頻出度 A

傾向&ポイント ここでは，引き続きピアジェの認知発達理論である前操作期，具体的操作期，形式的操作期をみていきます。各時期における主な特徴をおさえるだけでなく，時期の並び替えにも対応できるようにしておきましょう。

1 前操作期

ピアジェによる認知発達理論において，**前操作期**はおおよそ2～7歳の時期を指します。さらに前操作期を2～4歳までの**象徴的思考段階**，4～7歳までの**直感的思考段階**に分けています。

☑ 自己中心性

前操作期の思考の特徴として**自己中心性**[1]が挙げられます。これは利己的な意味を指すのではなく，この時期はまだ物事を多面的に捉えることができないため，自分の見たものや感じたものなどを他者も自分と同じように捉えると考える思考です。自分が好きなおもちゃを大人や動物にプレゼントしようとしたり，自分が見えていないものは相手にも見えないと捉えたりします。

さらに詳しく

❶ピアジェは「三つ山課題」を通じて自己中心性の特徴を示しています。これは，色や大きさなどが違う3つの山の模型を並べて前操作期の子どもに見せ，自分と異なる方向から見た山の位置関係を尋ねると，自分が見ている景色と同じように見えると答えるというものです。前操作期の子どもには，他方向から見た景色を想定することが難しいため，このような結果が生まれます。

☑ 心的表象の発達

手元にあるものをほかのものに見立てて遊ぶ象徴遊び(ごっこ遊び)ができるようになるのも，この時期の特徴です。また，人形など非生物にも命があり，人間同様の感情があるように認識する**アニミズム**や，自然物も人間のために作られたと捉える**人工論**，あらゆるものは存在すると考える**実念論**など，この時期特有の世界観ももち得ています。

2 具体的操作期

7～12歳くらいの時期を**具体的操作期**といいます。前操作期の特徴であった自己中心性から脱却（＝**脱中心化**）

し，具体物について多様で論理的な思考が可能となります。

保存概念

この時期の特徴として**保存概念**[2]の獲得が挙げられます。見かけが変化しても物質量自体に変化はないと理解できる思考のことです。例えば，図のように2つの同じ大きさの容器に同じ高さの水を入れた後，片方を別の容器に移し替えても，水の量自体は同じだと理解できるようになります。

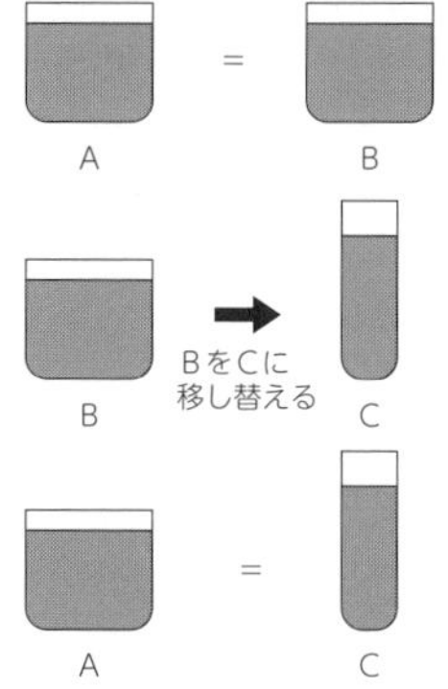

保存概念獲得の背景

可逆性と呼ばれる概念を理解できるようになると，保存概念を獲得できるようになります。これは，粘土で作った動物を崩せばもとの粘土に戻るといった思考です。そのほかにも**同一性**や**相補性**[3]の理解が，保存概念の獲得を促します。

系列化

この時期は，大きさや長さなどが異なる物事をある基準によって並び替えるといった**系列化**もできるようになります。

3 形式的操作期

中学生頃に相当する12歳以降を**形式的操作期**といいます。この時期になると，具体的なものを使用しなくても抽象的，論理的に思考できるようになります。

仮説演繹（えんえき）による思考

「AさんはBさんより背が高く，BさんはCさんより背が高い場合，一番背が高い人はだれか？」といった質問に論理的に考え，答えられるようになるのがこの時期からとされています。そして，そのような形式的な思考を展開させ，善とは何かなど，道徳的・哲学的なものを思考することもできるようになっていきます。

さらに詳しく

❷保存概念は，量だけでなく数や長さにもいえます。例えば，10枚のコインを縦1列に並べた後，円状に並べます。縦のときも円状のときもコインの枚数は同数だと答えることができれば，数の保存概念は獲得できているといえます。

❸「同一性，相補性」
同一性とは，目の前に置かれた物体から何かを取ったり加えたりしていないので同じであるという理解のことです。相補性とは，例えば長さは短くなったが，幅が太くなったので同じなどの理解のことです。

12 自我の発達

頻出度 A

傾向&ポイント 心身の発達に伴い，様々な経験をすることで，自分に対する意識（＝自我）がめばえ，徐々に形成されていきます。ここでは，幼児期から青年期にかけての自我の発達を学びます。エリクソンの心理・社会的危機は，頻出事項です。

1 自我のめばえ

幼児期からめばえてくる**自我**。**自我のめばえ**は，以下の行動によって現れてきているといえます。

☑ ハンドリガード

生後３か月頃から，自分の手を目の前に出して見つめる行為を始めます。これを**ハンドリガード**といいます。手や腕を自由に動かせるようになったことによる，身体的自己を知る動作の一つといえます。

☑ 鏡映像の自己認知

身体的自己の意識がめばえているかを知るための，鏡映像の自己認知のテスト（ルージュテスト）が有名です。これによれば，２歳近くになると鏡に映った姿が自己であると意識するようになります。

☑ 名前の認識

１歳頃になると自分の名前が呼ばれて返事ができるようになり，１歳半頃に名前が言えるようになります。また，２歳を過ぎると自身の名前を使いながら自分のことを伝えられるようになります。自分と他者を区分し，ぼく，わたしなど一人称を使って自分の好みや所有物を表現できるようになるのは３歳頃からといわれています。

☑ 第一反抗期

２歳頃にみられる**第一反抗期**❶も自我のめばえによって起こるものです。養育者からのしつけに対してはっきりと拒否し，自己を主張します。

❶「第一反抗期」
この時期にみられる反抗期は，養育者への反発行動の表れであり，意図的な反抗ではありません。青年期（思春期）にも**自我の確立**に伴う反抗期がみられます（＝**第二反抗期**）が，それと区分し，第一反抗期と呼ばれます。

2　自分という意識

☑ 現実自己，理想自己

思春期になると，ありのままの自分（**現実自己**）と，なりたい自分（**理想自己**）のずれが顕著になってきます。

3　エリクソンによる発達段階

エリクソンは，心理・社会的な側面から人生を８つの発達段階に分けました。彼は各段階の**心理・社会的危機**ごとに，乗り越えることで得られるもの，乗り越えられないことで陥る状態があると指摘しました。

発達段階	心理・社会的危機	重要な対人関係
乳児期	**信頼**　対　不信	身近で母親的な人物
幼児前期	**自律性**　対　恥と疑惑	親的人物
幼児後期	**自発性（積極性）**　対　罪悪感	基本的な家族
児童期	**勤勉性**　対　劣等感	近隣や学校
青年期	**同一性**　対　同一性拡散	仲間集団と外集団
成人前期	**親密性**　対　孤独	友情・性愛，競争，協力関係における相手
成人後期	**世代性（生殖性）**　対　停滞性	分業と共同の家族
老年期	**統合**　対　絶望	人類

※心理・社会的危機の左側が課題を乗り越えられたときの状態です

☑ 各発達段階の心理・社会的危機

乳児期は，授乳など養育者からの適切な行動により他者に対する基本的**信頼感**を得ます。幼児前期は，排泄トレーニングなどのしつけによって自己統制を学び，**自律**の感覚を得ます。一方，過度なしつけや失敗の連続によって**恥**や**疑惑**を覚えます。幼児後期は，外界への強い関心を示し，目標を立てて自らの行動を開始し，その行為が周囲にポジティブに受け入れられれば**積極性**が育まれ，非難・否定されるなどの経験をすると自身の主張に**罪悪感**を抱きはじめます。児童期は自我の成長に決定的な段階で，様々な課題に誠実に取り組むことで**勤勉性**が得られ，達成感を味わえないと**劣等感**に陥るといわれています❷。

各発達段階における心理・社会的危機の組み合わせや内容が問われやすい傾向があります。表をもとにしっかり整理することが大切です。

さらに詳しく

❷青年期は，自分は何者であるかという疑問をもつ時期です。その答えを見つける過程で経験する自己評価への葛藤やその克服が，同一性の確立につながります。葛藤のさなか，"自分が何者かわからなくなった"という状況に一時的に陥ることを同一性の拡散といいます。同一性についてははP.262で学びます。

13 青年期の心理状態

頻出度 B

傾向&ポイント 12歳頃から22，23歳頃までを青年期といいます。児童期から青年期にかけて心身の急激な変化がみられ，それにより悩みも複雑化していきます。青年期を象徴する重要キーワードを軸に，この時期の特質をみていきましょう。

1 同一性の確立

エリクソンの8つの発達段階によると，青年期の最も重要な課題は**同一性**❶の確立となっています。これは，自分は何者であるかと自問し，生きていく主体として今の自己の定義を見い出す状態のことです。

❶「同一性」
自我同一性やアイデンティティともいいます。

モラトリアム

同一性の確立は容易なことではなく，一人の大人として与えられる責任や義務などに対し，自分がどうあるべきかを試行錯誤する時間が必要です。エリクソンは，この模索する猶予期間を**モラトリアム**と呼びました。

マーシャによる指摘

マーシャは，自我同一性地位について下の表のように，4つに分類しました。

同一性地位	具体的な状態
同一性達成	危機❷を経験し，自分の進む道や価値観などに確信をもちながら社会的活動に加わっている安定した状態
同一性拡散	危機を経験することなく，自己との対話も試みようともせず，社会的活動にも加わらない状態
モラトリアム	危機を経験している真っ只中で，自分の進む道に確信をもとうとしている状態
早期完了	危機を経験せずに安易な自己像を描き，社会的活動に加わっている状態

❷「危機」
ここでは，自分は何者であるかという問いの答えを，見つけようと迷い，苦悩することを指します。

ナナメの関係

青年期のうち，中学・高校生頃の年代を青年期前期としますが，その時期に入ると相談する相手も増え，親や教師などのタテの関係，友人のようなヨコの関係以外に，先輩や塾の講師といったナナメの関係も存在するようになります。上から目線に立たれるタテの関係や，親密なものの有効な情報は得にくいヨコの関係に対し，ナナメの関係は，気持ちを理解してもらえつつも適切なアドバイスをもらいやすくなっています。

2 青年期の特質を表す学説

青年期の特質を表す，主な用語を覚えましょう。

☑ 境界人

青年期の特質として「子どもの集団に属することを望まず，かといって大人の集団にも属さない」という思春期の状況が挙げられ，**レヴィン**はこの時期を，大人と子ども両方の集団の境界に生きる**境界人**（**マージナル・マン**）と呼びました。

青年期の特徴についての説明文を読ませ，それが誰の言葉かを問う問題が出ています。

☑ 疾風怒濤

青年期前期は特に，情緒的に不安定な状態となります。自我の発達が著しく，親や大人に対し強く反抗したり（＝**第二反抗期**），反社会的な行動に出たりするケースもあります。このような状況を**ホール**は**疾風怒濤**❷と呼びました。

☑ 心理的離乳

心理的離乳とは，青年期に生じる「親の保護や監督から離れ，一人の独立した人間になりたい」という衝動をいいます。ホリングワースが名づけました。親から影響を受けた価値観や信念を捨て去り，一個人として自分を意識することで，自律性を獲得します。

☑ 第二の誕生

ルソーは，著書『エミール』において青年期を**第二の誕生**と呼びました。この世に生を受ける第一の誕生に対し，青年期は，明確な自己をもち，自律的に生活でき，子どもから大人へと生まれ変わる時期だとしています。

さらに詳しく

❷疾風怒濤とは20世紀初頭から1960年代頃までに主流だった，青年期の特徴を表します。伝統的な青年期危機説の立場によるもので，これより新しいモデルである青年期平穏説と比較されます。

14 親子関係の発達

頻出度 B

傾向&ポイント 成長過程において，親子の関係が発達にどのような影響を及ぼすのかをみていきます。子どもと養育者の間で健全な関係が築けるかどうか，また，築くためには何が必要なのかが重要なポイントになります。

1 親子関係にまつわる研究

☑ インプリンティング

孵化してすぐのひな鳥が動く対象に初めて出会った際，それを追う行動を**インプリンティング**（刻印づけ）といいます。**ローレンツ**が見い出しました。これはカモやガンなど孵化後早い段階で巣を離れる性質をもつ鳥類で認められ，一度成立すれば，効果は永続的とみられています。

☑ 臨界期

インプリンティングは，孵化後一定期間に限り起こる，初期学習です。この場合，動く対象と出会う時期が遅すぎても早すぎても成立は難しく，適切な時期というものが存在します。この適切な時期を**臨界期**❶といいます。

❶「臨界期」
例えば，ある一定期間を過ぎてから言語を習得しようとしても効率的に進みにくくなるといわれていますが，時期については緩やかな広がりがみられ，そこを過ぎたからといって学習が完全に不成立となるわけではありません。ゆえに臨界期を敏感期と呼ぶこともあります。

☑ 代理母実験

乳児が母親に依存するのは，どのような欲求を満たすためなのかを調べたのが，**ハーロー**による**代理母実験**です。生後まもない子ザルを母親から離し，１つは針金製，１つは布製という２種類の代理母のいる檻内で育てました。

その結果，子ザルは針金製にはミルクを飲むときのみしがみつくものの，それ以外は空腹を解決してくれるかどうかに関わらず，布製の代理母に接触して過ごす時間が圧倒的に多いことがわかりました。これは，安心感を与えてくれる存在が子どもにとって重要であることを示し，母親は子どものその欲求を満たしてくれる存在であるといえます。

2 アタッチメント

アタッチメント

アタッチメント（愛着）❷とは，人が特定の対象に対してみせる強い情緒的な結び付きのことをいい，愛着理論の提唱者であるボウルビィが名づけました。親子間の場合，子どもにとって親が安全や安心を与えてくれる基地となり得たかどうかを指します。

ストレンジ・シチュエーション法

ボウルビィの弟子であるエインズワースが実験したストレンジ・シチュエーション法❸によると，愛着は**回避型**，**安定型**，**アンビバレント型**，**無秩序型**に分類されます。彼はこの分類を愛着行動の指標としました。

3 親子関係の発達に関する重要概念

養育態度

親が子どもの養育にどのような態度で関わるか（**養育態度**）は，子どもの性格形成にも影響します。サイモンズは，図のように支配―服従，保護―拒否という二次元で親の養育態度を捉え，**残酷型**，**過保護型**，**無関心型**，**甘やかし型**と分類し，子どもの性格形成への影響を示しました。

親の養育態度の分類

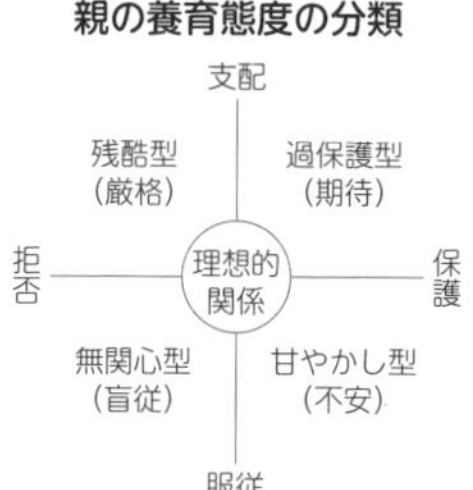

マターナル・デプリベーションとホスピタリズム

ボウルビィは，特に発達初期において母性的な養育を受けられなかった子どもにみられる心身の全般的な発達の諸症状を総称してマターナル・デプリベーション（母性的養育の欠如）と呼びました。また，**スピッツ**は，乳児期から幼少期の間，何らかの事情で親から離れて病院に入院したり，施設に入所したりしていた際にみられる子どもの心身発達の遅れを，総称してホスピタリズムと呼びました。

さらに詳しく

❷乳児期に形成された養育者との愛着は，時間の経過とともに“自分は愛される価値があるか”“他者は信用できる存在か”という自己と他者に対する確信として再構築されていきます。ボウルビィはこれを内的作業モデルと命名しました。また，愛着が十分に形成されなかった場合，大人では愛着障害に陥ることが指摘されています。

❸養育者と分離・再会の場面で子どもがどうふるまったかを分析する実験法です。回避型は，養育者との分離に混乱を示さず再会時も喜びを示しません。安定型，アンビバレント型，無秩序型は，分離の際に混乱を見せますが，再会時に喜びを示す安定型と違って，アンビバレント型は怒りを見せ，無秩序型は不可解な行動パターンを示します。

15 社会性のめばえ

頻出度 B

傾向&ポイント 社会に所属し，生きていくうえで重要となる言語や道徳性について学びます。言語の発達では，特に乳幼児期にみられる特質を，道徳性の発達ではコールバーグの理論を，それぞれおさえることがポイントです。

1 言語の発達

☑ 発話発達

誕生時，叫喚音が中心だった赤ちゃんは，生後1か月頃から機嫌のいいときに発せられるクーイングがみられるようになります。そして，個人差はあるものの2～3か月頃から「ババババ」などの重複性の**喃語**（なんご）が始まり，6か月頃から「バボバボ」など非重複性の喃語が表れます。喃語は自分の意図を伝えるためのコミュニケーションではなく，声を発するためのトレーニング的な役割をもつといわれています。9か月頃から重複性の喃語は減少し，1歳前後で意味のある言葉である初語を話し始めます。「ママ」などの**一語発話**（一語文）の形から，やがて「ママ，好き」二語発話，重文，複文が可能となっていきます。

☑ 内言と外言

ヴィゴツキーは，音声を伴わない自分のための言語活動を**内言**，他者へ向かって行う言語活動を**外言**と，2種類に区別しました。内言は主に自身の中で思考するための道具としての機能を，外言は主として意図伝達の機能をそれぞれもちます。

☑ 集団的独語

幼児期の言語的特徴の一つとして**集団的独語**[1]が挙げられます。これは，公園などでの自由な遊びの場面において，集団内で発せられるものの，他者への伝達を意図したり，相手の応答を求めたりしていない言語を指します。

❶「集団的独語」
具体的には反復，独語，集団内でのひとりごとなどです。ピアジェは集団的独語を自己中心言語の一つと捉えたのに対し，ヴィゴツキーは社会的言語である外言から内言への過渡期に起こる現象だと主張しました。

2　道徳性

道徳的行動

子どもは他者との遊びや喧嘩を通じて，社会生活を営むうえで不可欠な「相手の気持ちを理解すること」を学び，他者を思いやる気持ちも育んでいきます。他者の利益となるようなことを意図してなされる自発的な行動を**向社会的行動**と呼びます。これは1歳前後で表れ，年齢とともに変化するといわれます。向社会的行動の中でも，見返りとして自己が利益を得ることを期待しないで意図的かつ自発的になされる行動を**愛他的行動**と呼ぶことがあります。

コールバーグの道徳性発達理論

道徳性の発達において，**結果論的道徳判断**でしか考えられなかった**前操作期**❷の子どもが，**具体的操作期**❷になるにつれ，**動機論的道徳判断**へと移行することを明らかにした**ピアジェ**の実験結果を受け，**コールバーグ**は，道徳性は生涯にわたり発達すると考えました。児童期にあたる子どもの発達を中心としたピアジェの理論に対し，コールバーグは青年期や成人期も対象にした道徳的判断の発達段階を提案したのです。彼は，道徳的な葛藤（ジレンマ）が生じる課題（モラルジレンマ）❸を与えてその回答を分析し，道徳性の発達段階を**3水準6段階**で示しました。

❷「前操作期」，「具体的操作期」
⇒ P.258

さらに詳しく

❸コールバーグのモラルジレンマの中でも「ハインツのジレンマ」が有名です。“病気で瀕死状態の妻をもつハインツが病を治せる高額の薬を求め，必死に金策に走るが，それでも手が出ない。値引きも後払いも応じない薬屋に対し，思いつめたハインツは薬を盗もうかと考えた”という内容で，薬を盗むべきか，それはなぜかを問う課題です。

水準	段階	心理的特徴
① 前慣習的水準	1 罪と服従の段階	罰や制裁を避けて，力をもつ者に対して盲目的に服従することが正しいと考える
	2 報酬と取引の段階	自己の利益や利己主義の倫理，報酬に価値が置かれる
②慣習的水準	3 対人的同調の段階	他者から期待される役割に従うことを重視し，他者との調和を重んじる
	4 法と秩序の段階	社会の構成員の一人として社会秩序を保つことを最優先すべきだと考える
③ 後慣習的水準	5 社会契約と個人の権利の段階	最大多数の最大幸福を志向し，一般的な権利や幸福を優先させることに価値が置かれる
	6 普遍的倫理原理の段階	社会的な取り決めを正当化する手続きを重視し，人類全体の幸福や尊厳を優先する

16 社会性の発達

頻出度 B

傾向＆ポイント ここでは，人との関わりを通じてめばえてくる社会性がどのように発達するかをみていきます。特に，心の発達に大きな影響を及ぼす集団生活での仲間関係は，成長とともにどのように変化していくかをおさえましょう。

1 心の理論

心の理論とは

相手の行動を見たとき，人は「その人が今，どういった心の状態なのか」を直感的に推測・理解しようとすることがあります。相手の意図や欲求，心の動きを類推する能力を**心の理論**といいます。心の理論をもつとは，「人は自身の欲求や信念によって行動する」ことや「人の信念と現実は異なる場合がある」ことを理解している状況を指します。現実と異なる信念のことを誤信念といい，誤信念の理解❶は３～４歳の間に急激に進むとみられています。

心の理論と自閉症スペクトラム

心の理論は，自閉性障害の子どもについても検討されています。自閉性障害とは，他者とのスムーズなコミュニケーションを困難とする発達障害です。自閉性障害の多様性や連続性を表した概念を**自閉症スペクトラム**❷といい，基本的に【１】社会性の問題【２】コミュニケーションの問題【３】想像力の問題から定義されます。自閉症スペクトラムの子どもは，相手の立場で物事を考えられず，他者の誤信念を理解するのが難しいことから，心の理論の発達に遅れがあるとみなされています。他者の誤信念の理解が難しいというのは，例えば知的発達の遅れを伴う，同年齢のダウン症の子どもには顕著には認められず，この特徴は自閉症スペクトラム特有のものと考えられています。

さらに詳しく

❶誤信念の理解を検討する際，「サリーとアンの課題」が使われます。サリーがAの箱に入れたボールを，サリーがいないときにアンがBのカゴに移し替えたという話に続き，「戻ってきたサリーがボールを探すのはAとBのどっち？」と子どもに質問します。誤信念の理解がない場合，自分が見聞きしたままの状態であるBと回答します。

❷「自閉症スペクトラム」
ウィングが提唱。スペクトラムとは連続体という意味であり，いわゆる典型的な自閉症から高機能自閉症まで一連の連続体と捉えたものです。

2　仲間関係の発達

仲間関係の形成

乳幼児期から児童期にかけて，対人関係に変化がみられます。それまで親子関係が主だったのが，だんだんと親から離れ，仲間関係中心の生活へと移行し始めるのです。仲間になるきっかけとして，近接性（近所である，席が隣であるなど物理的に近いこと），類同性（趣味や嗜好，部活が同じなど内面的な特徴が類似すること），相補性（自分とは違う特性をもっていて互いに補うこと）があります。

また，仲間関係の形態は発達段階に応じて異なってきます。

ギャング・グループ

児童期後半の小学４年生頃になると，仲間意識がめばえ，同性，同年齢の少数集団を形成します。これを**ギャング・グループ**（徒党集団）といい，排他性が強く，同一行動による一体感を重視し，ときには大人から禁じられていることを一緒にやりたがることからギャングと呼ばれます。また，この時期をギャング・エイジといいます。

チャム・グループ

中学生頃（思春期以降）になると，似た者同士が非常に強い絆で結ばれるといった特殊な集団を形成します。これを**チャム・グループ**といいます。チャムとは親友を指します。メンバー同士の共通性が重要であり，仲間内にしか伝わらないような言葉を使うことで言葉による一体感を共有するなど，強固な仲間意識を形成します。

ピア・グループ

高校生以上になると，男女混合の仲間集団が形成されます。これを**ピア・グループ**[3]といいます。ピアとは対等な友人という意味で，互いがそれぞれの個性を尊重し，理想などを語り合うようになります。上記２つのグループと異なり，共通性だけを重視するのではなく，他者との違いを明らかにしつつ，自分を成長させていくことができます。

さらに詳しく

❸ピア・グループは，男女混合だけでなく，年齢的な幅があるのも特徴となります。ピア・グループの中で互いの異質性をぶつけ合いながらも認め合い，違いを乗り越えていきながら，青年期の重要な発達課題であるアイデンティティを確立していきます。
「アイデンティティ」⇒P.262

確認テスト

教育心理①

1 次の文は，ある人物について述べたものである。該当する人物を，次の**ア**～**オ**の中から１つ選べ。

ピアジェ（Piaget,J.）の認知発達の考え方を受け，子どもであっても自分なりの正しさの枠組みを有しており，それに基づいて道徳的な判断を行うと考えた。また，正しさの枠組みは発達とともに質的に変化するものと捉え，３水準６段階の発達段階説を提唱した。

ア　オルポート
イ　ウェクスラー
ウ　アドラー
エ　ビネー
オ　コールバーグ

【和歌山県】
1
オ

2 E.H. エリクソンが提唱した心理社会的発達段階の発達課題について適切ではないものを次から選べ。

ア　乳児期の子どもは，養育者からの授乳などの適切な行動を通して，「基本的な信頼感」が形成され，身体的・精神的安定を得る。しかし，養育者から適切な行動を得られなかった場合，この時期に形成された「不信感」は一生を通して持続する場合が多い。

イ　幼児期前期の子どもは，養育者からの排泄トレーニングを受ける。養育者からの適切なしつけにより自己統制できるようになり，「自律性」を身に付ける。しかし，養育者の過度なしつけや失敗の繰り返しが起こると統制能力を失い，「恥」や「疑惑」を覚えるようになるとされている。

ウ　幼児期後期の子どもは，外界に対して興味・関心

【神奈川県・横浜市・川崎市・相模原市】
2
ウ
「不安感」ではなく「罪悪感」が正しい。

を示し，計画や目標を立て活発に動き始める。そのような行動や自己主張が認められることで「自主性」が高まる。しかし，他者と衝突したり受け入れられなかったりすると，自分の行動や主張に対して「不安感」を抱くようになりやすい。

エ　学童期の子どもは学校での学習などを通して，さまざまな課題に誠実に取り組むことで「勤勉性」を獲得する。しかし，与えられた課題に対して積極的に取り組めず達成感が得られない場合，「劣等感」に陥る傾向がある。

3　次の文章は，認知発達に関して説明したものである。文中の（Ａ）～（Ｃ）にあてはまる語句の組み合わせとして，正しいものはどれか。**1**～**4**から１つ選びなさい。

（Ａ）は，人の認知発達に関する理論である発生的認識論を提唱した。この理論では，外界を認識する枠組みであるシェマが，既存のシェマを新しい経験に適応させるように変形する（Ｂ）と，既存のシェマによって外界を捉えようとする（Ｃ）による均衡化を通して，高次化していくと考えられている。

	A	B	C
1	ピアジェ	同化	調節
2	エリクソン	同化	調節
3	ピアジェ	調節	同化
4	エリクソン	調節	同化

【徳島県】
3
3

教育心理①

4 次の文の（ ア ）にあてはまる語句をA群から，（ イ ）にあてはまる人物名をB群からそれぞれ一つずつ選べ。

人は計算の途中の数値や，複雑な文章を読んでいる場合の関連情報など，処理の途中の情報や長期記憶から取り出した情報を一時的に蓄え，それに基づいて計算や推論などの操作を行う。こうした記憶は（ ア ）と呼ばれる。

（ ア ）は，（ イ ）の定義によると，「言語理解，学習，推論といった複雑な認知課題の解決のために，必要な情報（外から与えられたもの，あるいは記憶から呼び出したもの）を必要な時間だけアクティブに保持し，それに基づいて捜査をする機構」とされ，そこには不必要となった情報をリセットする過程も含まれる。

A群 ① 短期記憶
② ワーキングメモリ
③ エピソード記憶

B群 ④ バドリー（Baddeley,A.）
⑤ ウェックスラー（Wechsler,D.）
⑥ エビングハウス（Ebbinghaus,H.）

【秋田県】
4

（ア） ②
（イ） ④

5 次の記述は，記憶や知識に関するものである。空欄（ ア ）～（ ウ ）に当てはまる言葉を答えなさい。

日時や場所や特定された個人的な出来事，思い出に関する記憶を（ ア ）という。（ イ ）とは世界に関する一般的な記憶であり，「知識」といってよい。（ ウ ）は事柄を知ることであり，教科書などによって蓄積していくことが比較的容易である。

【神奈川県・横浜市・川崎市・相模原市】
5

（ア） エピソード記憶
（イ） 意味記憶
（ウ） 宣言的記憶

教育心理②

1 評価基準からみた教育評価

頻出度 A

傾向&ポイント　一般的に成績評価となる教育評価は，評価基準の違いにより相対評価，絶対評価などに分類されます。様々な評価方法について，その目的や長所，短所をよく理解して，子どもの成長にあわせて使い分けましょう。

1 教育評価

教育評価とは，**学習と指導を改善**していくために必要な手続きです。教育活動でのすべての評価を指しますが，一般的には，**成績評価**を意味するため，評価目的によって内容や方法を明らかにして，信頼でき，妥当であるものにすることが重要です。

☑ **目的**

- 教師による，学習目標に対する到達度や成果の確認。
- 児童生徒による，学習方法の振り返りと見直し。
- 教師による，指導方法の振り返りと見直し。
- 教師による，児童生徒の学習意欲の向上を図る。

2 相対評価

子どもが属している集団を基準にし，その集団の中でどの位置にあるのかといった**相対的な位置**で評価する方法を，**相対評価**または**集団準拠評価**といいます。順位，偏差値❶，また定員が決まっている5段階や7段階の評定❷などで表します。テストの得点だけを並べるため，**客観的**で，他者と比較しやすい一方，課題への本質的な理解，基礎力の習得を把握することには向いていません。また，個人の達成度や成長具合，よい点や可能性などについて，**直接的に評価することが困難**であるという面もあります。

さらに，子どもの間に過度の競争を招くなどの弊害もあります。

❶「偏差値」
得点を平均が50，標準偏差が10になるよう変換した値です。

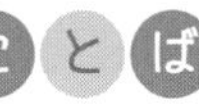

❷「評定」
正規分布に基づく段階評定の場合，上位から順に割合が決められています。

3　絶対評価

あらかじめ定めておいた**学習目標**への**達成度**を評価する方法を，**絶対評価**または**目標準拠評価**といいます。100点満点の素点や，定員なしの段階評定などで表します。

児童生徒の達成度や理解度を直接評価できる一方，客観性を確保しにくい面や，アルファベットや数字１文字で表記することが多いため，具体的な情報が伝わりづらいという面もあります。

近年では，「知識・技能」，「思考・判断・表現」，「主体的に学習に取り組む態度」の３つの観点を用いて，学習の場面ごとに評価する**到達度評価**も用いられています。

「相対評価」と「絶対評価」は出題形式を変えてよく問われるポイントです。ほかの評価方法もあわせて，特徴をしっかり覚えましょう。

4　その他の評価

☑ ポートフォリオ評価

ポートフォリオ評価とは，授業内で作成した作品や，それに対する教師および子ども自身の評価などを蓄積していき，ファイル化して進歩のプロセスを評価する方法です。**質的側面の評価**が可能とされています。

☑ 個人内評価

個人内評価とは，目標への達成度や，他者との比較ではなく，児童生徒の他教科や過去の成績と比べるなど，本人に内的な基準をもたせて評価する方法です。努力した程度を，直接的に表します。通知表や，指導要録の所見欄を作成する際の参考資料にすることもできるでしょう。努力しても到達できなかった児童生徒に，**努力量に見合った評価をつけることができる**ため，児童生徒が自分の強みや弱みを自覚し，意欲が増すことがあります。一方で，到達度や理解度を表す評価ではないため，評価を適正に捉える必要があります。

面接対策

個人内評価が低く，相対評価の高い子どもに対して，あなたはどのような働きかけをしますか。また，個人内評価が高く，相対評価の低い子どもに対しては，どのような働きかけをしますか。

評価時期からみた教育評価

頻出度 A

傾向＆ポイント 教育評価の中でも，アメリカの心理学者のブルームが，実施時期に着目して３つに分類した「診断的評価」「形成的評価」「総括的評価」は，最頻出項目の一つです。その目的や時期，機能を確実に理解し，実力につなげましょう。

1 評価時期による分類

ブルームは，学習が終わった最後にまとめて教育評価を行うだけでなく，学習の過程で，目的に沿ってその都度，繰り返して行う大切さを説きました。評価の時期に着目して分類した，以下の３つの評価を指導者が的確に行えれば，大半の子どもは学習の目標を達成できると考えました。これを「マスタリー・ラーニング」または「**完全習得学習**」といいます。

2 診断的評価

子どもが最も効果的に学習できるよう，学習が始まる前に実施し，最適な指導計画や手法を決定していくために行う評価を**診断的評価**といいます。一人一人の子どもの特性(学力，体力，知能，性格，健康，適性など)❶を診断し，前提となる知識や経験，心構えなどがあるかを探ります。診断的評価では，**学習困難**の**発見**および**その原因を見極めること**を目的としています。評価次第では補充学習や個別の治療教育❷などを行うことで，より確実な学びの定着を図ります。

さらに詳しく

❶このような学習を行うために必要な事前知識などのことを，**レディネス**（⇒ P.242）といいます。

ことば

❷「治療教育」
障害などにより，学習が遅れている子どもに対する，治療的な立場から働きかける教育のことです。

3 形成的評価

子どもの理解の度合いや進行状況を把握するために，学習の過程で行う評価を**形成的評価**といいます。形成的評価は，子どもの学習目標の理解度や達成度を確認するために，学習活動の途中で，繰り返し何度でも行う必要があります。**各種テスト（形成的テスト）**や**ノート確認**，子どもの机と机の間をまわって指導する，机間巡視などで細やかに観察することで，つまずいた箇所を的確に把握することができます。また，その中で，必要であれば指導方法や指導計画を修正していきます。

4 総括的評価

主に成績をつけるために行われる，単元や学期，学年の区切りごとに行う評価のことを**総括的評価**といいます。設定した期間内で，一定の教材について学んだ成果の判定を目的としています。子どもにとっては，これまでの**自身の学習や努力の成果を確認**することができる機会となります。また，教師にとっても，次の教育活動への**情報収集**や**指導計画の見直し**をするきっかけにもなります。

それぞれの評価について，用語と説明を問う問題は，頻出です。と特にブルームに関わる項目はしっかり覚えましょう。

	時期	目的	評価の方法
診断的評価	学習のはじまり 単元のはじめ 学期のはじめ 学年のはじめ など	前提条件の確認 学習困難の発見と対策	レディネステスト 標準学力テスト 心理テスト 面接・観察　など
形成的評価	学習の途中	学習達成度の確認 指導方針の確認	形成的テスト 机間巡視による観察 発問への応答 ノートや作品　など
総括的評価	学習の終わり 単元の終わり 学期の終わり 学年の終わり など	最終的な到達度の確認 指導内容の反省と改善 成績処理	教師作成テスト 標準学力テスト　など

3 評価を歪める要因

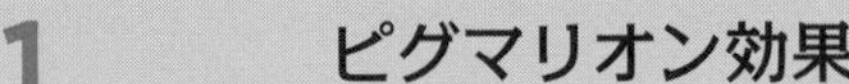

傾向＆ポイント 評価時に，完全に主観を排除することは難しく，様々な要因によって誤差や誤りにつながってしまいます。評価を歪める要因を理解することで，常に客観性を心がけ，評価することをできるようにしましょう。

頻出度 A

1 ピグマリオン効果

ピグマリオン効果❶

教師が子どもに期待をかけ，肯定的な態度で接することで，子どもの意欲に影響を与え，結果として**成績が向上する**現象のことをピグマリオン効果，または教師期待効果といいます。ローゼンタール（ローゼンソール）が実証しました。知能検査を行い，その結果に関わらず適当に選んだ児童を「今後，成績が向上する児童である」と教師に報告するというもので，報告が虚偽であったにも関わらず，その後の検査でその子どもらの成績は，大きく上がりました。

ここが出た！

❶「ピグマリオン効果」と「ハロー効果」はよく出題されます。別称を含めた語句の確認とともに，説明できるようにしておきましょう。

2 ハロー効果

ハロー効果❷

評価対象ではない部分に着目して，ある側面についてよい，または悪い印象をもつと，**関連のない側面についても高い，または低い評価に傾く**現象を，ハロー効果といいます。例えば，ある人物の外見が優れていると評価したとき，そのほかの面や特性について，当然のように高く評価しがちになるという心理的傾向です。光背効果，後光効果ともいいます。ソーンダイクらが実証的研究をしました。

❷「ハロー」
キリスト教で，聖像の背後に現れる光のことをいいます。

3 その他の阻害要因

ゴーレム効果

ピグマリオン効果とは反対で，教師が先入観などにより，

子どもに期待せずに接することで，実際に**子どもの成績が下がる**現象です。

☑ 中心化傾向

評価するときに，教師が極端な高・低の評価を避けた結果，評価が**評価尺度の中心付近に集中**する現象です。

☑ 対比効果

周囲の人物が優秀な場合，評価対象の評価が実際より高くなるなど，周囲との対比で評価が歪められることです。

☑ 天井効果と床効果

得点が偏って的確な評価ができなくなる現象です。試験問題が平易すぎたり，十分に理解した子どもが多すぎたりなどすると，結果が**高得点に偏る天井効果**になります。その逆で**低得点に偏る**のが**床効果**です。

☑ スリーパー効果

ホヴランドが提唱。子どもが情報に触れたときに，その直後よりも，**時間が経過した後**のほうが，考え方の変化が大きくなる現象です。

☑ ホーソン効果

周囲からの注目が集まることで，子どもの動機づけが高まり，好結果を生み出す現象です。

☑ 寛大化（寛容化）

好ましい特性についてはより高く，かつ望ましくない特性については甘く評価し，全体的に寛容な評価になる傾向のことです。この逆は，実際よりも厳しく評価する**厳格化**です。

☑ 論理錯誤

算数が得意な子は理科も理解できていると考えるような，関連のない項目についても，関係があるように捉え，**推論で評価**してしまう傾向のことです。

☑ 逆算化傾向

印象で先に総合評価した後で，それに合うように各項目や要素の**つじつまをあわせて評価**する傾向のことです。

面接対策

評価を歪める要因について1つ挙げ，教師としてどんな工夫をして子どもを評価したいですか。

学力と知能

頻出度 C

傾向&ポイント 後天的に得られる「学力」と，生得的な「知能」の違いについて，理解を深めましょう。それぞれを測るテストや検査について出題がみられます。特にビネー式知能検査とウェクスラー式知能検査は，確実におさえましょう。

1 学力

学力の考え方

学力とは，学習によって獲得された能力のことを指します。学力のうち，知識などテストで測定しやすい力を見える学力と呼びます。一方，興味や関心などのテストで測りづらい力は見えにくい学力と呼びます。昨今では**学習活動全般から得た態度や能力**，**思考**，**判断**，**技能**などを日常生活に応用する力も学力とする，**新しい学力観**が広まっています。

学業不振児

学業不振児（アンダー・アチーバー）とは，知能検査の結果に比べて，学力が低い子どもです。学習環境の影響や，勉強方法がわからないなどの原因があります。

学業優秀児（オーバー・アチーバー）とは，上記の逆で，知能検査の結果よりも学力が高い子どもです。

2 知能の定義

知能の構造について，心理学においては大きく2つの見方があります。一つは**スピアマン**が唱えた一般因子と特殊因子の**二因子説**です。それに異議を唱え，**多因子説**を提唱したのが**サーストン**❶です。このような多因子説の流れをくみ，**ギルフォード**が，操作，所産，内容の3次元で捉える立体構造モデルを，**ガードナー**が言語，論理数学，空間，身体運動，音楽，対人，個人，博物など多面的に捉える多

さらに詳しく
❶サーストンは知能から①言語理解②語の流暢さ③数④空間⑤記憶⑥知覚速度⑦類推という7つの「基本的精神能力」を取り出しました。

重知能理論を提唱しました。

キャッテルは，知能を新しい場面に適応するための知能である**流動性知能**と，経験を積むことで得られる**結晶性知能**とに大別しました。流動性知能は，ピークである青年期後に年齢とともに衰えるとした一方，結晶性知能は，加齢しても向上し続けるとしました。

3 知能検査

☑ ビネー式知能検査

ビネーとシモンは，知的障害児を検出するために**世界初の知能検査**である**ビネー式知能検査**を開発しました。彼らがこれをさらに改良し，精神年齢の概念を加えたことで，一般的な知能水準が測れるようになりました。

☑ ウェクスラー式知能検査

ウェクスラーが開発した，現在，**最も代表的な個別式知能検査**です。**言語性検査**と**動作性検査**の２つを組み合わせているのが特徴です。16 歳以上の成人用 WAIS，児童用 WISC，幼児用 WPPSI があります。

☑ イリノイ式精神言語能力検査（ITPA）

イリノイ大学の**カーク**らにより開発された，言語能力に障害がある子どもを発見する検査です。学習障害（LD）の診断で知能検査と併用されます。

☑ スタンフォード・ビネー知能検査

ターマンがビネーの検査を改良し，シュテルンの提案した**知能指数**（IQ）❷を表示方法に取り入れました。

☑ U.S アーミーテスト

ヤーキーズが第一次世界大戦下の兵士の知能を測るために開発した，**作業検査**による**集団式検査**です。**言語性検査**（A式）と**非言語性検査**（B式）があります。

☑ K-ABC 心理教育アセスメントバッテリー

カウフマン夫妻が開発。同時処理と継次処理の優位性を診断し，学習障害をもつ子どもの指導方法の参考にできます。

面接対策

学業不振児に対して，その原因や背景をどのように探りますか。また，それを踏まえてどのような指導をしたいですか。

ことば

❷「知能指数」
知能指数（IQ）は精神年齢を生活年齢で割って 100 倍したもの。100 が年齢相応の値とされています。青年期以降は，知能指数を同一年齢集団内で平均が 100，標準偏差が 15 になるよう変換した偏差知能指数（偏差 IQ）を用います。

性格理論

傾向＆ポイント 性格理論では，類型論と特性論の２つに分けられます。現在は臨床現場では扱われていないものもありますが，違いをよく理解しましょう。特にクレッチマーやシェルドンなどが唱えた類型論の理論は，有名です。

1 類型論

類型論とは❶

性格を典型的な型にあてはめて理解しようとする考え方です。

さらに詳しく
❶現在の精神科医療の臨床現場では，当時と比べ，精神病の概念自体が大きく変化しているため，類型論は指標として用いていません。

クレッチマーの理論

ドイツの精神科医である**クレッチマー**は，**患者の体格**と**疾患に関連性がある**と考えました。

体格	気質	特徴
細長型	分裂質	統合失調症（非社交的，従順，神経質など）
肥満型	躁鬱質	躁うつ病（社交的，活発，善良，親切など）
闘士型	粘着質	てんかん（几帳面，粘り強い，激情的など）

シェルドンの体質類型論

クレッチマーが精神病患者の観察に基づいて研究したのに対し，**シェルドン**は健康な成人の体格を３つに分け，性格の傾向との関係を研究しました。

体格	体質	特徴
内胚葉型	内臓緊張型	肥満型（社交的, 安楽や飲食を好むなど）
中胚葉型	身体緊張型	がっしり型（精力的，自己主張が激しいなど）
外肺葉型	頭脳緊張型	やせ型（過敏，抑圧的など）

ユングの理論

ユングは，心的エネルギー（リビドー）❷が，外界に向かいやすいか，内面に向かいやすいかで，**外向型**と**内向型**に分けました。また，**思考と感情**，**感覚と直観**という４つ

❷「リビドー」
⇒ P.295

の精神機能を見つけました。外向型と内向型に加えて，この４つの精神機能を組み合わせ，８つの人格類型を考えました。

シュプランガーの理論

シュプランガーは，**価値観にも性格の特徴が関係している**と考え，理論型，審美型，経済型，宗教型，社会型，政治型の６類型に分けました。

2 特性論

特性論とは

特性❸の集まりが個人の性格を形成しているという考え方です。因子分析法という統計学的技法を用いて，特性を抽出します。

因子分析法

性格や知能が何によって構成されているのかを分析します。

G.W. オルポートの理論

人格特性という言葉を初めて使いました。共通特性と個人特性をもとに，人格の特徴を折れ線グラフで表す心誌（サイコグラフ）を作りました。

R.B. キャッテルの理論

因子分析法を使って，共通特性と個別特性に加えて，表面特性と根源特性を析出しました。

アイゼンクの理論

人格は**類型**，**特性**，**習慣的反応**，**特殊反応**という４層構造をもつと唱えました。この理論はMPI（モーズレイ性格検査）のもとになっています。

ギルフォードの理論

社会的向性，**思考的向性**，**抑うつ性**，**回帰性**，**客観性**，**一般的活動性**，**支配性**，**男子性**，**劣等感**，**神経質**，**のんき**，**協調性**，**攻撃性**の13の**性格特性**を抽出しました。これらを日本人用にしたものが，代表的な人格検査のYG性格検査（矢田部・ギルフォード性格検査）です。

❸「特性」
例えば，ある人の性格を「穏やかで優しいが，消極的なところがある」と説明したときの，「穏やか」「優しい」「消極的」といった，性格を細かく分けた一つ一つの要素のこと。

性格

質問紙法と作業法の性格検査

傾向＆ポイント 性格検査の中でも，質問紙法性格検査（目録法性格検査）と作業法性格検査の様々な方法について学びます。性格の特性論を踏まえながら，検査の種類，考案者や目的，特徴，得られる結果について整理しましょう。

1 質問紙法性格検査（目録法性格検査）

☑ 質問紙法性格検査とは

質問紙を用いて，**多数の質問文に対して，選択肢の中から回答を選ばせ，機械的に集計して性格像を知ろうとする**方法です。専門知識が乏しくても実施できたり，大勢の対象者を短時間に測定することができたり，性格の表層部分の特徴を数量化できたりするなどの利点があります。

☑ 矢田部・ギルフォード性格検査（YG 性格検査）

矢田部達郎が，ギルフォード❶の特性論に基づいて作成しました。**120 の質問**から，リーダーシップや劣等感，活動性など，社会的適応に関する **12 の特性**を測定します。結果をプロフィール図に表し，その型を **5 類型**に分けて性格理解に役立てることができます。適性検査によく用いられます。

さらに詳しく
❶ギルフォード
⇒ P.283

☑ ミネソタ多面人格目録（MMPI）❷

性格特性を多方面から理解し，神経症的不適応を測る目的で，ミネソタ大の**ハサウェイ**と**マッキンレイ**が開発しました。**550 の質問**から，心気症，抑うつ性，ヒステリー性，精神病質的偏りなど主な **10 の特性**を測定します。

☑ モーズレイ性格検査（MPI）

アイゼンク❸が研究した特性論をもとに作成されました。神経質的傾向と，外向性を調べる項目に，嘘を言っていないか確かめる虚偽尺度の項目で構成される 80 の質問からなります。

さらに詳しく
❷テーラーは，ミネソタ多面人格目録から不安の測定に関わる項目を選び出して再構成し，顕在性不安尺度（MAS）という不安傾向の強さを測る検査を作成しました。
❸アイゼンク
⇒ P.283

向性検査

ユング[4]の理論により，様々な質問によって**外向**，**内向**の度合いを数量的に表す検査です。

エゴグラム

デュセイが**自我状態を知る目的**で考案しました。バーンの交流分析における自我状態の理論に基づいています。50の質問で，批判的な親，養育的な親，大人，自由な子ども，順応した子どもと表現する**5つの自我状態の強弱**と**バランス**を測ります。

エドワーズ欲求検査（EPPS）

エドワーズが欲求を測定する目的で開発しました。特徴は，社会的に望ましい選択肢ではなく，**自分の今の気持ちに近い答え**を選ばせる**一体比較法**を取り入れている点です。追従，顕示，自律など**15の特性**を測定します。

意味差判別法（SD法）

イメージを測定するのに多用する方法です。対象から受けとる印象が，提示された形容詞にどの程度当てはまるか，5段階から7段階で評価します。

2 作業法性格検査

作業法性格検査

精神的な負荷がかかる簡単な作業を，一定時間行わせて，その結果や時間的推移などから，人物像を知ろうとする検査です。

内田・クレペリン精神作業検査（クレペリン検査）

内田勇三郎がクレペリンの理論をもとに，**適性を診断する目的**で考案しました。時間制限し，隣り合った1桁の数字を繰り返し足し，答えの一の位の数字だけを書く作業を続けさせます。1分ごとの**作業成果をみて**，**精神機能や性格を診断**[5]します。

さらに詳しく

❹ユング

⇒ P.282

さらに詳しく

❺例えば，書き始めの作業量が平均と比較して少ない場合は，「とりかかりの悪さ」が傾向としてあることがわかります。

投影法性格検査

傾向＆ポイント 人格測定検査の中でも，投影法性格検査は特によく出題される分野です。検査内容が似通っているものがあるので，細かい内容とともに，正式名称や略称もしっかり覚えましょう。

1　投影法性格検査の基本的特徴

☑ 投影法性格検査

投影法性格検査とは，**あいまいな刺激を人がどのように認識するか**という，**人の内面に着目した検査法**です。この検査法によって得られる回答は，その人の内面が深く関わるため，人それぞれ，多様な結果になります。質問紙法性格検査では，「はい」「いいえ」「どちらでもない」のような，２つか３つの選択肢を設定して選ばせるため，回答者は嘘をついたり，結果を操作したりすることが比較的，容易です。これに対して投影法性格検査では，そういったことがしづらく，その人の**本質に迫りやすい**とされています。

☑ テストバッテリー❶

性格の特徴を，多方面から分析し，詳しく診断するために，心理検査を組み合わせたものです。精神鑑定では，たくさんの心理検査の中から，適切と判断される複数の検査を選んで組み合わせて行い，得られた結果を総合的に解釈します。

さらに詳しく
❶いいかえれば，性格を詳細に診断する第一歩がテストバッテリーの構成であるともいえます。

2　学習組織による指導

☑ 絵や図形の解釈を求める検査

● ロールシャッハ・テスト

ロールシャッハが作成しました。心の深部にある欲求などを解明することをねらいとしています。左右対称の図版を順番に見せて，「どのように見えたか」などをたずね，それに対する反応や回答を分析します。

- **主題統覚検査（TAT）**

性格特性を把握する目的で，**マレー**が考案しました。**主題構成検査**ともいいます。１～２人の人物がいる絵を見せて，過去から現在，未来までの物語をつくらせ，それを分析します。

- **児童用絵画統覚検査（CAT）**

擬人化された動物が出てくるなど，**主題統覚検査を子どもにも適用できる**よう，**ベラック**が考案しました。

- **絵画欲求不満テスト（P-F スタディ）**

個人の性格を診断するねらいで, **ローゼンツヴァイク**が考案しました。欲求不満の状態の人物が描かれた線画を見せ, その人物の立場になって, どのような返答をするかをみます。攻撃的な要素が向かう方向や質を分析します。

☑ 絵を描かせる検査

- **バウム・テスト**

コッホが考案しました。実がなっている木を１本，自由に描かせ，その絵を分析します。実や葉をどのように描いているか，幹や枝の様子などに注目して診断します。

- **家と木と人テスト（HTP テスト）**

バックが考案しました。３枚の画用紙を渡して，１枚ずつ順番に，家，木，人を描かせる方法が一般的です。このほか，１枚の画用紙を４つに分け，その中に家，木，人を描かせ，最後の１つに，３つのモチーフをまとめて描かせて分析する方法もあります。

☑ 文章を書かせる検査

- **文章完成法テスト（SCT）**

エビングハウス❷の理論がもとになった検査です。文章の書き出し部分だけを 60 個印刷した用紙で，自由に言葉をつなげて文章をつくらせます。自身をどのように捉えているか，また，家族を中心とした人間関係の様子を分析することができます。

❷エビングハウス
⇒ P.248

性格

8 適応と不適応

頻出度 A

傾向＆ポイント マズローが考えた「欲求の階層構造説」がよく出題されます。低次から高次へ位置づけられる欲求を，名称とともに，順番に並べ替えられるようにしましょう。また，不適応行動とその対応についても，深く理解しておきましょう。

1 欲求

マズロー（マスロー）は，**「欲求階層説」**❶を唱えました。これは，欲求を**5段階**に分けて，階層構造で捉えたものです。発達の段階において，**低次の欲求から順番に，高次の欲求が生まれてくる**と考えられています。低次の欲求が満たされないと，それより先の欲求に進むことが難しくなります。低次の欲求から順番に，**生理的欲求**，**安全の欲求**，**所属と愛情の欲求**，**自尊の欲求**，**自己実現の欲求**と位置づけられています。

❶「欲求階層説」
低次の欲求のうち，生理的欲求から自尊の欲求までの4つの段階を「欠乏欲求」とし，最高位に位置づけられた自己実現の欲求を存在欲求としています。

2 適応

置かれた環境の中で，欲求が充分に満たされ，心身ともに生き生きと活動できている状態を適応といいます。反対に不適応とは，そうした条件がそろわず，活動が抑制されてしまう状態をいいます。

3 不適応行動

☑ 幼児期に起こりやすい不適応行動

● **チック**❷

体の一部の神経が，本人の意思に関係なく動いてしまう状態です。**運動性チック**と**音性チック**があります。

● **選択性緘黙（かんもく）（場面緘黙）**

日常生活では自然に話せることが多いのに，ある特定の場所や状況で一言も話せなくなる状態です。あらゆる場

さらに詳しく

❷運動性チックは筋肉を動かす運動神経に起こるもので，音性チックは，声帯，口，鼻などの発声器官に起こるものです。これらの症状を併発した状態を「トゥレット症候群」と呼んでいます。

面で話せなくなることを**全緘黙**といいますが，実際には少ない傾向があります。原因は慣れない場に緊張することなので，リラックスできる雰囲気づくりなどの配慮が必要です。

☑ 思春期に起こりやすい不適応行動

● **不登校**[3]

何らかの心理的，情緒的，身体的，あるいは社会的要因・背景により，児童生徒が登校しないあるいはしたくともできない状況にあるために，年間 30 日以上欠席した者（ただし，病気や経済的理由による者を除く）のことです。

● **摂食障害**

適度な量の食事を摂れない場合をすべて摂食障害といいます。**拒食**とは，食事を拒んでいる状態で，**過食**は食べ過ぎている状態です。拒食と過食が交互に現れる**気晴らし食い**もあります。

☑ 青年期に起こりやすい不適応行動

● **心的外傷後ストレス障害（PTSD）**

自らの生死に関わる状況に置かれたり，目を背けたい悲惨な場面に直面したり，過酷なストレス状況にいたことなどによって発症します。このような辛く強烈な体験をした場合，全年齢において起こりえます。何らかのきっかけで，そのときの情景が生々しく思い出される**フラッシュバック**や，突然，涙が出てくる，悪夢にうなされるなど，日常生活の中で様々なストレス症状として現れます。

● **パニック障害**

人混みの中で突然，**パニック発作**が出る体験をしたことで，外出を避けるようになることです。

● **アパシー（スチューデント・アパシー）**

アルバイトやサークル活動などといった日常生活は十分に送れるが，**学業に限って急激に関心を失う**状態です。不本意な入学や，大学入学後のイメージができていなかったことなどが原因とされています。

面接対策

選択性緘黙の子どもも含む状況で，どんな子どもでも話しやすい環境をつくるために，学級運営の視点から，どのような工夫をしますか。

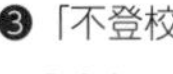

❸「不登校」
⇒ P.24

防衛機制

傾向＆ポイント 人は欲求不満の状態になったとき，様々な防衛機制を表して自分を守ろうとします。この多種多様な機制について理解を深めることが重要で，名称と具体的な現象を結び付けさせる問題が頻出しています。

頻出度 A

1 防衛機制（適応規制）

☑ 防衛機制

人が欲求不満の状態になった場合，心を安定させるために，自らの意志とは関係なく作動する心理的な仕組みです。環境に適応するためでもあるため，**適応規制**ともいいます。

☑ 防衛機制の種類

- **抑圧**＝欲求や衝動を抑えつけ，意識から閉め出すこと。
- **逃避**＝適応が難しい状況から逃げること。
- **合理化**＝それらしい理由や言い訳をつけ，自分を正当化すること。
- **昇華**❶＝望ましくない欲求を，社会的に好ましい対象や行動に振り向けること。
- **補償**＝弱点や欠点を補うために得意な面を強調すること。
- **置き換え**＝本来の対象ではない対象に，怒りや攻撃をぶつけて発散すること。
- **取り入れ**＝他人の感情や特性を，自分がそうであるかのように行動すること。
- **反動形成**＝自分が不安や危機に陥りそうな欲求や衝動を抑えて，無意識に正反対の行動をすること。
- **退行**＝困難な場面で，未熟な発達段階に戻ったかのように振る舞うこと。これにより，欲求の水準も同じく下がるので，欲求不満や不安は和らぐ。
- **投影（投射）**＝自分の望ましくない感情や特質を認めず，

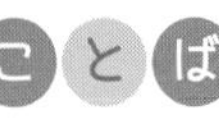

ことば

❶「昇華」
芸術や文学は性的欲求の，スポーツは攻撃性の欲求を昇華する典型例とされており，最も健全な防衛機制であるといわれています。

他者がもっていると考えること。

- **否認**＝「起こっていないこと」として全否定すること。
- **同一視（同一化）**＝憧れの対象に外見を似せるなどして，自己肯定感を高めること。

2 フラストレーション（欲求不満）

☑ フラストレーション❷

欲求を実現しようと行動したのに，何らかの障害で実現が阻止され，心に緊張や混乱が生じることです。

☑ フラストレーション・トレランス

欲求不満の状態になっても，自暴自棄にならず，理性的・合理的に解決する力を**フラストレーション・トレランス**といいます。遺伝的要因のほかに，どのように育ったかという**環境要因が大きい**とされています。

3 コンフリクト（葛藤）

☑ コンフリクト

２つの欲求が同時に，同じ強さであるときに，どちらを優先するかで迷う状態です。**レヴィン**は，欲求がもつ**「誘意性」という特性に着目**し，３つの型に分類しました。

- **接近－接近型コンフリクト**
  ２つの欲求がともに魅力的で，正しい誘意性がある場合。ほかの型に比べて，**最も解決しやすい状況**といえる。
  例）勉強もしたいが，本も読みたい。
- **回避－回避型コンフリクト**
  ２つの欲求がともに好ましくなく，負の誘意性がある場合。　例）夜更かしして遊びたい，早起きもしたくない。
- **接近－回避型コンフリクト**
  一方の欲求を実現させると，魅力的な結果も，いやな結果も同時に起こり，欲求が正と負の誘意性をあわせもっている場合。**解決が最も難しく，悩みが深くなる**状況。
  例）ゲームをして遊び続けたいが，叱られるのもいやだ。

さらに詳しく

❷ローゼンツヴァイクはフラストレーションの原因を２つに分けて考えました。

- 外的要因＝貧困などの欠乏，震災での喪失など。
- 内的要因＝心身の障害，病気や怪我，コンプレックスなど。

面接対策

「運動会で負けたのは，靴が壊れていたせいだ」という子どもの主張は，防衛機制のどれにあたりますか。また，子どもに対し，どのような働きかけをしますか。

10 カウンセリング

頻出度 B

傾向&ポイント カウンセリングは児童生徒の心理的な発達を支援する活動であり，教師にはその基本的な理解が求められます。分類や，技法の種類，提唱者をしっかりと覚え，ラポール，カウンセリング・マインドについても理解しましょう。

1 カウンセリングの基礎

カウンセリング

主に適応について問題を抱えた相談者である**クライエント**と，傾聴者である**カウンセラー**[1]が，言語的または非言語的な交流をして心理的な援助をし，問題の解決や行動の変容に向かっていくことです。

ラポール

カウンセリングの際には，カウンセラーとクライエントの間に，友好的信頼関係があることが重要です。この信頼関係を**ラポール**といいます。ラポールがあることは，カウンセリングなど心理療法を行う場合の前提条件です。

受理面接

初回のカウンセリングを**受理面接**または**インテーク面接**といいます。この面接の目的は，問題が何かを探り，支援方法を選択し，カウンセリングの方法や日程などの予定を立て，契約を結ぶことです。

2 カウンセリングの技法

指示的カウンセリング

ウィリアムソン[2]が，問題はクライエントが必要な情報を充分にもち合わせていないために起こる点に着目して実践しました。正しい情報を提供し，具体的に命令や禁止，助言などを行うことで，クライエント自身が対応方法を決め，自ら問題解決に向かうことを目指す技法です。

さらに詳しく

❶カウンセラーには，特に「心理カウンセラー」と呼ばれる，臨床心理学や精神医学などを修めている，資格をもった専門家がいます。カウンセラーは，クライエントの思いを積極的に受け止めることが重要で，「聞く」ではなく，「**聴く**」または「**傾聴**」という言葉を使うことが多いです。

❷「ウィリアムソン」
20世紀初頭，ウィリアムソンの臨床的カウンセリングが注目を集めました。この頃からカウンセリングの理論が成立しはじめたといわれています。

☑ 非指示的カウンセリング（来談者中心療法）

ロジャーズが開発しました。問題を解決するために，自分や周囲の状況がどのようになればよいかを知っているのは，クライエント本人であるという考え方です。このため，**来談者中心療法**とも呼びます。

カウンセラーは診断や指示などをせず，クライエントが成長していくための人間関係を築き，そのことで本人自身がもつ力を発揮し，解決に向かう援助を行います。

☑ 来談者中心療法の基本原則

- **共感的理解**
- **無条件の肯定的関心**
- **自己一致**❸

☑ 折衷的カウンセリング

ソーンによって提唱されました。特定の立場に立たず，状況に応じて対応方法を柔軟に変える技法で，比較的早期に解決できるため，学校などで一般的に多く用いられます。初期は非指示的な対応をして問題を明らかにし，その後は指示的対応をして短期間で解決させます。

☑ ピア・カウンセリング

カウンセラーが介入せず，当事者同士で集まって，互いの気持ちに寄り添って交流する技法です。子ども同士でも行えます。

❸「自己一致」
自己概念と経験とが一致していることです。カウンセラーは自分らしく自由で，自己の経験を正確に認識され，表明できている状態を指します。

3 カウンセリング・マインド

カウンセリングを行う者がもっておきたい，基本的なスキルや資質の総称です。教育現場でも，教師が子どもに接するときに必要な態度とされています。来談者中心療法での態度や姿勢に基づき，つくり上げる人間関係のように，教師も子どもの話を大人の視点で評価や分析するのではなく，共感的に傾聴し，子どもが表す自由な感情をあるがままに受け入れるようにすることが重要です。

面接対策

カウンセリングの前提となる信頼関係のことを何といいますか。また，それを築くために，日常からどんな取り組みをしたいですか。

心理療法の起源

頻出度 B

傾向&ポイント 多種多様ある心理療法ですが，その根幹は問題の本質を見極め，それ自体を解決することにあります。心理療法の役割や，その中心となる「精神分析療法」とその開発者フロイトの理論について学習しましょう。

1 心理療法の３つの役割

☑ 治療的役割

心理療法の中でも最も重要な意義は，**治療的役割**です。精神疾患に苦しむ人や，不適応行動で日常生活に困難をきたしている人，悩みや不安が解決できずにいる人などに寄り添い，問題を解決し，その苦しみを取り除いていくための支援をすることです。

☑ 予防的役割

学校などで大きな事件や事故があった場合に，教育委員会が早急に，臨床心理士などのカウンセラーを派遣し，子どものケアにあたる事例などを**予防的役割**といいます。これは，事件や事故，大災害が発生し，直面した子どもに，その直後から起こってくると予想される**ストレス症状や不安を和らげるために，先回りして対処する**ことが重要視されてきているためです。

☑ 開発的役割

健康な人でも心理療法の対象となりえます。自分自身について深く理解したり，他人を理解したりするために行う心理療法は**開発的役割**に分類されます。

2 精神分析療法

☑ 精神分析療法

フロイトが創始しました。精神分析理論・技法に基づく心理療法です。無意識下に，過去に体験した**トラウマ**（心的外傷）を抑圧していることが神経症などの原因になっていると考えました。そのため，**自由連想法**や夢分析，催眠などによって，クライエントの，特に幼児期の体験やトラウマを自覚させたり，解釈させたりして，問題の解決を図ります。

☑ 自由連想法

思い浮かんだことを**すべて話させる技法**のことです。過去に起こったつらい出来事やそのときに感じたことを，選別や隠さずに話して思い出させることで，**トラウマ**を癒していけると精神分析療法では考えています。

☑ 心の３つの構成

フロイトは，心は３つの層から構成されると考えました。

- **イド**（エス）＝本能的な欲求や生理的衝動のもとで，**快楽原則**❶に基づいて行動せよと主張する部分。
- **エゴ**（自我）＝**現実原則**❷に従って，現実的な対応をしようとする心の働き。
- **スーパーエゴ**（超自我）＝生まれてから得た体験に裏づけされた道徳性のこと。

☑ 意識

フロイトは，精神分析学の重要な概念として，意識を３つに区別しました。

- **意識**＝現在，認識している自分としての精神活動。
- **無意識**＝心の奥深くにある，日常の精神に影響している部分。
- **前意識**＝意識と無意識の間にあり，注意を向ければ気がつくことが可能な領域。

☑ リビドー❸

フロイトは，性的エネルギーと定義し，阻害されたときには神経症や発達障害などを起こすと考えました。

☑ エディプス・コンプレックス

男児が自然に母親に愛情をもち，父親に敵意をもつ複雑な感情のことで，フロイトが名づけました。

ことば

❶「快楽原則」
苦痛や不快を避けて，快楽を求めようとする傾向のことです。「現実原則」と対になる精神分析の用語です。

❷「現実原則」
快感を求める原始的で本能的な欲求を，延期，断念，あるいは変えようとする心の働きのことです。

さらに詳しく

❸フロイトは，リビドーが発達段階に応じて，身体のどこが焦点になるかを，下記のようにまとめました。
乳幼児期＝口唇期
幼児前期＝肛門期
幼児後期＝男根期またはエディプス期
児童期＝潜伏期
青年期以降＝性器期

12 心理療法の種類

頻出度 B

傾向＆ポイント 不適応行動や精神的な病などを治療する心理療法には，多様な種類があります。子どもに用いられる心理療法を中心に，開発者の名前や，治療の目的，具体的な方法など，詳細を覚えていきましょう。

1 遊戯療法（プレイセラピー）

ヘルムートが最初に考案し，その後，児童精神分析の創始者であるアンナ・フロイトや，**クライン**が児童分析に拡大して用いました。ロジャーズが考案した来談者中心療法❶に基づいて，アクスラインが「**児童中心遊戯療法**」に発展させました。子どもの問題行動や不適応行動の治療をねらいとして行います。制約が少ない空間で，子どもが思う存分，遊具やおもちゃなどで自由に遊べるようにします。子どもが無意識にもっている葛藤を観察することや，不安や緊張を軽減すること❷に役立つと考えられています。

❶「来談者中心療法」⇒ P.293

さらに詳しく

❷不安を周囲に話したり，たくさん遊んだりしても，問題そのものは解決しませんが，ひとまず緊張は解ける状態を「カタルシス」（心的浄化）といいます。

2 箱庭療法

はじめは**ローエンフェルド**が子どもを治療するために考案しました。その後，**カルフ**がローエンフェルドに学び，ユング心理学を取り込んで大人用に発展させました。箱の中に砂を敷いた模型に，自由に飾りつけをし，作品を完成させます。作品づくりへの思いを話させたり，写真に撮影して分析したりすることで，言語化されにくい心の奥深い部分を視覚的にも理解しようとする技法です。カウンセリングや遊戯療法と併用して行われることが多いです。

3 集団心理療法

☑ 心理劇（サイコドラマ）

モレノが創始しました。治療や診断の目的で，集団で観客や演者などの役割分担をさせ，即興や自発的に演じさせます。終了後は，全員で感想を言い合います。個人の自発性や創造性を引き出す効果があるといわれています。

☑ エンカウンター・グループ

ロジャーズが**自己の理論**に基づいて開発しました。他者と出会い（エンカウンター），自由に議論するなどの活動を通して，自己と向き合ったり，他者との関係を構築したりすることなどを目指す技法です。通常は十数名の参加者と，１～２人のファシリテーター（世話人）で集まって，数日間の合宿を行います。

☑ 家族療法

個人の問題を家族全体の問題として捉え，家族全員で家族全体の在り方を見直すように取り組む方法です。

4　その他の心理療法

☑ 森田療法❸

森田正馬（もりたまさたけ）が，主に対人恐怖などの神経症の治療方法として考案しました。不安傾向が強い神経症は，心身の不調への過度な集中が原因と考えて，最終目標を「あるがまま」の自分を受け入れること，と定めています。段階を踏みながら負荷をあげた生活に移す訓練をし，症状を緩和させます。体系化した理論を『神経質の本態と療法』にまとめました。

さらに詳しく
❸１～２週間の入院治療をします。絶対臥褥（がじょく）期→軽作業期→重作業期→複雑な実生活と４段階で進めます。

☑ 内観療法❹

精神修養法をもとに**吉本伊信**（よしもといしん）が開発しました。過去の人生を振り返らせ，肯定的な自己を認知させるなどします。

さらに詳しく
❹浄土真宗の「身調べ」という精神修養法からヒントを得て開発されたとされています。医療・学校教育・司法の矯正教育・職場のメンタルヘルスなどの分野で活用されています。

☑ ゲシュタルト療法

パールズなどが考案しました。集団で行い，「今，ここで」起きていることに焦点を当てるところに特色がある療法です。

☑ 認知療法

ベックが創始し，解釈や誤解などの認知の歪みを正します。

13 行動療法

頻出度 C

傾向＆ポイント 症状を改善したり，望ましい行動ができるようにする目的で，段階を踏んで訓練を重ねたり，改めて行動様式を学習する技法を行動療法といいます。様々な技法があるので，その方法や開発者をしっかりと理解しておきましょう。

1 行動療法

行動療法

心理療法の一つで，学習の心理学理論に基づいて，心ではなく，**行動そのものを変えていく**ことで，問題を解決しようと試みる療法です。行動療法では，「**条件づけ**」に着目し，好ましくない行動は，誤った条件づけで学習されてしまったために起こると考えます。そのため，**古典的条件づけ**❶や**オペラント条件づけ**❷を利用して，異常行動を消去し，望ましい行動を新たに学び直し，実行できるようにしていくことで,問題の解決を目指します。アイゼンクは，その様々な技法について『**行動療法**』という書物にまとめました。

❶「古典的条件づけ」
先天的な反射にあわせて関係のない刺激を繰り返し与え，条件反射が起こるようにすることです。

❷「オペラント条件づけ」
ある反応をしたときに報酬を与えて，その反応が出やすくすることです。この反応は報酬を得るための道具になっているので「道具的条件づけ」とも呼びます。

2 古典的条件づけを応用した技法

系統的脱感作法

ウォルピが開発しました。不安や恐怖は，それを引き起こすような刺激となる状況が揃ってしまったため生じたものと考えました。そして，それを解消する訓練として，**系統的脱感作法**を考案しました。この療法では，不安を感じる場面を弱い不安から強い不安の度合いにより，**段階的に並べて表す不安階層表**をつくります。そして，**弱い不安を感じる場面から何回も繰り返して体験**し，慣れて不安が小さくなることを目指します。そうして少しずつ上の段階に移していくことで不安症状を緩和させていきます。

フラッディング

段階的に進めず，**一番強い不安を感じる場面を最初から体験**させる技法です。**系統的脱感作法とは正反対**の方法であるといえます。クライエントはその場にいることができなくなることもあるので，中断しないで行えるよう準備をしたり，環境を整えたりします。

3 オペラント条件づけを応用した技法

論理療法（合理情動行動療法）

エリスが創始しました。クライエントが，非論理的な信念をもっていることが問題の原因と考えて，それを論理的な信念に変えていくことで解決を目指します。「**ABC シェマ**」❸の考えに基づいています。

トークン・エコノミー法

自ら適切な行動ができたら，**トークン（代用通貨）**という報酬を与えることを繰り返し，自分で行動を制御していけるように訓練する技法です。

応用行動分析

オペラント条件づけを分析して得た変数を取り入れて，問題行動を修正する技法です。

バイオフィードバック療法

脳波や心拍などを，光や音に置き換えて，クライエントに知らせることにより，心身を自律的にコントロールできるようにする訓練です。これに対して，自己暗示によって調節できるようにしようとする技法が，**シュルツ**によって開発された**自律訓練法**です。

モデリング

バンデューラが考案しました。好ましいとされる行動をするモデルを観察させて，それを真似させることで，行動の変化を目指そうとする技法です。

さらに詳しく

❸エリスは論理療法で「ＡＢＣシェマ」を唱えました。これは，Ａを原因，Ｂを信念，ＣはＢによって出る行動や反応とします。Ｃの原因はＡだと考えがちですが，その間にはＢという過程があり，そこに歪みや非合理性が生じていることが，問題の原因であると主張しました。

14 現代の心理療法

頻出度 C

傾向＆ポイント 様々な行動療法の中でも近年，注目されている認知行動療法について学びましょう。また，学校内外で，子どもの健やかな生活の支援を担うスクールカウンセラーについての理解を深めておきましょう。

1 現代の心理療法

☑ マインドフルネス

過去の失敗や，未来への不安に思い悩まず，今，この瞬間に意識を向け，自分自身の体や心がどのようになっているかを観察します。その「**あるがまま**」の感覚を味わい，受容する技法です。

☑ フォーカシング

ジェンドリンが提唱しました。カウンセリングを行っているときに，クライエントがその最中に体感している流れと，それを変化させることができた，と実感することが，問題の解決に向かうために重要であると考えました。感情の変化を明らかにし，そこから意味を見い出していく過程を**フォーカシング**と名づけました。

☑ 主張訓練法（アサーショントレーニング）

自分の思いを的確に表現し，他者に対してうまく伝えられるよう，自己主張の方法を訓練します。他者の考えや欲求だけを優先しすぎることなく，他者と同じ程度に，自分の考えや希望を尊重する考え方です。

> **面接対策**
> 主張訓練法（アサーショントレーニング）とはどのようなものか，説明してください。それを踏まえて，どんな場面でどのように子どもに声かけをしたいですか。

☑ 構成的グループ・エンカウンター

國分康孝が開発しました。ロジャーズが考案したエンカウンター・グループを，学校などの場所でも取り入れられるようにアレンジした手法です。３部に構成されており，活動の内容を説明する**インストラクション**，それに沿って実際に体を動かす**エクササイズ**，エクササイズをしてみて感じたり考えたりしたことを，お互いに話し合う**シェアリング**を行います。

2 カウンセラーの資格

☑ スクールカウンセラー制度❶

学校内での様々な問題や課題を解決するため，相談体制の強化を目指して，平成7年度から文部省（現・文部科学省）は，**臨床心理士**などの専門家を，学校に配置する「スクールカウンセラー活用調査研究委託」事業を実施しました。2019年までに，原則として全公立小中学校に**スクールカウンセラー**の配置を目指してきました。

☑ スクールカウンセラー

臨床心理学的な立場から，子どもの発達や成長を支援するために，指導や助言をする専門家です。スクールカウンセラーが担う役割は，子どもから大人まで直接的な支援，関係各所などとの調整や，評価や調査など多岐にわたります。

- 子どもと個別に面接して相談にのり，助言する。
- 教師や保護者の相談に応じる。
- 保護者と関係機関の間を調整する。
- 学校内での生徒指導計画やその評価などの場面で，中心的な働きをする。
- 学校内や地域で，カウンセリングについての研修や講習を行う。
- 心理テストや調査などを行う。

☑ 臨床心理士

臨床心理士養成に関わる指定大学院，または専門職大学院修了などの受験資格を満たして試験に合格した，日本臨床心理士資格認定協会が認定している専門職です。不適応の状態にあるなど，心理的な困難を抱える人を支援します。

さらに詳しく

❶「小学校学習指導要領」(平成29年)の「小学校学習指導要領解説 総則編」で，カウンセリングの機能の充実や，スクールカウンセラーの活用などについて言及されています。

15 集団の測定

頻出度 B

傾向&ポイント 教師が集団としての学級を理解し，子どもの人間関係について知ることは，とても重要です。集団の特徴や，学級内の人間関係を測定する，様々な心理検査について学びましょう。

1 集団の区分法

集団の分類について理解しておきましょう。集団の名称や説明文をみて，集団類型を判別させる問題が出題されています。

☑ 第一次集団と第二次集団

アメリカのクーリーらが，集団での構成員の関係性で分類しました。

- 第一次集団＝**家族**や仲間のように，**親密**で**連帯感**や**一体感**が強い，**小規模**な集団。人間関係は**直接的**である。
- 第二次集団＝官公庁，会社のように，利害や目的を**効率的**に達成するために，意図的につくられた**大規模**な集団。人間関係は**間接的**で，**分業**体系である。

☑ フォーマルグループとインフォーマルグループ

オーストラリアのメイヨーらが，集団の成立方法で分類しました。

- フォーマルグループ（公式集団）＝学級や委員会など，成員の役割や責任が明らかな集団。
- インフォーマルグループ（非公式集団）＝個人の意思によって自然発生的にできた集団。

☑ ソシオグループとサイキグループ

- ソシオグループ＝社会的集団。フォーマルで制度があり，成員の権利や義務が明らかである。
- サイキグループ＝心理的集団。インフォーマルで制度がなく，個人の要求や価値観で結集している。

☑ 学級

学級は第一次集団と第二次集団の要素，またフォーマルグループとインフォーマルグループの特徴をあわせもっています。子どもの意思とは無関係に，意図的につくられた**公的集団**であり，学校生活の**中心的な場**です。そして，教育目標を実現するための**目的集団**であり，社会性や道徳性を学び，成長するための**生活集団**としての役割もあります。

☑ 準拠集団

人が，**行動や判断の基準**とする集団のことです。子どもにとって，よい準拠集団があることは大変重要です。第一次集団は，人間関係が直接的で準拠集団になりやすいです。人は，自分が属する集団の規範により，**行為**や考え方を決定することが多いです。

2　集団の人間関係の測定

☑ ソシオメトリック・テスト

モレノが，集団内の人間関係において，好感と反発の関係を調査する方法として開発しました。例えば，子ども全員に秘密厳守を約束したうえで，席替えなどの具体的な場面を想定し，「誰といたいか，いたくないか」などを尋ねて，子どもの人間関係を知る手がかりにします。

☑ ソシオグラム❶

ソシオメトリック・テストの結果，子どもの人間関係などを，様々な種類の矢印でわかりやすく図示したものです。これにより，学級内を構成する小集団や，集団同士の関係，個人同士の関係などがわかります。❷

☑ ゲス・フー・テスト

ハーツホーンらによって考案されました。「優しいと思う人は誰か」など性格や行動について質問し，子ども同士で，相互に推測させた結果をもとに，人物評価を把握します。

面接対策

「ソシオメトリック・テスト」でどんなことがわかりますか。また，学級運営で，どのように活かしていきたいですか。

さらに詳しく

❶ソシオグラム

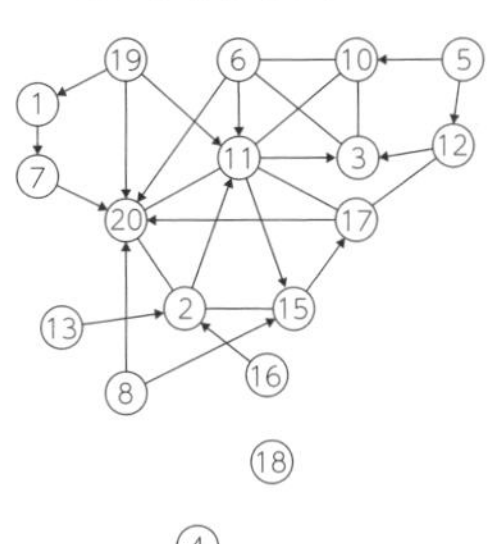

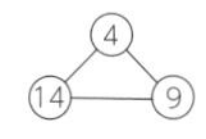

❷「ソシオメトリック・テスト」の結果を縦軸と横軸で表し，数量的に把握できる「ソシオマトリックス」があります。集団の特徴や子どもの位置づけ，様子などがわかります。

16 集団の形成

頻出度 C

傾向&ポイント 教師のリーダーシップによって，学級の雰囲気が形成されていきます。リーダーシップの類型論について知り，学級の生産性が変化する条件を理解しましょう。また，集団内で起こる様々な現象について学んでおきましょう。

1 リーダーシップ

リーダーシップの３類型

リピット・ホワイト・レヴィンらは，リーダーシップを民主型，専制型，放任型の３つに分類しました。

	リーダーの行動	生産性	成員の様子
民主型	成員の決定を尊重し，助言。	最高	役割分担が明確で，目標達成意欲が向上。協力的。
専制型	すべて決定する独裁。	混在	リーダーへの攻撃性。無気力。
放任型	成員が決定し，無関与。	最低	意欲減退。欲求不満。作業成果低下。成員間で葛藤。

PM 理論

三隅二不二（みすみじふじ）が開発しました。リーダー機能について，成果を追求するＰ（performance）機能（目標達成機能）と，集団の和を重んじるＭ（maintenance）機能（集団維持機能）の２つに分けて想定。その強弱の組み合わせに着目して，リーダーシップの型を４つに分類❶しました。２つの機能とも強いPM型（**統合型**）リーダーシップの場合，集団の生産性が最も高くなります。

目標達成機能（P機能） ↑	集団維持機能（M機能）弱	集団維持機能（M機能）強
強	Pm型	PM型
弱	pm型	pM型

集団維持機能（M機能）→

ここが出た！
三隅のPM理論は頻出事項です。特に図が出題されるので，よくみてポイントを整理しておきましょう。

さらに詳しく
❶４区分とは以下のとおりです。
- PM型
  P機能，M機能ともに優れている。
- Pm型
  P機能は優れるが，M機能が劣る。
- pM型
  M機能が優れるが，P機能が劣る。
- pm型
  P機能，M機能ともに劣る。

2 集団に関わる現象

☑ ブーメラン効果

相手の考えや行動を変えるために，情報を流すことを**説得的コミュニケーション**といいます。このうち，逆効果になってしまうことを**ブーメラン効果**，時間が経ってから説得の効果が現れることを**スリーパー効果**といいます。

☑ ホーソン効果

作業効率が，物理的な環境要因より，職場のインフォーマルな人間関係の影響を大きく受けることです。

☑ 社会的促進と社会的抑制

一人だけで作業した量と比べて，他者がいる環境で作業したほうが，その量が増す現象を**社会的促進**といいます。一方で，他者がいることで作業量が減るのは**社会的抑制**です。いずれも他者がいることで起こる現象ですが，どちらの結果になるかは，他者との関係性により，親しい間柄だと促進が，なじみがなく緊張感のある関係だと抑制が，それぞれ起こりやすいといわれています。

☑ 社会的手抜き

個人がどれだけ作業したかがわかりづらい状況で，一緒に作業する他者が増えるほど，個人の作業量が減っていく現象です。

☑ 傍観者効果

援助を必要とする人がいる場面で，自分以外の他者が周囲にいると，援助の手を差し伸べづらくなる現象です。

☑ フット・イン・ザ・ドア法❷とドア・イン・ザ・フェイス法❸

負担が小さい依頼を受諾させてから，負担が大きい本来の依頼をすると，受諾されやすいのが**フット・イン・ザ・ドア法**。その逆で，負担が大きな依頼を拒否させてから，本来の小さい依頼をすると，受諾されやすいのを**ドア・イン・ザ・フェイス法**といいます。

面接対策

PM 理論について説明してください。また，それを踏まえてどのように学級運営をしたいですか。

ことば

❷「フット・イン・ザ・ドア法」
訪問販売などで，建物のドアの中に足をはさむことができれば，その営業はうまくいくといわれていることからその名前がつきました。

❸「ドア・イン・ザ・フェイス法」
高価な商品の提案を断った後は，比較的，安価な商品の提案を受け入れて購入しやすいといわれています。

確認テスト

教育心理②

1 次は，クライエント中心療法を説明した文である。文中の（ **A** ）～（ **D** ）にあてはまる人物，語句を選びなさい。

【滋賀県・改】
1

クライエント中心療法は，（ **A** ）によって創始された心理療法理論であり，人間は自己実現へと向かう傾向をもつ存在であると見なし，自己決定と個人の固有性を重視する人間観が基礎にある。セラピストが（ **B** ）理解，無条件の（ **C** ）的配慮，自己（ **D** ）という関係的条件を与えることによって，クライエントは自分自身を受け入れ，生得的に備わっている成長傾向を発揮できると考える。

(A) イ
(B) エ
(C) カ
(D) ク

ア ベック（Beck,S.J.）
イ ロジャーズ（Rogers,C.R.）
ウ 相互　**エ** 共感的　**オ** 否定
カ 肯定　**キ** 開示　**ク** 一致

2 心理検査に関する記述として適切なものは，次の１～５のうちのどれか。

【東京都】
2

4

1　P-F スタディは，被検査者に人物を含んだ多義的な絵を見せてその絵に関する物語を想像させ，その内容を分析して，人物特性や内的状況を判断する検査で，精神医学の診断方法としてだけでなく，犯罪学, 産業心理学などの分野にまでも用いられている。

2　矢田部・ギルフォード性格検査は，左右対称のインクのしみの図版 10 枚を１枚ずつ提示し，何に見えるかを問い，その反応を分析して，人格を多面的に診断する検査で，代表的な投影法の心理検査として用いられている。

3　ロールシャッハ・テストは，12 の下位尺度ごとに 10 問，合計 120 問の質問項目から構成され，特性論的な解釈だけでなく，類型論的な評価も可能な検査で，比較的容易に実施でき，信憑性も高く，臨床や教育などの分野で用いられている。

4　内田・クレペリン精神検査は，被検査者に一定の時間で隣り合う二つの 1 桁の数字を連続加算する作業をさせ，その結果から得られる作業曲線を評価し性格の特徴を判定する検査で，人材の採用や適正配置などに用いられている。

5　TAT は，二人の人物の不完全な対話で構成される欲求不満場面を絵で示し，被検査者に対話を完成させることによって，人格特性を明らかにする検査で，児童用，青年用，成人用のそれぞれに日本版があり，臨床場面で用いられている。

【大阪府・大阪市・堺市・豊能地区・改】

3

次の各文は，防衛機制に関する記述である。**A**～**D** の内容と最も関連が強い語句を，それぞれ下の**ア**～**ク**から選べ。

A　自己の攻撃的感情を抑圧して，相手が自分を攻撃していると思い込むなど，自分にとって認めたくない内的な感情や欲求，考えを無意識的に他者がもっているかのように反応する心のはたらき。

B　学芸会の主役になれなかった生徒が，劇の主役になると,勉強する時間がなくなると言いふらすなど,自分の行動や態度の本当の動機を隠して，もっともらしい理由を意識的に考えて，自らを正当化しようとすること。

C　自分が劣っていると思いこんでいる機能や弱点をカバーしたり，他の望ましい特性を強調したりすることによって，特定の領域の欲求不満を補おうとす

3

A　ア

B　イ

C　エ

教育心理②

る心のはたらき。

D　もう幼児ではない子どもが駄々をこねるなど，適応困難な事態で，より幼い発達段階に退却して，その段階で満足を得ようとすること。

ア　投射（投影）　**イ**　合理化　**ウ**　反動形式
エ　補償　**オ**　同一化　**カ**　逃避　**キ**　退行

D　キ

4　次の記述(1)・(2)は，集団におけるリーダーシップに関するものである。それぞれの研究を行った人物をア～ウから選べ。

(1)　集団の目標達成ないし課題解決へ志向した機能をP(Performance)機能，集団の過程維持に志向した機能をM(Maintenance)機能と命名し，P機能次元，M機能次元それぞれにおける測定値を基に，リーダーシップの基本類型として，PM型，Pm型，pM型，pm型の４類型に分類した。これら４類型の効果性は多くの組織や教育機関等において吟味され，PM型のリーダーのとき，部下集団の生産性や，成員の仕事に対する動機づけが相対的に最も高いことが一貫して見いだされてきた。

(2)　リーダーの指導スタイルとして「専制的リーダー」「民主的リーダー」「放任的リーダー」の三つを設定して，そのようなリーダーの下での集団の作業量と質及び集団の雰囲気を観察した。その結果は，民主的なリーダーの下では作業量は多いが意欲に乏しく，放任的なリーダーの下では非能率的で意欲も低いというものだった。

ア　三隅二不二
イ　フィードラー
ウ　レヴィン

【東京都・改】
4
(1)　ア
(2)　ウ

教育史

1 古代・中世の教育

頻出度 B

傾向&ポイント 古代・中世の教育はヨーロッパの教育の起源となりました。ここでは，ソクラテス，プラトン，アリストテレスの三大哲学者が主に出題されます。彼らの思想と著書名を結び付けておくことが重要なポイントです。

1 古代ギリシアの教育

古代ギリシアの教育は，**ポリス**（都市国家）との関わりが深く，その中でも**スパルタ**と**アテネ**は特徴ある教育を行っていました。

☑スパルタ

軍人の育成を目的とした**注入主義的**な教育でした。

☑アテネ

知的・芸術的な教育と体育・軍人的能力を個々で身につける**自由主義的**な教育でした。教師として**ソフィスト**が現れ，**弁論術**❶やその他専門知識を教えていました。

❶「弁論術」
自分の主張や考えを相手に納得させたり，説得したりするための方法のこと。

2 古代ギリシアで誕生した三大哲学者

☑ソクラテス

ソフィストと同じ時代，いろいろな人と**問答**を通して，自分は何も知らないという「**無知の知**」を自覚させ，絶対的真理を求めました。彼の問答法は**産婆術**または助産術と呼ばれました。

☑プラトン

ソクラテスの弟子で，『**国家**』を著しました。アテネ近郊に**アカデメイア**❷という学校を建て，哲学を理解した者が国家を治めるべきであるという**哲人教育**を行いました。

さらに詳しく
❷ソクラテスの考えを継承したプラトンが設立した学校で，のちの高等学校のもととなります。

☑アリストテレス

アカデメイアで学び，プラトンに師事しました。政治学や論理学など多方面の学問を修めたことから「万学の祖」

ともいわれています。彼も**リュケイオン**[3]という学校を建て，**『形而上学』『政治学』**を著しました。「**人間はポリス的動物**」という名言が有名で，**中庸**の徳を重んじ，有徳な自由人の育成に努めました。

3　古代ローマの教育

ローマは共和制と帝政の時代が交互に繰り返され，国が大きくなる中で，弁論術を重んじる教育が行われていました。共和制時代では読み書きを教えるルードゥスをはじめ，文法学校，修辞学校と中等段階の教育を教える学校が建てられました。代表する教育者として共和制時代は**キケロ**，帝政時代は**クインティリアヌス**がいました。

4　中世ヨーロッパの教育

中世になると宗教がキリスト教に統一され，教育の目的がキリスト教の統制下にありました。この時代の教育は，教会が中心でしたが，宮廷や都市でも身分にあわせた教育が行われていました。ここでは，教会の教育をみていきます。

☑ 修道院学校

6世紀頃に設立され，**読み・書き・計算**・唱歌を初等教育とし，中等教育では**三学**と**四科**からなる**自由七科**[4]が行われました。高等教育では医学，法律，神学を学ばせました。

☑ 本山学校

11世紀頃に設立され，ボローニャ大学などの**大学**のもととなり，修道院学校とともにヨーロッパで重要な教育施設になりました。

☑ その他の学校

宮廷では有名な学者を招き，学びました。また，騎士には他民族の進入を防ぐための**七芸**を，市民には**ギルド**を組織し，階級別の教育機関を設けました。

さらに詳しく

❸アリストテレスは20年間，アカデメイアで学び，リュケイオンを設立しました。彼の一派はペリパトス学派（うろちょろするという意味）と呼ばれます。

さらに詳しく

❹自由七科は三学と四科に分かれます。三学とは，文法，論理学，修辞学を示し，四科とは，算数，幾何，天文，音楽を示します。

頻出度 C

近世の教育

傾向&ポイント 近世の教育についての出題は，多くないものの，コメニウスに関する問題はよくみられます。コメニウスが登場するまでの教育の流れをおさえつつ，彼の考え方である実学主義について確認しておきましょう。

1 ルネサンス期の教育

14世紀から始まったルネサンス（文芸復興）は，ギリシャ・ローマの文化を再評価する動きで，教会権力から離れ，人間の自由な生活を尊重する**人文主義**（**ヒューマニズム**）を誕生させました。

☑ 人文主義と教育

人文主義は教育にも影響を与えました。古代ギリシャ・ローマを自由教育の原型とし，個人の教養人として心身の全面発達を目指す教育でした。これによりギリシャ語やラテン語学習を行う，人文主義的中等学校が誕生しました。

☑ エラスムス[1]

オランダ出身の神学者。従来の注入主義の教育を非難し，教育の最良の方法は，古典と直接対話することであると考えました。『**幼児教育論**』などを著し，自然な人間性，自発性を重視し，興味や能力に応じた個別学習を重視しました。

さらに詳しく

❶エラスムスは，『痴愚神礼讃』を著し，教会の偽善を告発したことで有名です。彼はヨーロッパ各地を巡回し，人文主義および新しい学問の研究に一生を捧げました。

☑ トマス・モア

ロンドンの法律家。『**ユートピア**』を著し，すべての子どもが教育を受ける機会の保障を訴えました。エラスムスとともに，教会への揺るぎない信仰をもっていました。

☑ ラブレー

著書『**ガルガンチュア物語**』は，「文芸復興の聖書」といわれ，人文主義の新教育の精神が書かれていました。

2　宗教改革と教育

聖書を読み，その解釈を考えることこそ，真の信仰心を得ることであると考えた人たちが教会の免罪符を批判し，宗教改革を行いました。

☑ ルター

プロテスタントの立場から，すべての人々が聖書を読めるように，文字の読み書きの習得を目指しました。普通教育と義務教育の重要性を説き，**公立初等学校**の設置を訴えました。『**教理問答書**』❷を著しました。

❷「教理問答書」
ルターが著した初等教育の本です。大と小に分かれていて，小は子ども対象に問答形式で書かれています。

3　実学主義の教育

☑ 実学主義

16 ～ 17 世紀に形式化した人文主義に対抗し，**事実**や**経験**・**実践**などを重視した教育思想です。コペルニクスやガリレイなどの**実証的思考**の自然科学の影響を受けています。

☑ コメニウス

コメニウスの基本理念は「すべての人にすべてのことを，すべての面にわたって教授する」ことです。『**大教授学**』で教授学を体系化し，暗記でなく直感・実物教授を重視しました（**直観教育**）。また，世界初の絵入りの教科書『**世界図絵**』を著しました。

コメニウスの学校制度

成長段階		学校種	場所	能力
幼少期	6 歳まで	母親学校	各家庭	外部感覚
少年期	12 歳まで	母語学校	各町村	想像力，記憶力
青年期	18 歳まで	ラテン語学校	各都市	認識能力，判断力
若者期	24 歳まで	大学	各王国	意志

それまで上層階級のみにとどまっていた教育は，すべての人に与えられるようになり，すべての人が普通教育を受ける権利をもっているという理念が広がりました。

近代の教育

頻出度 A

傾向&ポイント 近代の教育史は出題頻度が高い単元です。教育が組織的・体系的になり，現代の教育につながる教育制度が生まれました。ルソーやヘルバルト，ペスタロッチなどの思想をしっかり理解しておきましょう。

1 啓蒙主義による教育とは

18世紀は，**啓蒙主義**[1]をもとに，市民が社会の主役となり，自由な経済行為や国民国家の建設などを進めた時代でした。教育の面でも子どもの人間性を基本とする考えが生まれていきました。

ロック

イギリス経験論の祖。経験論に基づいて人間の精神は白紙であるという**精神白紙論**（**タブラ・ラサ**）を説き，知識を獲得する能力を重視する，形式陶冶論を唱えました。

ルソー

フランスの思想家。著書『**エミール**』[2]で，教育は子ども中心に据えるべきという**自然主義**の教育を展開し，人間が正常に得られる発達を社会制度によって阻害されないよう，詰め込み教育を否定し，子どもの発達段階に応じた**消極教育**を提唱しました。この考え方は，のちのカントや**ペスタロッチ**に大きな影響を与えました。

カント

ドイツの哲学者で，イギリス経験論と大陸合理論を1つにまとめた人物です。教育に関しては，「人間は教育によってのみ人間になる」と『**教育学講義**』で述べています。

2 新人文主義の教育

18世紀後半になると，人間の諸能力の調和的発達を目指す新人文主義の考えが起こりました。

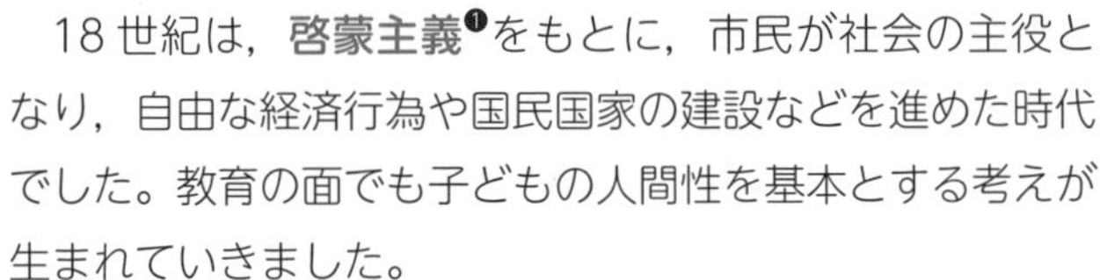

ことば

❶「啓蒙主義」
18世紀にフランスを中心に広まりました。今までの先入観を見直して，理性によって合理的に考えることです。

さらに詳しく

❷『エミール』は「子どもの発見の書」と呼ばれ，ルソーは「子どもの発見者」と呼ばれました。

ペスタロッチ

孤児院を経営し，貧民の子弟教育に力を入れました。ルソーと新人民主義の影響を受け，『隠者の夕暮』を著しました。直観的教育を重視した**直観教授**を主張しました。

フレーベル

ペスタロッチから教えを受け，ドイツで世界初の**幼稚園**を創設しました。幼児期は遊びなどから得る学びが重要とし，教育遊具（**恩物**）❸を開発しました。

3 市民革命期の教育

市民革命はイギリスから始まり，欧米の国々に広まりました。この時代，**公教育制度**が整えられていきました。

コンドルセ

フランスの数学者であり，政治家でもあるコンドルセは，議会に「公教育の全般的組織に関する報告および法案」を提出しました。**教育の無償**，**公教育の中立性**，**男女共学**などを訴えました。

ヘルバルト

『**一般教育学**』で教育の目的を倫理学に，方法を心理学に求めて，体系的に教育学を確立しました。彼の**4段階教授法**❹は，弟子のツィラーとラインが5段階教授法に発展させました。そして，その後の教授法に大きな影響を与えました。

各国の教育制度

イギリスでは公教育制度が確立し，義務教育・無償化とされました。アメリカでは義務教育法制定により，公立義務制が確立しました。フランスでは，初等教育法やジュール・フェリー法によって，初等学校設置義務と6～13歳の就学義務などが決められました。また，ドイツでも普通教育の拡充，公教育制度の確立を果たしました。

❸「恩物」
恩物という名前の由来は，「神様からの贈り物」という意味です。

さらに詳しく

❹認識とは「専心（深めること）」と「致思（関連づけ）」の組み合わせだとし，明瞭（静的専心）→連合（動的専心）→系統（静的致思）→方法（動的致思）と系統立てました。

現代の教育（戦前）

傾向＆ポイント 現代の教育としては，19 世紀後半以降に誕生した新教育運動の出題頻度が高いです。それまでの教育の流れがこの時代にどのように変化し，どのような人物が登場するのかをしっかりおさえておきましょう。

頻出度 A

1　世界的に広がった新教育運動

☑ デューイ

産業革命ののち，欧米は帝国主義に移行しました。国際的な経済競争が展開され，国家として国民に求めたものは，国家に従順な市民の育成でした。そのため，教師主導の一斉教育や注入方式の教授など，子どもの個性は無視されていました。19 世紀末から「子どもから」を合い言葉に，**児童中心主義教育**❶で子どもの個性を活かし，社会に適応できる人材の育成が始まり，世界に広がりました。

❶「児童中心主義教育」子どもの興味関心，自発性，自己活動・作業を尊重する教育。必要な教材を使い，子どもに自己の表現力を発揮させることが目的です。

2　ヨーロッパの新教育運動

☑ スペンサー

19 世紀の三大教育思想家の一人。功利主義的教育論を展開しました。著書『**教育論**』で，従来の教育を批判し，実用的な科学の教育が重要であるとし，**知育・徳育・体育**論を主張しました。

☑ エレン・ケイ

スウェーデンの社会思想家。著書『**児童の世紀**』で，20 世紀を「児童の世紀」と呼び，子どもが自由に創造的に生きる時代になるだろうと著しました。

☑ モンテッソーリ

イタリアの障害児教育研究家。ローマの貧民街に「子どもの家」という学校を開設し，貧民の幼児を収容し，教育しました。また，障害児の感覚・知育訓練のために「モンテッソーリ教具」を開発し，モンテッソーリ・メソッドを確立しました。

3　改革教育学

ドイツでは新教育運動を改革教育学と呼びました。

☑ **ナトルプ**

『社会的教育学』を著し，教育は，人間的な社会がなくては存在することはないと主張しました。

☑ **ケルシェンシュタイナー**

教育の目的は国家の要望にあった人材の育成であるとし，職業教育を通して「公民教育」を教授したうえで，勤労教育を重視しました。著書は**『公民教育の概念』**など。

☑ **シュプランガー**

教育作用を文化の伝達と創造の循環過程と捉え，**『生の諸形式』**で価値の観点から，人間を**6つの類型**[2]に分類しました。

4　アメリカの新教育運動

アメリカでは進歩教育運動協会が発足し，様々な教育方法が提案されました。

☑ **デューイ**

アメリカ教育の先駆者で，著書は**『学校と社会』**。「なすことによって学ぶ」という**経験主義**の教育を実践し，**問題解決学習**の理論を展開しました。

☑ **キルパトリック**

デューイの継承者。単元の学習方法として「**プロジェクト・メソッド**」[3]を主張しました。

5　田園教育舎運動

ドイツの改革教育学者リーツによって創始され，田園に全寮制寄宿舎学校[4]を設けて行われました。ここでは，調和的な人格教育が目標とされました。

さらに詳しく

❷6つの類型とは，理論的，審美的，経済的，社会的，権力的，宗教的です。

さらに詳しく

❸プロジェクト・メソッドの過程は4段階あり，①目標設定をし②計画を立て③実行し④それを評価するとしました。

さらに詳しく

❹セシル・レディ「アボッツホームの学校」
リーツ「田園教育舎」
ドモラン「ロッシュの学校」
シュタイナー「自由ヴァルドルフ学校」
ニイル「サマーヒル・スクール」
などが知られています。

現代の教育（戦後）

傾向&ポイント 戦後の教育改革をみると，ヨーロッパでは教育制度の改革を，アメリカではカリキュラムや教育組織などの改革を主に行ってきました。それぞれの改革の特徴と人物や法律の内容を確認しておきましょう。

1 第二次世界大戦後のヨーロッパの教育改革

教育制度の改革として，義務教育年限の延長と中等教育の総合制化の改革が行われました。

☑ イギリス

1944 年**バトラー法**で義務教育を 10 年とし，のちに 11 年に変更しました。また，中等学校では生徒を 3 系統に分けていたのを総合制中等学校に変遷しました。

☑ フランス

1947 年**ランジュバン教育改革案**では，教育の平等と多様性を原則として，義務教育年限の延長や観察・指導過程の導入の提案が行われました。

☑ ドイツ

ギムナジウムなど，中等教育機関の名称を 3 系統に統一し，義務教育を 9 年に定めました。

2 第二次世界大戦後のアメリカの教育改革

1957 年の**スプートニク・ショック**❶を契機に，科学技術教育の改革を行い，60 年代に「**教育内容の現代化**」を進めました。70 年代には「学校教育の人間化」と変化し，80 年代には「**危機に立つ国家**」で教育改革運動が起こりました。

☑ 教育の現代化運動

1959 年ウッズホール会議で議長のブルーナーがカリキュラム改革として**発見学習**❷を提唱，翌 1960 年に『教

❶「スプートニク・ショック」
旧ソ連と宇宙開発競争を行っていたが，先に旧ソ連が人工衛星の打ち上げに成功したときのアメリカ側の衝撃を表現しています。

さらに詳しく
❷知識や技術の探求・発見・発明の過程を子どもに再発見させる教育です。

育の過程』にまとめました。これは世界に広まり，教育の現代化運動の原動力になりました。

ブルームの完全習得学習とは

教育心理学者の**ブルーム**は，学習指導の前提として，教育目標を明確かつ体系的に分類・整理する重要性を訴えました。

現代の教育・略年表

年	事項
1861	スペンサー『教育論』
1870	(英)「初等教育法」成立
1899	デューイ『学校と社会』
1900	エレン・ケイ『児童の世紀』
1907	モンテッソーリ，ローマに「子どもの家」設立
1909	モンテッソーリ『モンテッソーリ・メソッド』
1912	ケルシェンシュタイナー『労作学校の概念』
1916	デューイ『民主主義と教育』
1917	クループスカヤ『国民教育と民主主義』
1918	キルパトリック『プロジェクト・メソッド』
1919	(独) ワイマール憲法成立。統一学校制度を規定
1920	(米) パーカースト「ドルトン・プラン」発表
1924	(独) ペーターゼン「イエナ・プラン」実施
1934	(米)「バージニア・プラン」実施
1944	(英)「バトラー法」
1947	(仏)「ランジュバン教育改革案」
1957	スプートニク・ショック
1959	(米) ウッズホール会議
1960	ブルーナー『教育の過程』
1970	シルバーマン『教室の危機』 イリイチ**『脱学校の社会』**❸
1983	(米)「危機に立つ国家」
1985	(旧ソ) ペレストロイカで教育改革

さらに詳しく

❸学校という制度自体を否定し，学校の廃絶・縮小を主張しました。

重要人物のまとめ

頻出度 A

傾向＆ポイント 西洋教育史の古代から現代までの重要人物の一覧です。人物名とその特徴，代表的な著書を西洋教育史のまとめとしてしっかり確認しておきましょう。

名前	著作・著書	特徴
ソクラテス (B.C.469?～B.C.399)	なし（彼の考えは，プラトンが著作した)。	問答法を通して「無知の知」を自覚させました。
プラトン (B.C.427～B.C.347)	『国家』	哲人政治を理想とし，学園アカデメイアを開きました。
アリストテレス (B.C.384～B.C.322)	『政治学』	リュケイオンに学園を開き，逍遥学派と呼ばれる多くの門下生を育てました。
エラスムス (1466～1536)	『痴愚神礼賛』	自然な人間性・自発性を重視し，注入主義と体罰を否定しました。
トマス＝モア (1478～1535)	『ユートピア』	すべての子どもが教育を受ける機会を保障された世界を，理想郷として記しました。
ルター (1483～1546)	『教理問答書』	万人が聖書を読むことができるよう，教育の必要性を訴えました。
コメニウス (1592～1670)	**『大教授学』** **『世界図絵』**	大教授学を確立させ，世界初の絵入り教科書を出版。
ロック (1632～1704)	『人間悟性論』 『教育論』	精神白紙論（タブラ・ラサ）を経験論から説きました。
ルソー (1712～1778)	**『エミール』** 『社会契約論』	自然主義教育を展開し，消極教育を提唱しました。
カント (1724～1804)	『教育学講義』	「人間は教育によってのみ人間になる」が有名。
コンドルセ (1743～1794)	「公教育の全般的組織に関する報告および法案」	議会に公教育の原理（無償，男女共学など）を訴えました。
ペスタロッチ (1746～1827)	『隠者の夕暮』	孤児院を経営し，直感教授を提唱しました。

ヘルバルト (1776～1841)	『一般教育学』	4段階教授法を提唱（明瞭・連合・系統・方法）。
フレーベル (1782～1852)	『人間の教育』	世界初の幼稚園をドイツで創設し，「**恩物**」を考案しました。
スペンサー (1820～1903)	『教育論』 『社会学原理』	古典的な教育を否定し，実用的な教育（知育・徳育・体育論）を主張しました。
エレン＝ケイ (1849～1926)	『児童の世紀』	20世紀を「児童の世紀」と呼びました。
ナトルプ (1854～1924)	『社会的教育学』	教育と社会との関係性を説き，教育の社会的意義を主張しました。
ケルシェンシュタイナー (1854～1932)	『公民教育の概念』 『労作学校の概念』	職業教育の重要性を唱え，職業的訓練や職業的陶冶の道徳化を課題とすべきであると主張しました。
デューイ (1859～1952)	『学校と社会』 『民主主義と教育』	経験主義の教育を実践し，問題解決学習の理論を展開しました。
モンテッソーリ (1870～1952)	「**モンテッソーリ・メソッド**」 『子どもの発見』	「子どもの家」を創設し，貧民の教育に力を入れました。
キルパトリック (1871～1965)	『**プロジェクト・メソッド**』	単元の学習方法を4つの過程で提唱しました。
シュプランガー (1882～1963)	『生の諸形式』 『青年期の心理学』	人間を6つの類型に分類しました。
ブルーナー (1915～2016)	『教育の過程』	彼の発見学習は世界に広まり，教育の現代化運動の原動力になりました。

古代・中世の教育

傾向＆ポイント 日本教育の古代・中世の分野は，あまり出題されることはないでしょう。しかし，日本の歴史または一般教養として流れをおさえておきましょう。古代では空海や大学別曹，中世では仏教や金沢文庫などが重要です。

1 古代の教育

日本の教育は，文字の使用がみられた３世紀頃から始まりました。大化の改新後は，貴族など限られた人を中心に行われました。

☑ 飛鳥時代とそれ以前の時代

５世紀に王仁（わに）が百済（くだら）から渡来し，『論語』『千字文（せんじもん）』を伝えました。また，６世紀には仏教に帰依した聖徳太子が，『三経義疏（さんぎょうぎしょ）』という仏教経典を著しました。

☑ 奈良時代

701 年大宝律令により，都に貴族の子弟対象の**大学**（寮），地方に郡司の子弟を対象にした**国学**が建てられました。また，770 年頃に石上宅嗣（いそのかみのやかつぐ）が日本初の私設公開図書館の芸亭（うんてい）を設立しました。

☑ 平安時代

９世紀末になると，大学の地位が低下し，貴族は自分の子弟のために**大学別曹**を設立しました。

和気（わけ）氏：弘文院　菅原・大江氏：文章院（もんじょういん）

藤原氏：勧学院　橘氏：学館院　在原氏：奨学院

庶民の教育としては，**空海**（**真言宗**）が**綜芸種智院（しゅげいしゅちいん）**❶を開設しました。

さらに詳しく

❶空海は芸亭を庶民学校の先駆的存在と位置づけました。

❷「武芸の鍛錬」
武士は戦に備えて，流鏑馬，笠懸，犬追物などで訓練しました。

2 中世の教育

☑ 鎌倉時代

武士の社会になり，**武芸の鍛錬**❷や基本的な読み書きが施されました。また，13 世紀後半には北条実時が**金沢文庫**を設立しました。中世の代表的な教育機関であるだけでなく，多くの書籍もあり，図書館の役割も果たしました。

庶民の教育としては，鎌倉新仏教の寺で行われ，わかりやすい教えで仏教が浸透していきました。

宗派	開祖	教え・修行方法
浄土宗	法然	専修念仏
浄土真宗	親鸞	信心為本
時宗	一遍	踊念仏
日蓮宗	日蓮	題目・折伏
臨済宗	栄西	座禅・公案
曹洞宗	道元	只管打坐

武士や庶民の子弟を寺院に預け，『庭訓往来』『実語録』を教科書として教育を受けさせました。

☑ 室町時代

1439 年，関東管領の上杉憲実が下野国（栃木県）に**足利学校**を再建しました。「**板東の大学**」と呼ばれ，1872 年まで存続しました。

能楽においては，世阿弥の書いた『花伝書（風姿花伝）』は，芸能教育論を含んでいました。

また，鎌倉時代から戦国期に，一族の統率目的で分国法がつくられ，家訓が重視されるようになりました。代表的なものは，『早雲寺殿廿一箇条』などです。

☑ 南蛮人の渡来

室町時代の戦国期になると，キリスト教の普及にポルトガル人などが来航し，南蛮人と呼ばれました。キリスト教の宣教師たちは，**セミナリオ**（神学校）と**コレジオ**を設置しました。セミナリオは宣教師を目指す初等教育機関で，コレジオは高等教育機関でした。言語だけでなく，数学や音楽など多分野の教育が行われました。

近世の教育

頻出度B

傾向＆ポイント 近世には様々な教育機関がつくられていきました。武士のための教育，庶民のための教育，身分の垣根を越えた教育機関です。その中で，私塾を開設した人物とその著書はよく出題されますので，確実に理解しておきましょう。

1 近世の教育とは

近世（江戸時代）の様子

当時の身分は特に，武士とそのほかの庶民という区分ができていました。武士に求められたものは，戦がない世の中なので，武芸よりも政治力でした。そのため，指導者として文武の教養を学び，庶民は身分に応じた教養と生活に必要なスキルを学びました。

中世は寺で教育を受けましたが，近世は幕府が儒教（朱子学）❶を重んじ，昌平坂学問所を設立しました。

ことば

❶「朱子学」
中国・南宋の朱子が興した儒学の一派。儒学の中でも身分に上下関係があることを重視した考え方であったため，家康の時代から幕府は朱子学を擁護していました。

2 近世の教育機関

幕府の教育機関

幕府は上下関係を重んじる**朱子学**を重んじ，**林羅山**を登用しました。彼の家塾を５代将軍綱吉のときに湯島聖堂に移し，幕府の学問所としました。寛政の改革では，寛政異学の禁が出され，**昌平坂学問所**（しょうへいざかがくもんじょ）と呼ばれるようになりました。

諸藩の教育機関

18世紀以降，各藩で人材育成のために各地に**藩校（藩学）**が建てられました。

米沢藩：興譲館　**会津藩：日新館**　**水戸藩：弘道館**
岡山藩：花畠教場（はなばたけきょうじょう）　**長州藩：明倫館**　**熊本藩：時習館**
薩摩藩：造士館

郷学❷として，岡山藩に**閑谷学校**（しずたにがっこう）が建てられました。

ことば

❷「郷学」
藩士と庶民のために，藩主や民間で設立した学校のことです。

寺子屋❸

中世では，寺での教育から寺子屋が発展しています。江戸時代では，神官や医師，武士など様々な身分の人が寺子屋を開設しました。

ここでは6，7～12，3歳の庶民を対象に，「読・書・算」を教えました。その際，**『往来物』**と呼ばれる手習書を参考に学びました。産業に特化した『往来物』も多数使われました。

私塾・家塾

近世の教育機関は，身分で分けられる傾向がありましたが，知的好奇心や，知識向上の意欲などから，より学びたいと考える人が増え，私塾がつくられました。これは幕府や藩の管轄外であり，寺子屋が初等教育ならば，私塾は中等・高等教育に該当しました。教師が自宅などで自己の学派の学問を教えるなど，個性が豊かでした。

	人物名・塾名	
漢学	伊藤仁斎・古義堂 中江藤樹・藤樹書院 吉田松陰・松下村塾	荻生徂徠（おぎゅうそらい）・蘐園塾（けんえんじゅく） 広瀬淡窓・咸宜園（かんぎえん）
国学	平田篤胤・気吹舎（いぶきのや）	本居宣長・鈴屋（すずのや）
洋学	大槻玄沢・芝蘭堂（しらんどう） シーボルト・鳴滝塾（なるたきじゅく）	緒方洪庵・適塾

3　その他

塙保己一（はなわほきいち）

幕府の援助で和学講談所を設置しました。著書に『群書類従』があります。

女性教育

近世初期から，女性の教育の必要性を謳う書物が出されました。代表的なのは『女大学（おんなだいがく）』で，12，3歳までに読み・書き・裁縫を学びました。

さらに詳しく

❸明治期の調査では，15000カ所あったといわれています。推測では，幕末期には50000カ所あったと予想されています（現在の小学校の約2倍）

明治・大正の教育

傾向&ポイント 明治時代の「学制」より，近代教育制度が始まりました。明治時代の教育に関する法制度名とその内容の出題は多いです。また，大正時代では，大正新教育時代と八大教育主張の内容をおさえておきましょう。

1 明治時代の教育

☑ 学制（1872 年）

日本の近代学校制度として公布されました。学制の序文（「**被仰出書**（おおせいだされしょ）」）で**国民皆学**を目標としていました。ここでは**小・中・大学**の３段階の単線型学校体系で，個人主義・実学主義を基本とし，教育の国家管理を明確化しました。

☑ 教育令（1879 年）

学制が廃止され，**自由主義的かつ地方分権的な教育**が行われました。小学校の義務就学年数が減ったことにより，就学率が低下したため，翌年，改正教育令で義務教育の期間延長，地方分校的な方針が見直されました。

☑ 道徳教育

1879 年，明治天皇の侍講元田永孚（もとだながざね）が『教学聖旨』を著し，儒教的な道徳教育の確立を主張しました。しかし，伊藤博文は，井上毅（いのうえこわし）に起草させた「教育議」で，元田の主張は信教の自由を侵すと批判しました。

☑ 学校令

1885 年に文部大臣に任命された森有礼（もりありのり）の主導で行われました。翌 1886 年に出された**学校令**[1]の小学校令では，尋常小学校**4 年を義務化**し，教科書を固定化し，検定制度を採り入れました。また，中学校令では，実学と進学の２目的から，尋常中学校と高等中学校の２種類の中学校がつくられました。

❶「学校令」
1885 年に内閣制度ができ，森有礼は初代文部大臣になりました。学校令は，小学校令・中学校令・師範学校令・帝国大学令の４種類を示しました。

教育勅語

1890年に「教育二関スル勅語」が発布されました。元田永孚と井上毅を中心に起草され，帝国憲法下の教育理念を記したものでした。学校で奉読が義務化され，国民道徳の絶対的基準であり，教育活動の最高原理として存在しました。

2　大正時代の教育

大正デモクラシーが起こったこの時代，明治の形式的教育への批判が高まり，子どもの実態に即した教育が行われるようになりました。

大学令

帝国大学令が改正され，公立大学と**私立大学**❷の設置が認められました。

さらに詳しく

❷大正年間に設置された私立大学は，20校以上ありました。

大正自由教育

大正デモクラシーの時代，民主主義・自由主義が普及し，教育界でも教育改革として，大正自由教育が実践されました。

私立学校として澤柳政太郎・**成城小学校**，**野口援太郎**ら・池袋児童の村小学校，**小原國芳**・玉川学園，赤井米吉・明星学園，羽仁もと子・自由学園が設立されました。師範学校付属小学校（官学）では，手塚岸衛・自由教育，木下竹次・**合科学習**❸，及川平治・分団式動的教育法など，いろいろな実践が行われました。

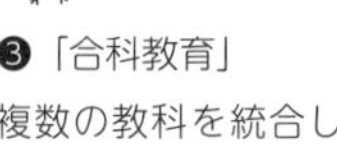

❸「合科教育」
複数の教科を統合し，一つの学習として学ばせる教育です。

八大教育主張

1921年，八大教育主張講演会が開かれました。欧米の教育思想を採り入れ，子どもの自主性・個性を尊重した自由教育の主張が展開されました。

樋口長市：自学教育論　　**河野清丸：自動教育論**
手塚岸衛：自由教育論　　**千葉命吉：一切衝動皆満足論**
稲毛金七：創造教育論　　**及川平治：動的教育論**
小原國芳：全人教育論　　**片上伸　：文芸教育論**

10 戦前・戦中の教育

頻出度 B

傾向&ポイント 日本の戦前・戦中の教育は，それまでの自由主義思想から，世界恐慌などによる不況や帝国主義による世の中の変化に応じて，軍国主義の色濃い教育に変化していきました。この流れをしっかりつかんでおきましょう。

1 昭和初期の教育

戦前の日本の様子

1929年に起きた世界恐慌は，第一次世界大戦に勝利し，経済成長を遂げた日本にも大きく影響を及ぼしました。国内の各産業が不安定になり，大きなインフレが起きました。また，帝国主義から軍が政治に強く関わり，教育も軍主体の系統がとられるようになりました。

生活綴方運動

大正期の**芦田恵之助**（あしだえのすけ）が提唱した**随意選題の綴り方教授**（つづりかた）[1]や，鈴木三重吉（すずきみえきち）らの**『赤い鳥』**[2]運動を昭和初期の子どもの実態に応じて行ったものです。生活が過酷な子どもたちに生活を直視・観察させ，それを綴らせることで，世の中の原理を把握させ，子どもの自主的自立能力を養うものでした。

また，雑誌**『綴方生活』**（つづりかたせいかつ）が刊行されました。貧困と封建制の強い当時の東北地方で展開された，**北方性教育運動**が有名です。

郷土教育運動

文部省が行った，農村部を中心とする地方教育の振興政策です。郷土愛をもたせながら，郷土の再建に心身を捧げる人物の育成が目的でした。これは，1930年に小田内通敏（おだうちみちとし），長田新（おさだあらた），赤井米吉らが結成した**郷土教育連盟**が中心になって行われました。

❶「随意選題の綴り方教授」
国語の学習内容の一つで，今までの教師が課題を与えて子どもが文字を綴るという形式とは異なり，子どもの実生活をありのまま綴らせるという学習内容でした。

❷「赤い鳥」
大正自由教育運動に夏目漱石の弟子の鈴木三重吉が中心となって，複数の作家の童話や童謡をまとめて児童向け雑誌として刊行しました。

国民学校

1941年，国民学校令が公布され，「小学校」は「国民学校」に改められました。ここは皇国民育成の重要な機関として，6年の国民学校初等科と2年の国民学校高等科の8年を義務教育としました。しかし，施行から4年ほどで敗戦となったため，完全実施には至っていません。

近代の教育・略年表

年	事項
1871	文部省設置
1872	「学制」公布，福沢諭吉『学問のすゝめ』
1879	「学制」を廃止し，「教育令」公布
1880	「教育令」改正
1885	内閣制度発足。初代文部大臣に森有礼
1886	「教育令」を廃止し，「学校令」公布
1890	教育勅語公布
1900	小学校令を改正。義務教育を4年にし，授業料徴収の廃止
1903	小学校教科書国定化
1907	義務教育を4年から6年に延長
1917	**臨時教育会議**❸開始，澤柳政太郎（さわやなぎまさたろう）が成城小学校を開く。
1918	鈴木三重吉らが『赤い鳥』刊行
1921	羽仁もと子が自由学園を開く。八大教育主張講演会が開かれる。
1922	全国水平社の設立
1924	野口援太郎らが池袋児童の村小学校，赤井米吉が明星学園を開く。
1925	普通選挙法と治安維持法が成立
1929	世界恐慌。小原國芳が玉川学園を開く。
1938	国家総動員法が成立
1941	「国民学校令」公布。太平洋戦争勃発

さらに詳しく

❸寺内正毅内閣で1年8か月の間，行われた教育審議です。1919年以降の教育制度改革は，この答申をもとにつくられました。

11 現代の教育（戦後）

頻出度 B

傾向＆ポイント 戦後の教育内容は，現在の教育に直結することが多々あります。いつ，どのような法令が出されたのかを中心に，学校週５日制や生きる力などのキーワードと内容を整理し，覚えておくようにしましょう。

1 戦後の教育改革

☑ GHQによる指令

GHQ（連合国軍最高司令官総司令部）の日本の教育改革における指令は４つでした（軍国主義的・超国家主義的教育の禁止，軍国主義教員の審査と教職追放，神道への政府の関与の禁止，修身・日本歴史・地理の停止）。約１か月の視察の後，教育の民主化・**教育課程の改革**❶・地方分権的な教育行政への転換・男女共学・６・３・３制の教育制度の確立・教員養成の改善・神道と公教育の分離などを勧告しました。

さらに詳しく

❶戦前と戦後では，学校制度が大きく異なりました。戦前は中等教育以降，複数のコースに分岐する分岐型だったのに対し，戦後は中等教育が単線化され，高等教育に進学しやすいものになりました。

☑ 教育刷新委員会（1949年に教育刷新審議会と改称）

GHQの勧告を実現化するため，1946年に内閣総理大臣の教育諮問機関として設置されました。**教育基本法**，**学校教育法**などの主な法律の原案や**６・３・３**制の教育制度，**社会科**の創設などが練られました。

☑ 戦後の教育改革の見直し

冷戦が起きていた1951年は日本の占領政策に変化が起き，それに伴って，教育改革の見直しが行われました。

- **教育二法**❷…教員の政治活動の禁止と制限。
- 道徳の時間…1958年の学習指導要領告示の際に特設。

❷「教育二法」
義務教育諸学校における教育の政治的中立の確保に関する臨時措置法，教育公務員特例法の一部を改正する法律です。

2 貴重な審議会

☑ 臨時教育審議会（臨教審）

1984年に発足しました。**21世紀の教育の在り方や教**

育改革の具体的な方策❸などの検討が目的でした。

☑ 中央教育審議会（中教審）

1952年に発足しました。文部科学省（当時は文部省）の文部科学大臣の諮問機関で，様々な教育政策を審議し，答申しています。

☑ 教育再生実行会議

2013年に発足しました。第2次安倍内閣における教育提言を行う私的諮問機関です。

☑ 現代の教育・略年表

年	事項
1946	教育刷新委員会発足 日本国憲法公布
1947	教育基本法，学校教育法公布
1948	教育委員会法公布 新制高等学校・大学発足
1949	社会教育法公布
1952	中央教育審議会設置
1963	教科書無償措置法公布
1979	養護学校の義務化
1984	臨時教育審議会設置
1990	生涯学習振興法公布
1992	学校週5日制実施（月1回）
1994	児童の権利条約批准
1998	総合的な学習の時間の創設
2000	「教育を変える17の提案」
2006	教育基本法改正により，伝統と文化，それを育んだ郷土と我が国の尊重をうたう
2008	小・中学校学習指導要領改訂 小学校で外国語活動
2009	教員免許更新制度導入
2013	いじめ防止対策推進法の制定
2014	障害者の権利に関する条約を批准

さらに詳しく

❸中曾根康弘（なかそねやすひろ）首相の諮問機関です。学校中心の教育から生涯学習体系への転換や初任者研修，教員免許制度の改善，総合学科の創設など様々な改革が行われました。

12 重要人物のまとめ

頻出度 B

傾向&ポイント 日本教育史における重要人物の一覧です。おさえておきたいのは，近代以降の人物です。人物名とその特徴，代表的な著書を日本教育史のまとめとして確認しておきましょう。

人物	著作・著書	特徴
空海 (774～835)		綜芸種智院（しゅげいしゅちいん）を建て，庶民教育の先駆けになりました。
林羅山 (1583～1657)	『春鑑抄』	儒学者として幕府に登用され昌平坂学問所（しょうへいざかがくもんじょ）に関わりました。
中江藤樹（なかえとうじゅ） (1608～1648)	『翁問答』	私塾である藤樹書院を設立し，陽明学を広めました。
伊藤仁斎 (1627～1705)	『童子問』	儒教の古典を解読する古義学を開き，古義堂を開設。堀川学派を確立しました。
貝原益軒（かいばらえきけん） (1630～1714)	『養生訓』 『和俗童子訓』	平易な仮名による教訓書や実用書を多数執筆しました。『和俗童子訓』では随年教育法を説きました。
荻生徂徠（おぎゅうそらい） (1666～1728)	『政談』 『弁名』 『太平策』	古文辞に即して経書を解釈することを旨とする蘐園塾（けんえんじゅく）を創設しました。自由な学風で，多方面の人材を育成しました。
広瀬淡窓（ひろせたんそう） (1782～1856)	『淡窓詩話』	咸宜園を建てました。実力主義教育の三奪法が有名です。
緒方洪庵 (1810～1863)	『病学通論』 『人心窮理小解』	蘭学の適塾を開設しました。実力本位の新旧体制を敷き，大阪大学の源流となります。
元田永孚（もとだながざね） (1818～1891)	『幼学綱要』 「教学聖旨」	儒教的な道徳教育の普及に尽力しました。
吉田松陰 (1830～1859)	『講孟余話』	長州藩の教育者で松下村塾を開きました。伊藤博文など多くを輩出しました。
福沢諭吉 (1834～1901)	**『学問のすゝめ』** 『西洋事情』 『文明論之概略』	慶応義塾の創始者で明治の教育の指導者的役割でした。封建制を批判し，実学を重視しました。
新島襄（にいじまじょう） (1843～1889)		キリスト教主義の教育をもととし，同志社を設立しました。
森有礼（もりありのり） (1847～1889)		日本初の文部大臣で，小学校令などの近代学校体系を確立しました。

澤柳政太郎 (1865 ~ 1927)	『実際的教育学』	成城小学校を創設し，児童中心主義の教育を行いました。
谷本富 (1867 ~ 1946)	『実用教育学及教授法』 『新教育講義』	ヘルバルト教育学派を紹介・普及させました。日本で最初の教育学関係での文学博士です。
芦田恵之助 (1873 ~ 1951)	『綴り方教授』	自由に課題を選ばせ，自由に記述させる「随意選題主義」を唱えました。
羽仁もと子 (1873 ~ 1957)	『一般教育学』	自由学園を創設し，キリスト教的な「自労自活」の教育を実践しました。
及川平治 (1875 ~ 1939)	『分団式動的教育法』	分団式動的教育の提案者で，指導の個別化，学習の個別化を図りました。
手塚岸衛 (1880 ~ 1936)	『自由教育真義』	自由ヶ丘学園を創設しました。教育は自己開拓する力をつけることであるという自由教育論を唱えました。
倉橋惣三 (1882 ~ 1936)	『日本幼稚園史』 **『幼稚園保育法真諦』**	自由遊びを重視した幼児教育を進め，フレーベルの精神に基づく「**誘導保育**」を提唱しました。
小原國芳 (1887 ~ 1977)	『全人教育論』 『自由教育論』	八大教育主張講演会で全人教育論を論じ，玉川学園を創設しました。
鈴木三重吉 (1882 ~ 1936)	**『綴方読本』**	雑誌『赤い鳥』を創刊し，子どもに綴り方や自由詩の作文指導を行いました。
小砂丘忠義 (1897 ~ 1937)	『私の綴方生活』	雑誌『綴方生活』を創刊し，日本語と日本語による文章表現指導体系の発見と確立に力を注ぎました。

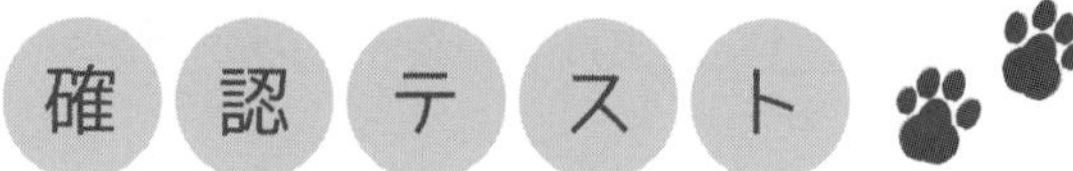

教育史

1 次は，ある教育思想家について述べた文である。あてはまる人物名をA群から，この人物の著作をB群からそれぞれ一つずつ選べ。

【秋田県・改】
1

近代教育と教育思想の基礎を築いた教育実践家であり教育思想家である。スイスのチューリッヒに生まれる。人間の認識の根底にある直感の三要素（数・形・語：「直観のABC」とも呼ばれる）に着目した教授法（直観教授法）を考案した。

人物：③
著作：⑧

その実践と思想は，その後の教育思想家に大きな影響を与え，日本の近代教育においても高嶺秀夫，伊沢修二らによって紹介された。

A群 ①ヘルバルト（Herbart,J.Fr.）
②フレーベル（Fröbel,F.W.A）
③ペスタロッチ（Pestalozzi,J.H）
④ロック（Locke,J.）

B群 ⑤『人間の教育』
⑥『一般教育学』
⑦『教育に関する考察』
⑧『隠者の夕暮』

2 次のア～エの著者とそれぞれの人物の組み合わせとして最も適切なものを，下の①～④のうちから選びなさい。

【和歌山県・改】
2

ア 民主主義と教育　**イ** エミール
ウ 世界図絵　**エ** 隠者の夕暮れ

③

① **ア** デューイ　**イ** ルソー
ウ エレン・ケイ　**エ** ペスタロッチ

② **ア**　エレン・ケイ　　**イ**　ペスタロッチ
　ウ　デューイ　　**エ**　コメニウス
③ **ア**　デューイ　　**イ**　ルソー
　ウ　コメニウス　　**エ**　ペスタロッチ
④ **ア**　ピアジェ　　**イ**　デューイ
　ウ　ペスタロッチ　　**エ**　ルソー

3 日本の明治時代の教育について誤っているものを，次の１～５の中から１つ選べ。

1．1872（明治５）年に頒布された「学制」の基本理念は，太政官布告である「学制序文」（被仰出書）に明示されており，個人主義，功利主義の立場が示された。

2．「学制」に代わって，1879（明治 12）年に「教育令」が施行された。中央集権的な学区制を廃し，地方分権的なものとなり，自由教育令とも呼ばれた。しかし，教育不振を招き，わずか１年で改正された。

3．1885（明治 18）年に内閣が設置されると，森有礼が文部大臣になった。森は，小学校令・中学校令・帝国大学令・師範学校令などからなる「学校令」を制定し，学校制度の基礎をほぼ確立した。

4．1890（明治 23）年，明治天皇から文部大臣に「教育ニ関スル勅語」（教育勅語）が下付された。実際には田中不二麿と福沢諭吉が起草したもので，国民には天皇の臣民としての義務を全うすることが要求された。

5．1900（明治 33）年の第三次小学校令において，義務教育は４年とされ，授業料が無償となった。その結果，就学率が急上昇し，義務教育が制度的に確立した。

【和歌山県】
3

4
起草したのは元田永孚と井上毅

4 次のａ～ｃは，明治・大正時代の教育史に関わる人物について述べたものである。それぞれの人物を語群から選ぶとき，正しい組み合わせとなるものを解答群から一つ選び，番号で答えよ。

a　伊藤博文内閣の文部大臣に就任後，小学校令，中学校令など諸学の校令を制定して，以後の学校制度の基本型を確立した。

b　長女の誕生を契機に童話の創作を行うようになった。従来の児童向け雑誌の商業主義的な傾向を憂慮し，1918 年に雑誌『赤い鳥』を創刊した。

c　『実際的教育学』において，教育実践と無関係のこれまでの教育学を批判し，「教育の事実」に基づく科学的な教育学建設の必要性を訴えた。実験学校として，1917 年に「成城小学校」を創設した。

【語群】

ア　新島襄　**イ**　森有礼　**ウ**　伊沢修二

エ　鈴木三重吉　**オ**　手塚岸衛

カ　澤柳政太郎

【解答群】

1　a－**ア**　b－**ウ**　c－**オ**
2　a－**ア**　b－**ウ**　c－**カ**
3　a－**ア**　b－**エ**　c－**オ**
4　a－**ア**　b－**エ**　c－**カ**
5　a－**イ**　b－**ウ**　c－**オ**
6　a－**イ**　b－**ウ**　c－**カ**
7　a－**イ**　b－**エ**　c－**オ**
8　a－**イ**　b－**エ**　c－**カ**

【愛知県】

4

8

索引

人名

法令

事項

● く

● け

MEMO

MEMO

2026年度版　スイスイわかる　教職教養　合格テキスト

（2024年度版　2022年9月15日　初版　第1刷発行）

2024年9月17日　初版　第1刷発行

編著者　TAC株式会社（教員採用試験研究会）

発行者　多田敏男

発行所　TAC株式会社　出版事業部（TAC出版）

〒101-8383
東京都千代田区神田三崎町3-2-18
電話 03(5276)9492（営業）
FAX 03(5276)9674
https://shuppan.tac-school.co.jp

組版　株式会社　キーステージ21

印刷　株式会社　ワコー

製本　株式会社　常川製本

© TAC 2024　Printed in Japan

ISBN 978-4-300-11231-1
N.D.C. 370

本書は，「著作権法」によって，著作権等の権利が保護されている著作物です。本書の全部または一部につき，無断で転載，複写されると，著作権等の権利侵害となります。上記のような使い方をされる場合，および本書を使用して講義・セミナー等を実施する場合には，小社宛許諾を求めてください。

乱丁・落丁による交換，および正誤のお問合せ対応は，該当書籍の改訂版刊行月末日までといたします。なお，交換につきましては，書籍の在庫状況等により，お受けできない場合もございます。
また，各種本試験の実施の延期，中止を理由とした本書の返品はお受けいたしません。返金もいたしかねますので，あらかじめご了承くださいますようお願い申し上げます。

資格の学校 TAC 教員採用試験 対策講座

講義は**一から始めても分かりやすい**ように重要なポイントを教えてくれます。**具体例なども出してくれる**ので講義を聞いていてとても理解しやすいです。

菊池 悠太さん　川崎市 中高社会

話し方、説明の分かりやすさなど、**とても受けるのが楽しかった**です。試験のためだけでなく、**教員になったときに応用できることなども教えてくださいました。**

河合 このみさん　東京都 中高英語

TACの講師は人柄がよく、質問や相談に行った際、**丁寧で優しく的確に答えて下さり、話をする中で信頼できるなと感じました。**

村上 夢翔さん　大阪市 中学校数学

講師満足度 92.6%

大変満足 75.2%（451）
満足 17.3%（104）
普通 6.8%
不満 0.5%

※2023年合格目標各種本科生を対象としたコンテンツ調査の講師アンケート（教職教養・論文対策・面接対策 講義担当講師）有効回答599（のべ件数）　※小数点第二位切捨

河東 久信講師 Kato Hisanobu
橘 佳尚講師 Tachibana Yoshihisa
水口 敏也講師 Mizuguchi Toshiya
高橋 俊明講師 Takahashi Toshiaki

自由にカリキュラムが選べる！ セレクト本科生

科目自由選択制：教職教養／一般教養／専門教養／県別対策／面接対策／論文対策

教職教養

無制限実践練習

論文対策

小学校・教員未経験者／中高・教員未経験者／特別支援・教員未経験者／養護教諭・教員未経験者／小学校・教員経験者／中高・教員経験者／特別支援・教員経験者／養護教諭・教員経験者

無制限実践練習

面接対策

小学校・教員未経験者／中高・教員未経験者／特別支援・教員未経験者／養護教諭・教員未経験者／小学校・教員経験者／中高・教員経験者／特別支援・教員経験者／養護教諭・教員経験者

一般教養

一般教養 入門・小学校全科 入門／一般教養／大阪エリア 思考力・判断力対策

専門教養

小学校全科／中高国語／中高社会／中高数学／中高理科／中高保体／中高英語／特別支援／養護教諭／栄養教諭

県別対策

北海道エリア／宮城エリア／茨城県／埼玉エリア／千葉エリア／東京都／神奈川県・相模原市／横浜市・川崎市／愛知県／名古屋市／京都府／京都市／大阪エリア／兵庫県／神戸市／広島エリア／福岡エリア

受講料（教材費・税込）
¥54,000～

コース詳細はコチラ

のご案内

『人物重視の選考に、人物重視の対策を』

TACでは「ここを覚えてください」ではなく、「なぜ」「どうして」といった、理解中心の本質的な講義を展開します。理解して覚えるためのノウハウを盛り込んだ充実の講義は最終合格に結びつき、その後の学校現場にもつながっていきます。

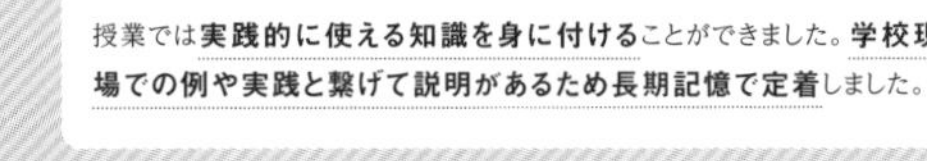
授業では**実践的に使える知識を身に付ける**ことができました。**学校現場での例や実践と繋げて説明があるため長期記憶で定着**しました。

合格

朝川 眞名さん　東京都 特別支援学校音楽

様々な先生の視点から指導いただけるのは非常に有意義だと思います。**どんな面接官に対しても高評価をもらえるような解答を用意**することができました。

石原 俊さん　愛知県 中学校数学

TACは面接や論文のサポートが手厚く、面接対策では、**自身の希望する自治体に合わせた質問や形式を準備頂き、本番に近い状況で対策をすることができました。**

竹腰 皐生さん　東京都 中高地歴

鴨田 拓 講師 Kamota Taku

鎌田 瀟子 講師 Kamata Syoko

竹之下 シゲキ 講師 Takenoshita Shigeki

永平 一洋 講師 Nagahira Kazuhiro

※各種本科生を対象とした合格体験記より抜粋。

自分に合った学習スタイルを！ **選べる学習メディア**

Web通信講座

いつでもどこでも
何度でも！
マルチデバイス対応
のオンライン学習

教室＋Web講座

教室でも、Webでも、
自由に講義を受けられる！

【開講校舎】
新宿校・横浜校・大宮校・
名古屋校・梅田校・神戸校

各種資料のご請求・教員講座の受講や試験に関するご相談は

資料請求する

講座パンフレットを
ご自宅へお届けします

講義動画を視聴してみる

無料体験動画を公開中

オンラインで話を聞く

個別に学習や受講の
相談を承ります

TACカスタマーセンター　通話無料　**0120-509-117**（ゴウカク イイナ）　受付時間　平日・土日祝／10:00～17:00

TAC出版 書籍のご案内

TAC出版では、資格の学校TAC各講座の定評ある執筆陣による資格試験の参考書をはじめ、資格取得者の開業法や仕事術、実務書、ビジネス書、一般書などを発行しています！

TAC出版の書籍

＊一部書籍は、早稲田経営出版のブランドにて刊行しております。

資格・検定試験の受験対策書籍

- 日商簿記検定
- 建設業経理士
- 全経簿記上級
- 税　理　士
- 公認会計士
- 社会保険労務士
- 中小企業診断士
- 証券アナリスト
- ファイナンシャルプランナー(FP)
- 証券外務員
- 貸金業務取扱主任者
- 不動産鑑定士
- 宅地建物取引士
- 賃貸不動産経営管理士
- マンション管理士
- 管理業務主任者
- 司法書士
- 行政書士
- 司法試験
- 弁理士
- 公務員試験(大卒程度・高卒者)
- 情報処理試験
- 介護福祉士
- ケアマネジャー
- 電験三種　ほか

実務書・ビジネス書

- 会計実務、税法、税務、経理
- 総務、労務、人事
- ビジネススキル、マナー、就職、自己啓発
- 資格取得者の開業法、仕事術、営業術

一般書・エンタメ書

- ファッション
- エッセイ、レシピ
- スポーツ
- 旅行ガイド（おとな旅プレミアム/旅コン）

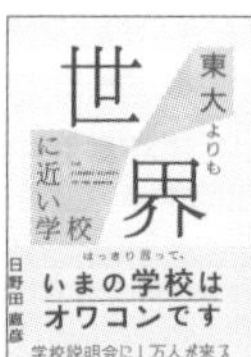

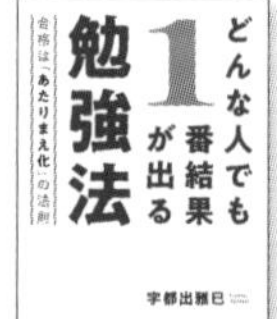

TAC出版

(2024年2月現在)

書籍のご購入は

1 全国の書店、大学生協、ネット書店で

2 TAC各校の書籍コーナーで

資格の学校TACの校舎は全国に展開!
校舎のご確認はホームページにて

資格の学校TAC ホームページ
https://www.tac-school.co.jp

3 TAC出版書籍販売サイトで

CYBER BOOK STORE TAC出版書籍販売サイト

TAC 出版 で 検索

24時間 ご注文 受付中

https://bookstore.tac-school.co.jp/

新刊情報を いち早くチェック!

たっぷり読める 立ち読み機能

学習お役立ちの 特設ページも充実!

TAC出版書籍販売サイト「サイバーブックストア」では、TAC出版および早稲田経営出版から刊行されている、すべての最新書籍をお取り扱いしています。
また、会員登録(無料)をしていただくことで、会員様限定キャンペーンのほか、送料無料サービス、メールマガジン配信サービス、マイページのご利用など、うれしい特典がたくさん受けられます。

サイバーブックストア会員は、特典がいっぱい!(一部抜粋)

通常、1万円(税込)未満のご注文につきましては、送料・手数料として500円(全国一律・税込)頂戴しておりますが、1冊から無料となります。

専用の「マイページ」は、「購入履歴・配送状況の確認」のほか、「ほしいものリスト」や「マイフォルダ」など、便利な機能が満載です。

メールマガジンでは、キャンペーンやおすすめ書籍、新刊情報のほか、「電子ブック版TACNEWS(ダイジェスト版)」をお届けします。

書籍の発売を、販売開始当日にメールにてお知らせします。これなら買い忘れの心配もありません。

書籍の正誤に関するご確認とお問合せについて

書籍の記載内容に誤りではないかと思われる箇所がございましたら、以下の手順にてご確認とお問合せをしてくださいますよう、お願い申し上げます。
なお、正誤のお問合せ以外の**書籍内容に関する解説および受験指導などは、一切行っておりません。**
そのようなお問合せにつきましては、お答えいたしかねますので、あらかじめご了承ください。

1 「Cyber Book Store」にて正誤表を確認する

TAC出版書籍販売サイト「Cyber Book Store」の
トップページ内「正誤表」コーナーにて、正誤表をご確認ください。

CYBER BOOK STORE TAC出版書籍販売サイト

URL:https://bookstore.tac-school.co.jp/

2 1の正誤表がない、あるいは正誤表に該当箇所の記載がない ⇒ 下記①、②のどちらかの方法で文書にて問合せをする

★ご注意ください★

お電話でのお問合せは、お受けいたしません。
①、②のどちらの方法でも、お問合せの際には、「お名前」とともに、
「対象の書籍名(○級・第○回対策も含む)およびその版数(第○版・○○年度版など)」
「お問合せ該当箇所の頁数と行数」
「誤りと思われる記載」
「正しいとお考えになる記載とその根拠」
を明記してください。
なお、回答までに1週間前後を要する場合もございます。あらかじめご了承ください。

① ウェブページ「Cyber Book Store」内の「お問合せフォーム」より問合せをする

【お問合せフォームアドレス】

https://bookstore.tac-school.co.jp/inquiry/

② メールにより問合せをする

【メール宛先 TAC出版】

syuppan-h@tac-school.co.jp

※土日祝日はお問合せ対応をおこなっておりません。
※正誤のお問合せ対応は、該当書籍の改訂版刊行月末日までといたします。

乱丁・落丁による交換は、該当書籍の改訂版刊行月末日までといたします。なお、書籍の在庫状況等により、お受けできない場合もございます。
また、各種本試験の実施の延期、中止を理由とした本書の返品はお受けいたしません。返金もいたしかねますので、あらかじめご了承くださいますようお願い申し上げます。

TACにおける個人情報の取り扱いについて
■お預かりした個人情報は、TAC(株)で管理させていただき、お問合せへの対応、当社の記録保管にのみ利用いたします。お客様の同意なしに業務委託先以外の第三者に開示、提供することはございません(法令等により開示を求められた場合を除く)。その他、個人情報保護管理者、お預かりした個人情報の開示等及びTAC(株)への個人情報の提供の任意性については、当社ホームページ(https://www.tac-school.co.jp)をご覧いただくか、個人情報に関するお問い合わせ窓口(E-mail:privacy@tac-school.co.jp)までお問合せください。

(2022年7月現在)